JN083774

システムを作らせる技術

エンジニアではないあなたへ

白川　克＋濵本佳史
Masaru Shirakawa　Yoshifumi Hamamoto

日本経済新聞出版

はじめに

「システムを作る技術」ではなく「作らせる技術」についての本

不思議なことがある。

世の中にはシステム開発についての本が何百冊もあるが、その全てが「システムを作る技術」の本なのだ。もちろんITエンジニアと呼ばれる専門職はたくさんいて、彼ら彼女らは勉強熱心なので技術書のニーズは高い。作る技術についての本がたくさんあるのは不思議ではない。

だがビジネスパーソンの9割はシステムを作る人ではなく、作ってもらい、使う側だ。この作ってもらう側の人々が、作らせ方を学ぶ本が一切ないのはかなり不思議なことだ。

住宅建築と比べると、その異様さが際立つ。住宅の分野でも、大工さんや建築家向けの専門書は多く出版されている。同時に「望み通りの家を手に入れる方法」だの「建築家と家を作る」だの「良い工務店の選び方」といった、家を作ってもらう施主に向けた本も無数にある。

なのにシステムの世界では、作らせる方法についての本が皆無だ。そこでこの本を書くことにした。この本はシステムを作ってもらう人が身につけるべき技術、知っておくべきことを学ぶための本である。

あなたに必要なのは「作らせる技術」

なぜあなたがシステムを作らせる技術について学ぶ必要があるのか、改めて考えてみよう。一言で言えば、「会社を変えたい、社会を変えたい、新しい事業を生み出したい」と思っているならば、システムを作る技術か、システムを作らせる技術のどちらかが必要だからだ。

今や、システムを作らずに新しい事業を創造することはできない。今ある組織や業務を抜本的に変える際にも、システムに大幅に手を入れたり、ゼロから作り直す必要がある。だから「システムを作る技術」か「システムを作らせる技術」のどちらかを持たなければ、変革を起こせない。

私たち（著者2名が所属するケンブリッジ・テクノロジー・パートナーズ）が事業立ち上げを支援したベンチャー企業、GROOVE Xを例にとろう。彼らはLOVOT（Love + Robot）という、ペットのような家族のような「人の代わりに仕事はしないロボット」を創っている。展示作品ではなく事業化が目標なので、ロボットの開発と並行して、LOVOTを届け、修理を受け付け、課金をして……という一連の業務とシステムを、発売までに作り上げる必要があった。

LOVOTは1回売っておしまいのビジネスモデルではなく、末永くかわいがってもらい、末永くユーザーからお金をいただく課金モデル。だからユーザーとの関係についても、「飼い主が亡くなった時に、新しい飼い主に引き継ぐには？」のように、様々な想定シーンを考えることになる。

具体的には、「飼い主が亡くなったら新しい飼い主に何をしていただくか？」「GROOVE Xは会社としてどう対応するか？」といった、人間の行動を設計する必要がある。そして「飼い主データをどう引き継ぐか？」「月額利用料の請求先をスムーズに変更するためにどういうシステム機能が必要か？」のように、人間の業務を支えるシステムについても、同時に構想しなければならない。

やりたい業務が決まれば、欲しいシステム機能が見えてくる。逆に、作れそうなシステム機能がわかってくると、それに合わせた業務を設計できる。業務とシステムはコインの表と裏の関係で、分けて議論することはできない。

これが「新しいビジネスを設計する」ということだ。この時に「オレ、システムのことは全然わからないから詳しい人に任せるよ」という人は、ビジネスの立ち上げに全く貢献できない。新しい事業を創造したり、既存の業務を変革する際に、システムに目をつぶることは許されない時代なのだ。

あなたがスーパーマンであれば、ビジネスを一人で構想し、一人でプログラミングしてシステムを作ってしまうのが手っ取り早い。だが複雑で進歩の速いITを学び続け、その上でビジネスにも精通した変革人材になることは、相当高いハードルだ。

だからこそ、あなたが「会社を変えたい、社会を変えたい、新しい事業を生み出したい」と思っているならば、システムを自ら作れなくても、「システムを作らせる技術」を習得してほしい。具体的には、

・「こんなシステムを使ってこんなビジネスをやりたい」を構想し、
・「A機能とB機能、どちらを優先すべきか」を判断し、
・「これを作るのにいくらまで投資する価値があるか？」を見極め、

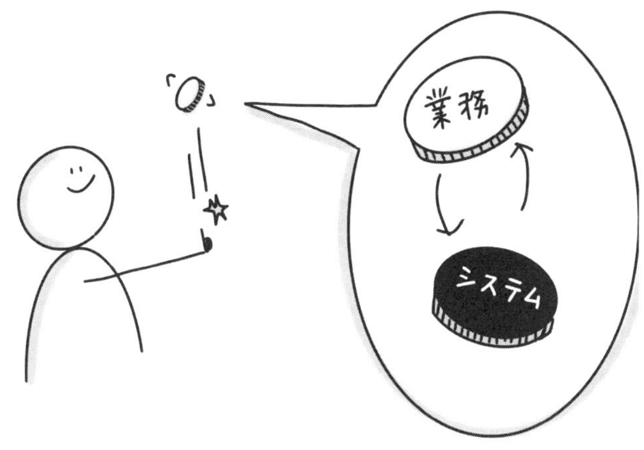

・作ってくれる人を探し出し、適切に依頼し、
・構築段階で湧き起こる様々な課題を解決

していかなければならない。意外と盛りだくさんだ。でもこれができない限り、何も変えられないし、何かを生み出すこともできない世の中になった。

本書はそれらの「システムを作らせる技術」を体系立てて学ぶための本である。

「作らせる技術」の欠如がビジネスを停滞させている

残念ながら、「システムを作らせる技術」の重要性はあまり認識されていないし、そのことが日本企業の大きな弱点となっている。

この本を書いている2020年のビジネス界で大きな話題となった、新型コロナにともなうリモートワーク対応と、DX（デジタル・トランスフォーメーション）への取り組みを例に考えてみよう。

コロナが広がり始めた時、リモートワーク（在宅勤務）への適応は、会社によって明暗が分かれた。リモート会議システムや、インターネット上で共同作業をすすめるツールを速やかに整え、オフィスと変わらないレベルで在宅勤務ができるようになった会社もあった。一方で緊急事態宣言から何ヶ月たっても、出社せざるを得ない会社も多くあった。上司との相談やハンコを押す仕事が会社でなければできなかったからだ。

これは小さめのITプロジェクトをスピーディにやり遂げる組織力が試された事例だった。自社専用のシステムを作り込まなくてもよいので、プログラミング能力は必要ない。むしろ自社のビジネスに一番フィットする製品を選んだり、使い方のルールやガイドラインを決めるなど、「適切にITを使いこなす力」が勝負を分けた。

ビジネスを止めないために予定外の出費でも急いで投資を決断したり、社員がツールをスマートに使いこなすフットワークの良さも問われた。これらは広い意味で「システムを作らせる技術」の一部である。

かたやDXは「デジタルの力を使って、ビジネスを抜本的に変えよう！」といった変革を指す。このこと自体は当然重要なのだが、バズワード（流行り言葉）になってしまっているのが実態だ。

DXの本質を理解していない社長が「我が社もとにかくDXに取り組め！」と号令をかけると、現場はそれに従わざるを得ない。

「社長はもっと最新技術を使った画期的なことを望んでいるはず」

「とりあえず企画書にDXって書けば決裁を通りやすくなるから……」

みたいな社内忖度が起きまくれば、本来やるべき地に足をつけた変革が遠のいてしまう。

私たちも顧客企業とDXに取り組むことが多いが、それはあくまで「会社や顧客にとって、ベストな変革とはなにか？を考え尽くしたら、結果としてDXと呼ばれるような変革になっていた」というストーリーだ。

いまの世の中、ビジネスを抜本的に良くしようと思えば、システムを活用するのは当然だ。DXなどと流行り言葉に踊らされていないで、1つ1つの変革プロジェクトを成功させていくしかない。

だが問題は、DXをはじめとして、ITプロジェクトが成功しないことだ。

プロジェクトの失敗は企業の外に伝わらない。だが、実際にはたくさん起きている。『日経コンピュータ』誌の調査では、3年を超えるような大規模プロジェクトに限ると、成功率は16%しかない（『日経コンピュータ』2018/3/1号より）。

なぜこんなに成功しないのか。私たちが見聞きした、よくある失敗原因を挙げてみよう。

失敗原因1 ゴールがバラバラ

プロジェクトの関係者ごとに、なんのためにシステムを作るのか、認識がバラバラ。目指すゴールが違うのだから、プロジェクトを進めていくと当然迷走する。

失敗原因2 システムをITエンジニアに丸投げ

本書で繰り返し述べるように、経営者や業務担当者がシステム構築に関わらないとプロジェクトは必ず失敗する。なぜならシステムは業務のために作るのであり、ひいては経営のためだからだ。

失敗原因3 システムを欲しがるが、業務を変えるつもりはない

新技術を使ったシステムを導入したら、仕事のやり方も変えなければ効率はあがらない。逆に「業務は現状のまま変えたくないが、便利な道具は欲しい」という要望に沿ってシステムを構築すると、構築コストは膨らみ、完成したとしても大きな成果は得られない。

失敗原因4 必要な機能がもれている

多額の投資をした割に必要な機能がない。代わりに誰も使わない機能がアレコレ用意されている。バカバカしい話だが、ほとんどの企業で起きている。この本の主要なテーマなので、後ほど詳しく説明する。

失敗原因5 現場の声を聞きすぎてコストが膨らむ

システム構築にあたって経営者にインタビューすると、たいていは「現場の声を聞いて、使いやすいシステムを」と要望される。だが現場の声を聞きすぎると、投資額が膨らむ割に、ビジネスにとって役立たないシステムができる。これは（社内の評判とは裏腹に）失敗プロジェクトと言っていいはずだ。

失敗原因6 システムを作ってもらうベンダーやソリューションの選択に失敗

良い家を建てるためには良い大工に頼む必要があるように、良いシステムを作る際も、適した工法やITベンダーの選定が鍵となる。だが技術に詳しくない人が腕の良いベンダーを選ぶのは難題で、ここでつまずくプロジェクトも多い。

失敗原因7 コントロールできない炎上プロジェクトとなる

構築を始めても中々前に進まない。それどころか、どれくらい作り終わったのか？いつ完成するのか？がよくわからない。そういった炎上プロジェクトは残念ながら大変多い。

システム構築に多少なりとも関わったことがあるならば、これらを見聞きしたことがあるに違いない。ズバリこうした失敗の当事者となった人もいるだろうし、こうした失敗に転がり落ちそうなところを必死でこらえた人もいるだろう。

実は「システムを作る人」に問題があって、こうした失敗が起こるケースは稀だ。ほとんどは「システムを作らせる人」、つまり本書を読んでいるあなたのような人が原因である。

例えば「**失敗原因4　必要な機能がもれている**」の場合。どんな業務のために、どんなシステム機能が必要かを語るのは、作る人ではなく作らせる人の責任である。システムを作る人はあくまでITのプロであって、ビジネスのプロではない。だからどんなシステムを作れば業務が良くなるのかわからない。

「**失敗原因5　現場の声を聞きすぎてコストが膨らむ**」についても同様だ。ある機能を作るのに1000万円かかる時、それを作る価値があるかどうかは、ビジネス上の価値で決まる。1000万円と見積もるのは作る人の責任だが、見積を見て要/不要を判断するのは作らせる人だ。

「システムを作らせる技術」が重要で、この技術がないとビジネスが頓挫したり停滞してしまう理由はこうした事情なのだ。

「作らせる技術」に出合った頃の話

この本のベースとなったアメリカ伝来の方法論に私（著者の1人白川）が出合ったのは20年前。本に書こうと思ってからも7年が経ってしまった。

20年前、私は若きシステムエンジニアとして転職活動をしていた。その当時は「ユーザーさんが望むシステムをCoolに作ることは、結構できるようになってきた」と、やや天狗になっていた。

そして同時に「でも、もっとユーザーさんとガチで議論するところからプロジェクトに関わりたい。例えばこのシステム、何のために作っているんだろうか？　この機能は本当に必要なんだろうか？　これによってビジネスはどう良くなるのだろうか？　先日ユーザーから指示された変更だって、単なる彼の趣味じゃないのか？」などと悶々と考えてもいた。これが転職の動機だ。

転職活動をしていくうちにたまたまケンブリッジ・テクノロジー・パートナーズ（以下ケンブリッジ）というコンサルティング会社を見つけ、なんとなく気に入って入社することにした。極寒のケンブリッジ（ボストンの隣町）で行われた新入社員研修では多くのカルチャーショックを感じたが、一番ガツンと来たのは、ケンブリッジ方法論の根幹である「システムを作らせる技術」だった。

それまでもシステムエンジニアとして、

・システムに求める機能をもれなく洗い出したい
・声が大きなユーザーさんの言いなりではなく、本当に役に立つ機能を作りたい
・作って終わりではなく、ビジネスとして成果を刈り取るところまで関わりたい
・ユーザーとエンジニアは対立関係ではなく、同志としてプロジェクトに参加したい

などと、理想を思い描いて自分で工夫を重ねていた。だがケンブリッジでは、それらがすべて合理的な方法論として「こうすれば達成できるよ」と示されていたのだ。

「合理的な」というのは、単なる心構えではなく、具体的な方法が示され、しかも理屈で裏付けられていたことを指している。「確かにこのツールを使えば、抜け漏れのない機能洗い出しができるな」「この議論の進め方をすれば、納得度の高い意思決定ができるな」のように。

そしてもう一つの衝撃は、全てがビジネス目線だったことだ。エンジニアの美意識でもなく、ユーザーのわがままでもなく、上司の気まぐれでもない。「ビジネスを良くするために、どんなシステムを作るべきか？」を当たり前に追求する方法論だった。

私が前職で、自分で試行錯誤しながら見つけてきたワークスタイルは、竹槍でB29を撃ち落とすみたいなものだったのかもしれない……。

あの衝撃から20年経つ。私自身、この「システムを作らせる技術」の方法論を使って、多くのプロジェクトを成功させてきた。さらに、戦略立案、業務改革、人材育成……など、より難度の高いプロジェクトにも効果を出せるように、方法論を磨くことも手掛けてきた。

それらの新しく作った方法論は講演や本を通じて多くの方に教えてきたのだが、当の「システムを作らせる技術」だけは、これまで本として出版する機会がなかった。今回ようやく本にまとめられ、うれしく思う。

この本に書いたことを愚直にやっていけば、上記の失敗は避けられる。逆に言えば、これを愚直にやらないと、私たちプロでも失敗する。実例やエピソードを豊富に添えて説明しているので、じっくりと読み込み、実戦で試しながら身につけてほしい。

システムを作らせる技術 ● 目次

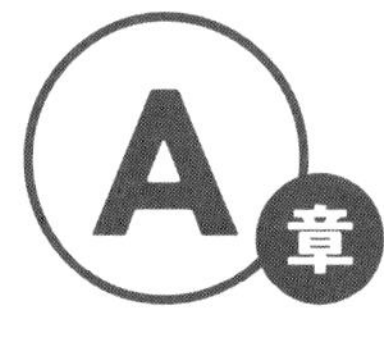

A章 作る前に知っておくべきこと

この章のレッスン

- 望むシステムを手に入れるために真っ先に知っておくべきことを学ぶ
- プロジェクトを立ち上げるために何が不足しているかを理解し、人集めや社内の意識づくりに役立てる

本書を始めるにあたり、望むシステムを手に入れるために真っ先に知っておいてほしいことを、3つに絞ってお伝えしておこう。作成する資料のフォーマットなどの細かい方法は、それらを理解してからでもよい。

知っておくべきこと1：作らせるのは誰か？

本書のテーマは「システムを作らせる技術」である。だから「システムを作る仕事」はあなたがやるのではなく、ITエンジニア（情報システム部や社外のITベンダー）に任せる想定で書かれている。

では、「作らせる仕事」は誰が担うべきだろうか？　これも情報システム部が担うべき？　それとも業務担当者？　いっそのこと経営者？　さて……。

この「システムを作らせる当事者は誰か？」は意外に大きな問題で、ここでのすれ違いがシステム構築を失敗に導いているケースがかなり多い。

知っておくべきこと2：システムより先に考えるべきこととは?

システム構築のプロジェクトを始めるにあたって、真っ先に「どんな機能が必要か？」「ソリューションやパッケージはどれが良いだろうか？」を考え始める人が多い。例えば車を買うときだって、「荷物が沢山載せられる方がいいな」「燃費が……」などと考える。

だが車と同じようにシステムを買ってはいけない。決定的に違うのは、システムを手に入れて何をしたいのかを事前に考えつくす必要があること。

知っておくべきこと3：なぜこんなに計画がブレるのか?

そもそもシステム構築のプロジェクトでは、計画はブレ続ける。「工場の設備を作るプロジェクトでは、計画を立てたらブレないのに、なんでこんなにブレるんだ！」という憤りを聞いたことが何度もある。

理由は、変革プロジェクトをスタートさせた時点では全てが曖昧な状態で、何も決まっていないから。ゴールも予算も期限も、どんなシステムを作るかも。

プロジェクトを率いるリーダーは、曖昧な状態であっても「真っ先に具体化すべきことはなにか？」「現時点でどの程度具体化すべきか？」の舵取りが求められる。そうやってプロジェクトを手探りで進め、1つ1つ具体化し、計画を少しずつ確からしいものにしていく。

では、知っておくべきことそれぞれについて、もう少し詳しく見ていこう。

作らせるのは誰か?

まずは図表A-1を見てほしい。システム構築プロジェクトに登場する関係者を4つの役割で表現している。システムを作る際にIT部門が関わるのは当然だが、残りの3つもプロジェクトに欠かせない関係者である。

経営者

システムに関心がない経営者は多い。「俺はシステムのことはわからないから、専門家に任せるわ」と公言する方もいる。だがシステムへの投資は、経営に大きなインパクトがある。

- セキュリティレベルを1段高めるために1億円かかる。投資すべきか？

図表A-1 ‖ 4つの関係者　ITプロジェクトにかかわる人々

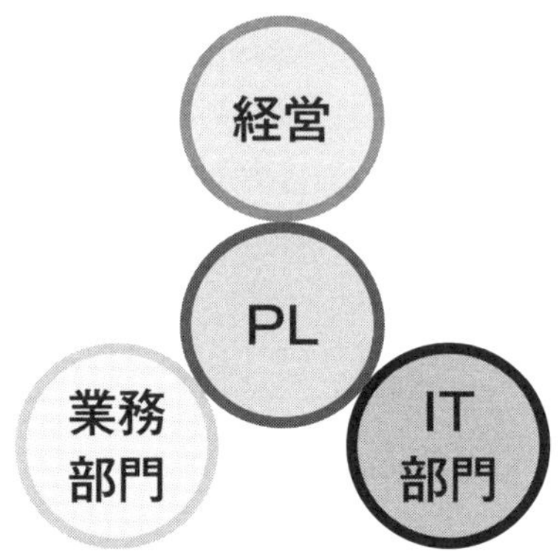

・作業効率を上げ、システム投資も抑えるために、顧客サービスを犠牲にすべきか？
・営業部門と経理部門の利害が対立する際に、どう落としどころを見つけるか？

など、現場の担当者では判断がつかない（つけるべきではない）レベルの意思決定が、プロジェクトの最中に必要となる。経営者が介在せざるを得ないのだ。

とはいえ経営者は忙しい。プロジェクトにべったり張り付く必要はないし、もちろんシステムを自分で作る必要もない。その代わり、短時間で上記のような判断を下すのが仕事となる。そのためには判断に必要な情報をプロジェクトメンバーに上げさせ、自分でも理解しなければならない。

目安としては、プロジェクトオーナーである担当役員が月に2～8時間ほど関与する程度だろうか（プロジェクト立ち上げ当初は、大方針を定めるために多くの関与が必要で、粛々とシステムを作る段階では減るのが一般的）。

※経営とITの関係については拙著『会社のITはエンジニアに任せるな！』（ダイヤモンド社）で詳しく論じたので、参照していただきたい。

業務部門

システムを使う人である。かつて炎上プロジェクトの監査をしたことがある。業務部門にインタビューした際に「僕らはどんなシステムを作ってほしいか、結局きちんと伝える場を設けてもらっていないんですよ。IT部門の人たち、いったい何を作っているんでしょうね？」と言っていたのが印象的だった。

システムは人間の代わりに業務を実行するためのものだ。業務について一番よく知っている彼らの要望を聞かずに、システムを作ることはできない。うまく業務部門を巻き込めていないプロジェクト側の落ち度もあるし、「何を作ってるんでしょうね？」と完全に人ごとモードな業務部門もいかがかと思う。

システム機能を要求するのが業務部門の役割であるのはもちろん、限られた予算の配分もIT部門ではなく、ユーザーである業務部門が主導権を握ったほうがうまくいく。住宅を建てる際もユーザーである施主の意向（例えば書斎を作るよりは広い風呂が欲しい、など）が重視されるのと同じである。

プロジェクトリーダー（PL）

経営者、業務部門、そしてもちろんIT部門。この3者が集って、ようやくプロジェクトが始められる。

だがこの3者は立場や価値観、そして話す言葉まで違う。経営者はIT部門が話す小難しいIT用語が理解できないし、業務部門やIT部門は経営者がビジネス全体を俯瞰した上で下す判断の意図を理解できない。コミュニケーションが成立しないのだ。

だからこの3者の真ん中に、プロジェクトリーダーとでも呼ぶべき、3者をつないでプロジェクトを進める人が立たないとプロジェクトはうまく進まない。「まずはプロジェクトのコンセプトを議論しましょう」「システム機能の優先順位を決めましょう」などと、いま何に集中すべきかを決め、関係者を議論に巻き込む役割だ。

そういったことができる人材ならば、プロジェクトリーダーは業務部門出身でもIT部門出身でも構わない。両方の立場を経験したことがあるハイブリッド人材ならば最強だ。

IT部門

この4つのプロジェクト関係者の中で、IT部門は「システムを作る側」である。近年は社内のIT部門が縮小し、情報システム子会社や外部のIT

ベンダーにシステム構築を委託する場合も多いが、この本ではどちらの場合もひっくるめて「IT部門≒ITエンジニア≒システムを作る人々」として扱う。

システムを作らせるのは誰か?

経営、業務、IT、そしてプロジェクトリーダー。4つの立場と役割をざっと理解してもらえただろうか。

システムを作らせる側はIT部門を除く3者(経営、業務、PL)である。この3者はそれぞれの立場からプロジェクトに主体的に関わっていくことになる。

先に「誰が作らせるかを整理できていないことが失敗の原因」と書いた。もう少しストレートに表現するならば、経営と業務部門のどちらかが人ごとモードだと、システム構築は失敗する。そして誰かが意を決して真ん中(PLの位置)に立つ必要もある。当事者であることの自覚がまずは成功への第一歩だ。

本書はシステムを作らせる技術をテーマにしているので、今後は経営や業務部門がシステム構築プロジェクトに貢献する方法と、その際の技術について説明する。

図表A-2 ‖ 4つの関係者　ITを作る人、作らせる人

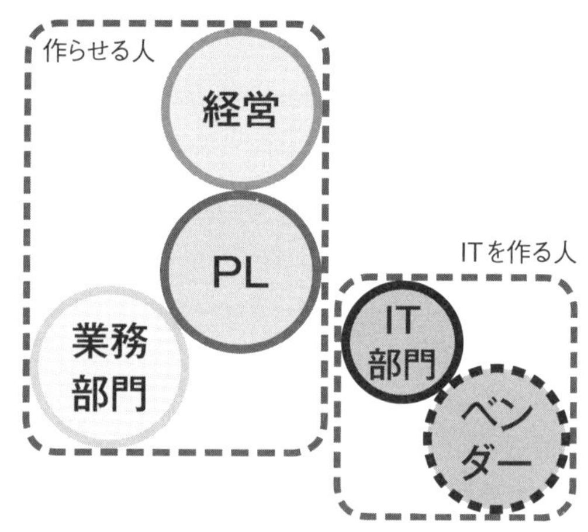

Column

IT部門は作る人？　作らせる人？

IT部門（情報システム部など）は、その会社でシステムに責任を持っている部署だが、自らシステムを作っているケースもあれば、社員自身は作らず、社外のITベンダーに委託しているケースもある。同じ会社でもシステムの重要性や使う技術によって、両方の方法を使い分けることが多い。

自ら作らない場合でも、システム構築プロジェクトに関与する。その場合は社外ITベンダーに対する購買窓口になったり、業務部門とITベンダーのつなぎ役（この章でいうPLの立場）に徹する場合など、様々なパターンがある。

どのパターンであっても、IT部門はシステムに関する知識があることと、使うことよりも作ることに責任を持つ立場である。

本書では、「IT部門は作らせる側というよりは、作る側」という前提で書いている。経営者や業務担当者よりもIT構築の経験や知識がある専門家の立場でプロジェクトに関わるためだ。

とはいえ、本書の内容はIT部門が（業務部門とともに）社外ベンダーにシステムを作ってもらう際の参考にもなるだろう。

システムより先に考えるべきこととは?

ゴールデンサークルをご存じだろうか？　サイモン・シネックという人が提唱した「卓越したリーダーは物事をこう考え、こう伝えている」という法則みたいなものだ。

※「Simon Sinek TED」などで検索すると15分程度の動画が出てくる。未見の方は是非。

組織のリーダーやセールスマンなどが他人に行動を促す必要がある場合、一般的には「What⇒How」の順番で説明する。例えば……

What 私たちはパソコンを作っています

↓

How そのパソコンは高性能で軽量です

こんな感じに。

なぜなら、人はだれでも自分が何をしているのか（What）についてはよく知っていて、そこから説明するのが自然だと感じるからだ。しかしその説明を聞いても、人の心は動かない。

歴史上の優れたリーダーや企業は一般とは違い、「Why⇒How⇒What」の順番で他人を説得する。説得テクニックだけに限らず、本人も実際にこの順番で物事を考える傾向がある。つまり、ゴールデンサークルの中心から外側に向かって考えるのだ。

※注―ここでのHowは、「どういう方法で」というよりも「どのように」と訳した方がしっくりくるだろう。アップルを例にすると……

Why 私たちは世界を変える、という信念からすべてのことを行っています

↓

How 世界を変える手段は、美しくデザインされ、シンプルに使える製品です

↓

What こうして美しいパソコンが出来上がりました

と考えているし、CMなどの顧客コミュニケーションもこの文脈に沿っている。サイモン・シネックは他にも「I have a dream」演説で有名なマーティン・ルーサー・キングや、他の有力なライバルに打ち勝ったライト兄弟などの例をあげている。

図表A-3 ゴールデンサークル　Whyから考えよ!

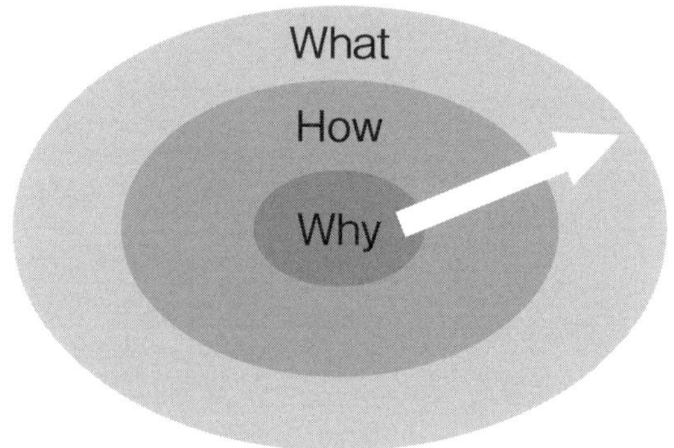

実は、ITシステムを作る際も全く同じで、「Why⇒How⇒What」の順番で考えなければならない。そうしないと何をやりたいかがぼやけてしま

うし、うまく説明できないから関係者を巻き込むことはできない。結果として良いシステムは完成しない。

具体例をあげよう。まずはダメな例から。

What このソリューション（例えばRPAと呼ばれる作業自動化ツール）がすごいらしい。我社にも欲しい

↓

How このベンダーに作らせよう、ユーザーにこう使わせよう

こうやって誰も使わないシステムや、使っても効果を発揮しないゴミシステムが日々作られている。

次に正しい例。

Why 工場ごとにバラバラな業務を標準化/統合し、一つの会社として運営すべきだ

↓

How 統合後の業務プロセスはこうしたい。ガバナンスはこうあるべき

↓

What そのためにはこういうシステムを作ろう。こういう機能が必要となる

いかがだろうか。順番が違うだけで、ストーリーとしての納得度が全然違う。なぜならWhyから語ると、システムを作ることで会社をどうしたいのか？　という将来構想（ビジョン）が明確になるからだ。理路整然としているし、イメージを思い浮かべやすく、共感できる。巻き込まれた人もビジョンに向け、自ら考えて行動できるようになる。

システムづくりには膨大な手間とお金が必要となる。大勢の関係者がいるので、感情的な軋轢やモヤモヤも多く抱えるだろう。大きなプロジェクトの成否に、1人のサラリーマンのキャリアを賭けることにもなる。それにもかかわらず、プロジェクトの成功率は低い。

そういった困難を承知の上で、それでもなおシステム構築プロジェクトにチャレンジするのは、一体なぜか？

このシンプルな問いに、明快に答えられないようでは、その先はない。どんな機能が欲しいとか、あのパッケージが良さそうだとか、そんなことは全部後回しでいいのだ。

しかし、スティーブ・ジョブズ以外の多くの人がWhyから考えられないのと同じように、プロジェクトを始める人はどうしてもWhatから考えてしまう。私はプロジェクトの立ち上げ段階で相談にのることが多いので、頻繁に「こんなシステムが欲しいんですよ」「このソリューションを導入したい」というWhatの話を聞く。経営者からWhatを指示されたケースもあるし、相談を持ちかけてくださる本人の鼻息が荒い場合もある。

不思議なもので、Whatに夢中になるとどうしてもWhyがおざなりになる。取ってつけたようなWhyがパワーポイントの資料に書いてあるのだが、「本当にそれであなたの会社が良くなるのですか？」にきちんと答えられない。せっかくプロジェクトリーダーが色々と考えていても、周囲の人々には伝わっておらず「Whatをつくるプロジェクトでしょ？」と受け取られているケースもある。

そういう状況で「ちょっと立ち止まって、きちんとWhyを考えましょうよ。きちんとプロジェクト全員ですり合わせましょうよ」と声をかけるのが、私たちのような外部からプロジェクトを冷静に見られる人間の大切な役割である。

プロジェクトでは、このWhyはプロジェクトゴールという形で表現される。本書ではC章がWhyについての章である。

なぜこんなに計画がブレるのか?

システム構築プロジェクトのBefore（プロジェクト開始前）と、After

（プロジェクト完了済み）を想像してみよう。

Beforeの段階ではWhyは曖昧である。どういう業務にしたいのかHowも曖昧。予算がいくらかも決まっていない。ましてや、どんな機能がいるとか、どんなパッケージが自社に向いているか（What）は全くわからない。

もしかしたらあなたのプロジェクトには、偉い人が決めた期限や予算が「与件」として最初から与えられているかもしれない。だがそんなものはなんの裏付けもないたわごとである。偉い人が言っていることを鵜呑みにせず、プロジェクトという現場を預かるプロとして「それではできません」「それよりもこうする方が我が社のためです」と上申しなければならない時もある。

一方で、システム構築が完了したAfterの状態では、

- ・結局プロジェクト投資額は8.2億かかってしまった
- ・無事2020年8月1日に稼動することができた
- ・構築したシステム機能は325個。一方で228個は、要望があったものの先送りした
- ・以前は受注1件のために、契約書や請求書など5枚の紙を手書きしていたが、今は1回システムに入力するだけで業務が回るようになった

などが、全て明確になっている。答え合わせが済んだ状態だ。つまり曖昧さがゼロになっている。

この「システム構築とは、段階的に曖昧さを減らしていくプロセスである」ということから、どんなことが言えるだろうか？　そしてそれは「欲しいシステムを作らせる」という本書のテーマにどう関わってくるだろうか。本章では2つ説明しておこう。

徐々に減っていく不確実性

今説明したように、プロジェクトは曖昧さ100%のBeforeから始まり、曖昧さ0%のAfterに着地する。だが、BeforeからAfterへは一足飛びにジャンプできる訳ではない。プロジェクトが進むにつれ、徐々に意思決定し、不確実性が減り、具体的になっていく。プロジェクト予算に注目してこのことを考えてみよう。

図表A-4は「不確実性コーン」と呼ばれる図で、時間がたつにつれ（検

図表A-4 ┃ 不確実性コーン　時とともに不確実性は減る

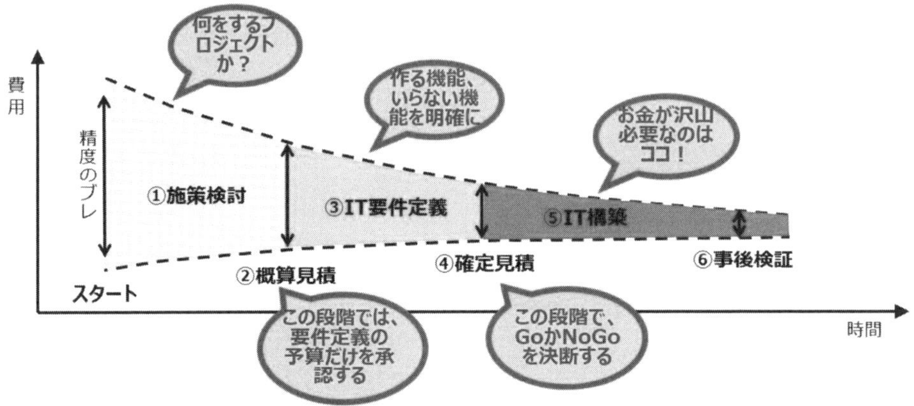

討が進むにつれ)、かかる費用のブレ幅が徐々に小さくなっていく様子を示している。

私がプロジェクトをやる場合も、プロジェクトの最初の段階では、「うーん。この規模の会社だと、おそらく5億から10億程度かな……。うまくフィットするパッケージが見つからなければ最悪15億もあり得るぞ」という感覚でしかわからない。

その後の検討で、例えば、

・現在は工場ごとに業務もシステムもバラバラだが、完全に標準化し、1つに統合できそうだ
・構築が必須のシステム機能は282個。できれば構築したい機能は128個
・どうやらA社のパッケージのフィット率が高い

と具体化してくると「おそらく9億超えるくらいだな……。絞りに絞ったら8億に収まるが、おそらく9.5億程度はかけたほうが、プロジェクトの成果を十分刈り取れるのではないか……。などと予想がたつようになってくる。

このように「最初は曖昧なことしかわからない」は、車を買う際と大きく違う（車の価格で曖昧なのは、せいぜい値引率が5%か10%か、といった程度だ)。だから、システムを作らせる人であるあなたも、システム構築プロジェクトの本質である曖昧さに耐えなければならない。作る人に「確実な情報をもってこい！」などと怒鳴りつけたところで事態は悪化す

るだけなので、共に曖昧さを減らすために、1つ1つ意思決定を積み重ねるしかない。

いつ、何を、どの深さまで検討するべきか?

「プロジェクトが進むにつれ、徐々に意思決定し、不確実性が減る」などと、まるで自然現象のように書いたが、実際には、正解のない難しい意思決定を繰り返し、なんとか不確実性を減らしていく苦難の道のりとなる。

この時常に「今、どの程度細かいことまで決めるべきか？」が悩ましい。業務とシステムは複雑に絡み合っているので、業務だけ詳細まで先に決めても、システムの事情で実現できないかもしれない。逆にシステムだけ詳細に決めても、あるべき業務が決まった際には全て無駄になるかもしれない。

これから方法論を紹介していく際には、「この段階ではザックリとイメージが共有できればよい」だとか「サンプル資料の記述レベルがちょうどよい」などと、具体例を示しながら説明していく。どの段階でどの程度細かく検討するかは、方法論のキモである。長年の試行錯誤の末に、私たちは各段階で最適な記述レベルを見出してある。

システム構築の経験がある読者は「もっと細かく決めなければ後で問題が起こるのでは……」などと違和感を覚える部分もあるかと思うが、まずは読み進めてほしい。後の工程で粗さをフォローできるように全体の工程を設計してあることを理解してもらえるだろう。プロジェクト全体としてはそちらのほうが効率が良いのだ。

いよいよ次章から、方法論の全体像を俯瞰していく。

Column

システムを「作らせる」という言い方がエラそうな件

「オレはシステムを作らせる側だ」という言い草はあまりにエラそうなので、普段のプロジェクトでは決して使わない。それどころか「作らせる」という言い方が嫌いですらある。

この章で説明した「システムを作る人」と「作らせる人」はともに1つのプロジェクトに挑む対等なパートナーで、上下関係は一切ない。

「システムを作らせる人」という表現には、「オレは作らせる側だから、金だけ払えばいいんでしょ」「注文したら、後は口を開けて待っていればいい」「提供されたシステムが気に食わなければ、文句を言う」という姿勢が見え隠れする。

この本を読めば読むほど、経営、業務、ITそれぞれが専門家としてプロジェクトに貢献すべきこと、そして「作らせる」という姿勢ではろくなシステムが手に入らないことを理解できるだろう。

とはいえ本書のタイトルを「システムを作らせる技術」にしてしまった。「システムを作ってもらう技術」だと、あまりにゴロが悪いから……。「システムをともにつくる技術」だと、ターゲット読者がボヤけるから……。

わかってください。

プロジェクト全体の進め方

この章のレッスン

- システムを作り導入するまでの流れが大まかにわかるようになる
- 各工程（フェーズ）が「何をもって終わったと言えるのか」を理解し、プロジェクトがどの段階かを把握する

図表B-1 ｜ システム構築の全体像

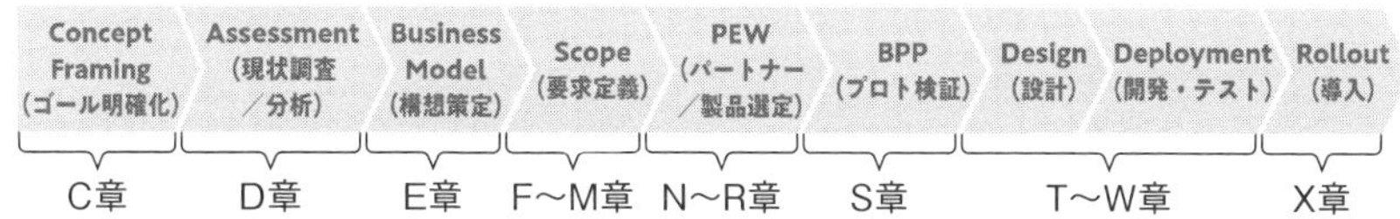

システムについて、Why⇒How⇒Whatの順で考えよ、という理屈は理解してもらえたかと思う。もう少し実践に即した工程としては、以下のような流れでプロジェクトを進める。

1つ1つの工程をフェーズと呼んでいる。この本もフェーズに沿って各章が配置されている。この章では詳細な解説に先立ち、ざっと全体を説明しておこう。

Concept Framing（ゴール明確化：C章）

3週間程度の短い時間で、まずはメンバー間の意識を合わせて、全員が納得するプロジェクトゴールを決める。

この段階でメンバー全員の頭の中身が揃っていることは稀で、大抵はそれぞれ違った思惑を抱いて参加している。プロジェクトをやっていくと、そういった食い違いはいずれ明らかになる。プロジェクトの最中に紛糾して頓挫するくらいなら、ざっくりとでも最初にすり合わせておきたい。

このフェーズをやることで、その後の調査も効率よくできる。逆に言うと、プロジェクトのゴールやコンセプトの仮説すら決まっていないと、調査の範囲は際限なく広がり、どの業務もメリハリなく詳細に調査し続けることになってしまう。

Assessment（現状調査/分析：D章）

現時点での業務やシステムがどのようになっているか、実際に調べるフェーズ。今ある資料を読み込んだり担当者にヒアリングをして、「何をどのようにやっているのか？」を棚卸ししていく（調査）。

そうして集めた情報を構造化し、「要はこうなっている」「成長を妨げているガンはここ」というプロジェクトとしての統一見解を見出す（分析）。これらを通じて、このプロジェクトとしてやっつけるべき課題が明確になるし、今後将来像を描く際に、土台となる事実を集めることができる。

既存システムにほとんど手を加えない業務改革の場合は、変革のポイントを見極める「分析」を重視している。一方、システムの再構築が前提となっているようなプロジェクトの場合、「分析」は同様に重要だが、後々大きな抜け漏れや手戻りを防ぐためには地道な現状棚卸しである「調査」も欠かせない工程となる。

Why⇒How⇒Whatで言うならば、ここまでのフェーズがWhyに相当する。プロジェクトに途中から参加する人も、Assessmentフェーズの成果物を見れば「なるほど、だからこのプロジェクトをやっているんだな」「これはひどい。何としてでも改めなければ」などと、Whyをたちどころに理解できるような成果物を残すことが理想だ。

Business Model（構想策定：E章）

Assessmentフェーズで明らかになった課題を解決するため、3つのことを行うフェーズである。

- 将来像（ビジョン）を明確にすること
- 将来像に到達するための施策を練ること
- 施策群をまとめ、1つのプロジェクト基本計画を立案すること

「業務の役割分担を変えるために組織構造を変える」といった、直接はシ

ステムに影響しない施策もこのフェーズで議論するし、「業務ルールを変えて、ガバナンスを適正化する。それを着実に実施するためにシステムで業務をコントロールする」のように、システム機能に直結する施策もある。

システム自体がガンである場合も多い。貧弱なシステムの尻ぬぐいのために、人間が三重入力しているケースなどだ。その場合はデータを一元管理するためのシステムを作ることが、プロジェクトの最重要施策となる。

それらの施策1つ1つを具体化していく。「どんな課題を解決するための施策か？」「何をどう変えるか？　変えるとどう嬉しいのか？」「変える際の障害はなにか？　どう乗り越えるか？」など。

こうして検討した施策群の着手順や完了予定を決め、プロジェクト全体で1つのマスタースケジュールや予算に落とし込むと、プロジェクト計画書が出来上がる。大型プロジェクトの場合は、この段階でプロジェクトの実施可否を経営会議で承認してもらうことが多い。

将来像を描くこのフェーズはWhy⇒How⇒WhatのHowにあたる。

Scope（要求定義：F章～M章）

いよいよ、どんなシステムが必要なのかを考えるフェーズである。「システムを作らせる技術」を考える本書では、語るべきことが一番多い。このフェーズのゴールは、システムへの要望を文書化することだ。

だがシステムは目に見えずイメージしにくいので、欲しいものを文書化して「作る人」に伝達するだけでも一苦労だ。複雑なので要件の抜け漏れも頻繁に発生してしまう。そのために本書ではFMという専用のフォーマットを紹介する。

必要な機能をもれなく洗い出したとしても、難関は続く。このフェーズでは、「せっかくシステムを作るのであれば、この際だからアレも欲しい。コレも作って欲しい」という要望がプロジェクトに押し寄せることにな

図表B-2 ｜ システム構築の全体像

る。要望のマネージメントで失敗したプロジェクトは多い。

本章では寄せられる要望を整理し、全関係者が納得できる意思決定プロセスを説明する。実はこのプロセスこそが、システム構築プロジェクトを成功に導く一番の秘訣である。

Why⇒How⇒Whatで言えば、最後のWhatにあたる。このフェーズを終えると、「どんなシステムが必要か？」がもれなく文書化された成果物が残されているはずだ。

ここまでのフェーズで、ようやくWhatが明確になった。したがって以降のフェーズは粛々とシステムを作っていくことになる。ただしレストランで注文した後のように「あとは作る人におまかせ」というわけにはいかない。

なぜなら、どれほどWhatを明確にしたつもりでも、完璧には程遠いからだ。システムはロジックのかたまりなのだから、Whatを100%明確にできた時≒システムが完成した時なのだ。

したがって、以降のフェーズにおいてプロジェクトの主体は「作る人」に移るとはいえ、残念ながら「作らせる人」もあまり暇にはならない。私たちが参加するプロジェクトでも、業務担当者の関与度が減ることはあまりない。では、具体的にどんな関与をしていくのだろうか？

PEW（製品選定/ベンダー選定：N章～R章）

PEWとはPartner Evaluation Workshopの略である。Scopeフェーズで「どんなシステムが必要か？」が明確になったので、それを実現してくれるパッケージ/ソリューションと、それを提供してくれるITベンダー（パートナー）を選ぶ。

パッケージのフィット率（欲しい機能があるか？）や、価格が選定の重要な観点となる。一方で、担当者のスキルが高いか？　信頼できる会社か？　も重要な選定ポイントとなる。完成後に使っていくことを考えると、10年15年と続くパートナー選びをするのだから。

この工程はプロである私たちにとっても難しく、毎回悩むので、5章にわたってじっくり説明する。

BPP（プロトタイプ検証：S章）

BPPはBusiness Process Prototypingの略である。Business Modelフェーズで描いた業務の将来像を、システムのプロトタイプ（パッケージを仮組みしたものか、画面をパワーポイントなどでお絵かきしたもの）を使ってシミュレーションしてみる。

「ビジネスプロセス」と銘打っているのは、検証する対象がシステムに限らず、業務プロセスそのものだからだ。変えようとしている業務の将来像については、これまで机の上でしか議論していない。変えること自体に現場の抵抗感もある。

だからまずは紙芝居でもいいので、通し稽古のように業務をシミュレーションしてみる。そうすると、当然新たな課題（検討事項）がたくさん見つかる。実際に現場で仕事している人たちを招いてプロトタイプセッションをすると、「いま、こんなこともやっているんだけど、将来どうなるの？」「コレが見れなくなると困る」など、2時間の会議で50個程度は出るだろうか。

これまで議論してきた将来像に対して指摘をもらうとめげそうになる。だが潜在的な課題が表面化せず、システムが出来上がっていざ本番、という段階で「いや、このままだとこのシステム使えませんよ」となると大変困る。それよりは作りはじめの段階で指摘してもらう方が、作り手としてはずっと助かる（コストが安く済む）のだ。

Design（設計）～ Deployment（開発：T章～ W章）

システムの設計書を書くフェーズ（Design）と、プログラムを作ったり、パッケージソフトが使えるように設定していくフェーズ（Deployment）だ。

この辺からいよいよ作る人が主体の作業になっていく。これまでのフェーズで作ってほしいものを十分伝えられているならば、プロであるITエンジニアに実装方針は任せたほうがうまくいく。ただしフェーズの節目節目で成果物をレビューしたり、意思決定する必要はなくならない。

例えば、

- 実装方針Aを採用すると、こんな問題がある代わりに500万円コストダウンできます
- ビジョンとして描いた業務プロセスを少しだけ変えれば、パッケージをそのまま使えるので、将来にわたってメンテナンスが楽になります

こんな判断は作る側にはできないので、どうしても作らせる人の意思を表明する必要がある。そこから逃げると作る側は「いくらコストが高くなったりメンテナンスしにくくなったとしても、Scopeフェーズで示されたWhatを愚直に作るしかない」と判断してしまう。作らせる人もそんなことを望んでいる訳ではないだろう。

すべて手作りでシステムを作っていた20年以上前ならともかく、現在は既製品であるパッケージ（SaaSを含む）をうまく活用するスタイルのシステム構築が主流だ。そのため、こういった少し細かい意思決定に「作らせる人」がきちんと関与することが、プロジェクトの総コストを劇的に下げるポイントとなっている。

Rollout（稼動：X章）

旧システムが稼動している場合は、そこからの切替作業も大きな山場となる。システムだけでなくたいていは業務も変わるので、この切替作業はシステムを作らせる人、作る人が共同して乗り越える一大イベントになる。大きなプロジェクトでは半年～1年前から切替作業の計画をたてる。

こうして無事システムが稼動しても、プロジェクトメンバーは半年くらいは忙殺される。システム稼動してから不具合が見つかってしまうことも頻繁にあるし、その場合はどうリカバリーするかを検討しなければならない。

システムのバグは作る側が直してくれるだろうが、例えば顧客に間違った金額で請求書を送ってしまったケースでは、業務担当者がトラブル収拾の陣頭指揮を取らざるを得ない。システムを動かし続けるかを経営者が判断しなければならないこともある。

以上、Concept FramingからRolloutまで、システム構築プロジェクトの各工程を駆け足で説明した。次章からそれぞれのフェーズについてより詳細に方法論を紹介していく。

なお本書のメインテーマは「システムを作らせる技術」であるため、Concept Framing、Assessment、Business Modelの各フェーズについては、重要性の割に軽い記述とした。より詳しく学びたい読者は、Concept Framingは拙著『リーダーが育つ変革プロジェクトの教科書』を、Assessment、Business Modelについては、『業務改革の教科書』を参照してほしい。

システム構築に着手するまでにしっかり時間をかける

プロジェクトの全体像を読んで、システム構築に着手するDesignフェーズに至るまでに、ずいぶん多くの工程があることに驚いた読者もいるかもしれない。

システム構築では、上流工程（本書ではAssessment／BusinessModel／Scope／PEW）に全体の10%の時間をかけるべきだ、と一般に言われている。私たちケンブリッジがたずさわるプロジェクトでは、プロジェクト開始からPEWフェーズ完了までが、全行程の30%程度になるケースが多い。一般よりずっと割合が大きい。

プロジェクトの規模や範囲にもよるが、例えば東証一部上場企業の販売管理業務の業務改革＋システム構築プロジェクトの場合は合計で8ヶ月、人事や経理などでは5ヶ月ほどの期間だ。私たちのような業務改革に慣れているプロが支援して、手戻りもなく密度の濃い議論を繰り返したとしても、これくらいはかかる。

プロジェクトの立ち上げ方の相談に乗っている際にこのスケジュール感を説明すると、びっくりされたり、ため息をつかれたり、「確かに、これくらいしっかり議論すべきです。会社の未来を作るのですから」などと腹をくくったり……と様々な反応が返ってくる。

だが上流工程でしっかりと議論しているので、それ以降はスムーズだ。「実はこんな機能が必要だった」と後から後から新たな要件が出て来てスケジュールが崩壊することもないし、機能ごとの活用シーンが明確だから、機能の詳細を詰める際もどんどん決定できる。

結果として、1年前後でシステム構築が終わるため、「要件定義までで半年、その後1年」というのが標準的なプロジェクトスケジュールとなる。大企業の仕事を抜本的に変えることが1.5年でできれば御の字だろう。

もちろんアジャイル的にどんどん機能をリリースしていくタイプのプロジェクトや、巨大プロジェクトで3年がかりのスケジュールなど、様々なパターンがある。だが、一般に言われているよりは、システム構築より前のフェーズに時間をかけるべきだ！と強く主張したい。

システムは構築が目的なのではなく、使いこなしてビジネスにインパクトを与えるための手段にすぎないのだから。

事例　全行程を愚直にはやらない特殊なプロジェクト

私たちは、システムは業務を変える手段だと考えている。だから大きなお金をかけてシステムを作る以上、「どんな風に業務を変えるのか？ それは事業全体にとってプラスになるのか？」をしつこく議論する。

だが、それらをあまり議論しないタイプのプロジェクトもある。業務改革よりも「とにかく速やかにシステムを作ること」がプロジェクトゴールとして最優先な場合だ。私たちが以前取り組んだ、ある人事システム構築プロジェクトを例に説明しよう。

私たちがプロジェクトに参加したのは5月のことだったが、翌年4月には新人事制度を立ち上げる必要があった。30年ぶりの制度大改定である。当然それまで使っていたシステムでは対応できず、人事管理データベースから給与計算ロジックまで、すべてをゼロから作らなければならない。

Concept Framing、Assessment、Business Modelの各フェーズを丁寧にやっている時間はない。そして実は、丁寧にやる必要もなかった。それは以下の条件が揃っていたからだ。

1） 何のためにプロジェクトをやるのか？が明確だった
経営視点で「4月に新人事制度を立ち上げること」の重要性が高く、予算厳守や業務効率化など、他のプロジェクトゴール候補の優先度を下げる覚悟ができていた
2） このことを、経営／業務部門／IT部門を含めたプロジェクトの全メンバーが十分理解していた
3） 人事部門の業務プロセスは会社ごとの独自性が低く、パッケージに合わせやすい。つまりゼロから将来像を検討する必要が薄い

要はWhyが完全に合意され、Howのかなりの部分をコンサルタントである私たちに任せていただける状態だったのだ。このためプロジェクト開始から1ヶ月ほどでScopeフェーズを終わらせた。他のプロジェクトに比べると相当スピーディだ。

結局苦労はしたものの、4月に新システムは完成した。無事に4月から新人事制度に切り替えることができたのだ。他の大企業向け人事システム構築プロジェクトに比べ1/2くらいの期間だったかと思う。

このような例もある、という意味で紹介したが、これはかなりイレギュラーなケースである。他のプロジェクトを観察していると、やはり最初に議論すべきWhyやHowがおざなりになっており、それがプロジェクトを迷走させる原因になっている。

「フェーズを端折ってよいか？」の判断は、プロである私たちにとっても難しい。例えば「将来業務プロセスの検討は終わっていますよ」と顧客が言ったとしても、単にパッケージ候補と現場業務の機能比較をしただけだった、というケースすらある。

そこまでひどくなくても、

・社内外の誰にでもわかりやすい形で資料化されているか？
・変更点と、変更のメリット／デメリットについて、明確になっているか？
・関係者が理解、納得しているか？

などの点がおろそかになっていることが多い。

そうなると、プロジェクトのどこかの時点で必ず後悔することになる。

プロジェクトの途中で相談に乗るケースで、私たちが「このプロジェクトはどの作業は完了していて、どの作業はできていないのか？」を判断するために使っているアセスメントシートがある。一部抜粋を掲載するので、参考にして少しでも後悔を減らしてほしい。

図表B-3 アセスメントシート

	実施すべき事項	あるべき進め方	主要な成果物		PMの認識および9月資料より
1. Concept Framing（ゴールとコンセプトの明確化）					
1-1	要員のアサインとチームビルディング	フェーズ実施に必要となる関係者をアサインし、チームとして組成する。（Norming、キックオフ）	（キックオフ資料など）	△	体制図は別途作成し、キックオフも実施していた。役割分担は明示なし。プロジェクトに関わる利害関係者を全員集められていない
1-2	経営（層）の意識の確認	経営（層）に対して、ビジョンや現在の問題認識、プロジェクトに対する期待値などを確認する。	【インタビュー結果】経営層に対するインタビュー結果を記載する。	×	・経営層が体制図には入っていた。 ・意志はよくわからない。
1-3	将来像のイメージ化	構想レベルで将来像を形にする。	【将来像（イメージ）】（※イメージや文字などの形式は問わないが）現行に対する将来像を具体的な形にして表す。	△	・コンセプトやイメージは記載している。ただし「プロフィットセンター化や利益志向」など、局所的（トップダウン？）なコンセプトになっている
1-4	仮説の立案	実現したい方向性（将来像）を実現するために必要となる主要施策（仮説）を立案する。	【主要施策（仮説）一覧】将来像を実現するための、主要施策（仮説）を一覧化する。	○	・1.0の前提では記載している
1-5	仮説の妥当性検証	将来像（プロジェクト実行後の状態）と、主要施策（仮説）を比較し、正当性を検証する。	【主要施策（仮説）一覧：検証結果追記】主要施策（仮説）に対して、特性を記載する。	×	・検証まではいっていない（現場や関係部門との検討や裏付けがどの程度なのか、結果資料では見えない）
1-6	仮説の短期・長期の割り振り	主要施策（仮説）に対して、短期的に実行すべきものか、長期的に実行すべきものかを明らかにする。	【主要施策（仮説）一覧：短期・長期追記】主要施策（仮説）に対して、短期・長期の割り振りを記載する。	×	・見当たらない
1-7	プロジェクトのゴール・主要成功要因の設定	プロジェクトとして目指すべきゴールと、主要成功要因（CSF）を設定する。	【プロジェクトゴール・主要成功要因】プロジェクトのゴールと、主要成功要因を明文化して表す。	△	・主要成功要因はない。 ・ゴールは抽象的でしかない。
1-8	プロジェクトゴールと主要成功要因のコミットメント	プロジェクトゴール・主要成功要因について、社内（経営を含む）に対して、コミットメントを取り付ける。	-	×	・だれもコミットしていない
2. Assessment（現状分析）					
2-1	現行業務の調査（業務の流れの確認）	現行業務を、最新の状態で可視化する。	【現行業務フロー／アクティビティ一覧】現行業務の処理と流れを記載する。		・（現行としては）見当たらない
2-2	現行業務の調査（定量化）	「作業時間」や「処理件数」など、将来業務との比較を行うための基礎数値を調査する。	【アクティビティ一覧：作業時間・処理件数追記】現行業務の処理に対して、作業時間や処理件数を追記する。		・（現行としては）見当たらない

Concept Framing

プロジェクトで達成したいことは、結構バラバラだったり……

C章 ゴール(Why)を明らかにする

この章のレッスン

- システム構築プロジェクトでも、ゴールが明確でなければ成功裏に稼動までたどり着けない
- プロジェクトで有効に機能するゴールを事例を通して学ぶ

「システムを作ること≒プロジェクトのゴール」なのか？

システム構築プロジェクトに掲げられているプロジェクトゴールを見ると「○年○月までにシステム稼動」「予算○○円以下」などと、システムを作ること自体をゴールにしていることが多い。

加えて「現行のシステム機能を踏襲する」など、今と全く同じシステムを作ること（少なくともユーザーにとって、今使っている機能がなくならないこと）がゴールとなっているケースもある。

だが、このようにシステム構築自体をゴールに掲げるプロジェクトは失敗しやすい。以下のプロジェクト事例を読んでほしい。

事例 現状維持をゴールとしたプロジェクトの末路

きっかけは、今使っているシステムが老朽化したことだった。メンテナンスできる業者もおらず、メーカーからの保守契約も切れている。何人かの社員はマズさを認識していたが、システム構築にはお金も人も必要なので、これまではだましだまし使ってきた。

だが事業継続が危うい状況（システムが壊れてしまったらビジネスを続けられなくなる）を見過ごすわけにもいかず、ついに重い腰を上げることとなった。

とはいえユーザーとしては、「これまで通り使えること」が本音であり、プロジェクトの目的である。それに加えて「どうせ新しく作るなら、あんなことこんなことも楽になればいいな……」という程度。基本的にはシステムの維持に責任を持つ、IT部門がやるプロジェクトだとみんな思っていた。

そんなプロジェクトなのだから、プロジェクトゴールは「期日通りにシステム刷新する」。シンプルにして明快。だがプロジェクトを進めるにつれ、雲行きが怪しくなっていった。

例えば要求定義の段階でのこと。よくあることだが、ユーザーから様々な要望があがり、歯止めがかからない状態になってしまった。今回のシステムとは直接関係ない便利機能や帳票なども、「この際だから作ってよ」と言われ、要求は膨らむばかり。事業の規模や内容に比べて過剰とも思える高度なセキュリティ機能も盛り込まれた。

その結果、ITベンダーから受け取った見積は当初の想定予算を大幅に超えていた。もともとこういう会社はシステムの重要性を過小評価しているので、「そんな金を出せるわけないだろう！」となってしまった。

だが、プロジェクトゴールでは「作りましょう」しか語っていない。それはプロジェクトゴールに直結する重要な機能と、せっかくだから要望してみた機能とを区別する基準がないことを意味する。仕方なくIT部門のプロジェクトマネージャーが、諦める機能を独断で決めることにした。

ところがその独断は、経営層・現場から総スカンを招いてしまった。（後日私が当事者にインタビューした際、「必要な機能を、IT部門から拒絶されたんですよ」と、強い言葉を使っていたのが印象的だった）

そもそも現場のユーザーは忙しさを理由にあまりプロジェクトの意思決定には参加してくれず、「IT部門がやっているプロジェクトでしょ」という人ごとモードだった。プロジェクトマネージャーとしては、独断を責められても他に方法がなかったし、大変気の毒な立場である。

他にも色々な困難に襲われたこのプロジェクトは、ついに経営層の決断で凍結となった。プロジェクト当初の「システムを刷新しなければ、事業継続が危うい」という状況には手を打てないまま。

この事例は、プロジェクトゴールの決め方だけに問題があったわけではない。だが、システム構築プロジェクトという面倒でお金もかかることをなぜやるのか？　本当にやる必要があるのか？（つまりはプロジェクトの目的）を組織全体で腹の底から合意しておく必要性は感じてもらえただろうか。

※当プロジェクトは私たちが参加したプロジェクトではない。仕事柄、様々な失敗プロジェクトについてお聞きする機会は多い。

後から振り返れば、「このプロジェクトをなぜやるのか」「本当に今のままでは事業を継続できないのか？」「最低限達成すべきことはなにか？」が明確であれば、この事態は避けられた。私たちの経験上、日本企業の現場担当者はワガママを言うことはほとんどないからだ。

「会社にとって、このプロジェクトはこういう意味があります」「プロジェクトゴールに沿っている機能を優先して作るべきです」ときちんと説明すれば、経営幹部はもちろんのこと、現場も闇雲な反対はしない。

問題は、現場（ユーザー）の無理解ではなく、経営者・業務担当部門・IT担当部門がともに目指せるプロジェクトゴールが明確ではないことだ。ゴールを共有できていないから、厳しい意思決定の場面を乗り切れない。だからプロジェクト途中でも、プロジェクトの目的が曖昧なこと、共有できていないことに気づいたら、一度作業を止めてでもゴールの議論に時間を費やそう。早ければ早いほど傷は浅い。

この章では、システム構築のプロジェクトで有効に機能したゴールの事例を4つとりあげ、最後によいゴールを作るコツを紹介する。

システム構築でのゴール4事例

事例①　システム再構築の意味をシビアに見つめた

ある製造業でのシステム再構築プロジェクトのきっかけは、15年使ったシステムがサポート切れになることだった。その会社の業務に完全にフィットするように手作りで構築したシステムだったので、ユーザーは一切の不満を持っていなかった。

従ってゴールとして「今使っているシステムと遜色のないシステムを作ること」が掲げられた。つまり現行踏襲が課せられたプロジェクトだったのだ。

新システム構築プロジェクトでは、時代に合わせて手作りではなく業務パッケージを活用することになった。だが汎用品であるため、業務に合わないところが多く発見された。例えばその会社では本社スタッフではなく現場の管理職が多くの情報を登録していたが、パッケージはその前提で作られていないので、かなり使い勝手が悪い。

担当者としてはワガママを言っている訳ではないのだが、このままだと情報の入力ミスがたくさん発生して業務が混乱することを心配した。他にも今より効率が落ちることが多く、許容しにくかった。自然と「それでは困る」「パッケージでできないのならば、別途作ってほしい」という要望が多くあがり、投資額は巨額の見積となった。

その金額のまま経営会議が通る訳もなく、「これほどのお金をかけてプロジェクトをやる必要があるのか？」「パッケージのまま使ったら何が起こるのか？」など、プロジェクトの根幹に関わる議論が巻き起こった（ここまでは先に紹介した失敗事例とそっくりな展開だ）。

結局そのプロジェクトでは「今回は夢を追わない。1円でも安く。確実に納期に間に合わせる」というプロジェクトゴールが設定し直された。華やかな事例ではないが、このプロジェクトはこの新しいゴールのもと、立ち直った。議論の際に「あ、1円でも安く、という観点からするとこの機能は諦めざるを得ませんね……」と、いつも立ち返る場所ができたからだ。

事例② ゴールをコンセプトで補完した

住友生命の営業端末更改プロジェクトのゴールは「2018年夏までに、全営業職員が使うタブレット端末を作り直すこと」だった。プロジェクトチームが作られた際に、会社から与えられたゴールと言える。

だが、このゴールは「なぜ新しい端末を配るのか？　前のままではダメなのか？」「新しい端末を使って、営業職員たちにどんな仕事をしてほしいのか？」など、プロジェクトをやる上で肝心なことを何も語っていなかった。

そこで20名あまりのプロジェクトメンバーが3週間濃密な議論を重ね、写真のようなプロジェクトコンセプトを作り出した。

この絵には、それまでの議論で研ぎ澄まされた様々な要素が埋め込まれている。

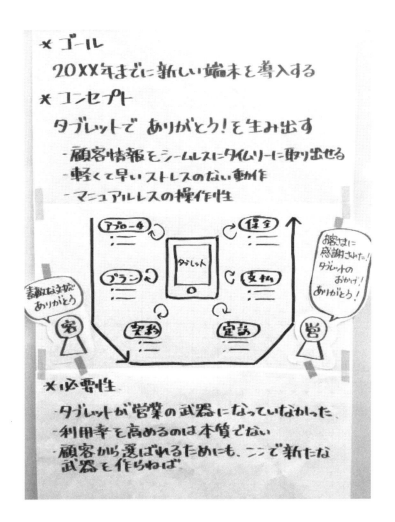

・営業職員が楽になるためのツールではなく、顧客に良い体験を届けるためのツールである。図の先頭に掲げられた「タブレットでありがとう！を生み出す」は、その結果としてついてくる。

・今までは部署ごとにアプリケーションを作ってきた結果、システム機能もぶつ切りだった（例えば商品説明と契約手続きは部署が違うので連携していなかった）。それを強く反省し、「シームレス」な使い勝手とデータにこだわる。

・コンピュータを使い慣れない高齢の営業職員も多いため、使いやすさにこだわる。

・その結果として、「使わされる端末」から「営業職員にとっての武器」になる

などなど。

このコンセプトは3年にわたるプロジェクトの土台を支え続けた。システム機能を洗い出す際、テストする際、説明会を開く際など、すべてのプロジェクト活動がこのコンセプトに沿って行われたのだ。会社から与えられた「端末を更改せよ」というゴールだけに頼るのではなく、自分たちが指針とするコンセプトを自分たちで作った事例と言える。

※このプロジェクトについてさらに詳しく知りたい方は、プロジェクトの中心メンバーである住友生命とケンブリッジの社員が書いた『ファシリテーション型業務変革』および、拙著『リーダーが育つ変革プロジェクトの教科書』を参照してほしい。

事例③ 本当に標準化すべきか？　を逃げずに議論した

ある金属加工メーカーは全国に4つの工場を持っていたが、各工場が近隣から原料を仕入れ、近隣に販売する、最近では珍しいビジネスモデルだった。合言葉は地産地消。金属は輸送費がかさむため、合理的ではある。その結果、同じ商品を作っているにもかかわらず工場ごとの独立性が高く、ビジネス慣習も業務プロセスもシステムもバラバラな状態が創業以来長く続いた。

いくつかの工場のシステムがメンテナンス困難になってきたためにシステム再構築の構想がスタートした。プロジェクト名はONE。つまり、これを機に全社統一のシステムの上での、全社で統一された仕事のやり方に改める決意を込めた名前だ。

だがプロジェクトがスタートしてしばらくは、プロジェクト内にも、それを取り巻く人々にも、「本当に標準化なんてできるのか？」「今までそれぞれの工場が独自に工夫を重ね、競い合うように発展してきた。それのどこがいけないんだ？」というムードが漂っていた。

この「本当に標準化/統合化すべきなのか？」というテーマに、一度は腰を据えて向き合う必要がありそうだ。「標準化」は一見合理的で反対しにくいが、そういう綺麗すぎる旗印をゴールに掲げると、大抵はただのお飾りになってしまう。本気で目指していないので、プロジェクトが具体的

図表C-1 ‖ 本当に標準化/統合すべきなのか?

議論1：標準化のメリットデメリット

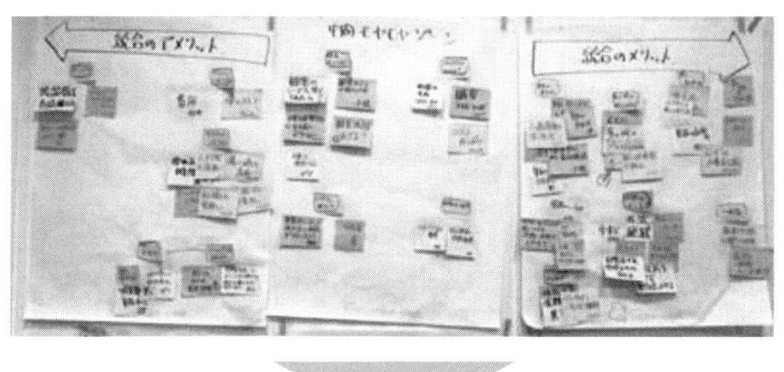

議論2：標準化するならどこまで?

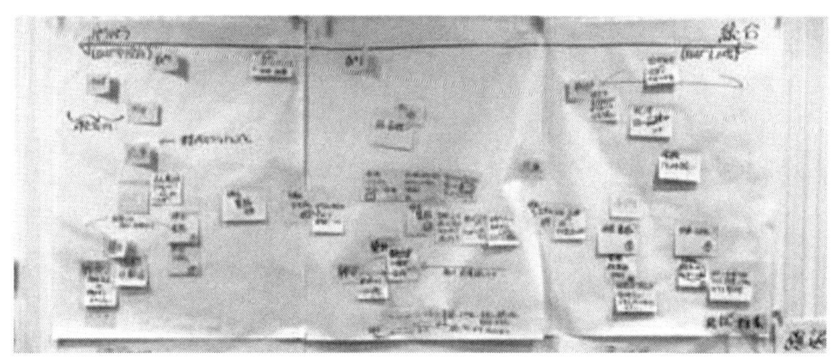

議論3：
標準化すべきでないのはどこ?

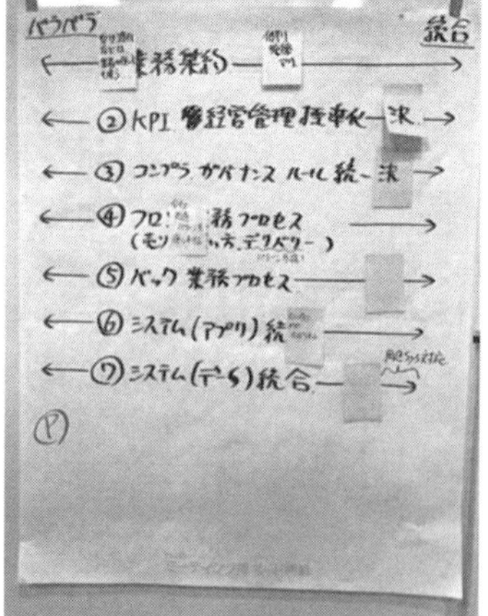

な検討をする段階にくると「総論賛成だが、各論には反対」が巻き起こり、妥協に妥協を重ねることとなる。

そうなるといつしかゴールを誰も口にしなくなり、「このシステム、完成して誰が嬉しいんだっけ？」と思いはじめる。それは避けなければならない事態だ。そこでこの「本当に標準化すべきか？」についてとことん議論する合宿を開くことにした。

議論は3時間におよんだ。まずは標準化することのメリット、デメリットの整理から（図C-1の議論1）。こういった漠然としたリスクや不安は、一度全部書き出してしまうと「とはいっても、これで全部か……」と安心できる。全貌が見えないから必要以上に心配になるだけなのだ。もちろんプロジェクト発足当時から目指している標準化のメリット（だから標準化すべきなんだよね）を再確認することも必要。

次に「一口に標準化すると言っても、どの程度？」と、あえて漠然とした問いかけをした（議論2）。妥協なき完全標準化を主張する人もいれば、「俺は真ん中くらいで十分だと思う。なぜかと言えば、地域ごとの商慣習に合わせなければ商品が売れないから」と営業での経験を語る人もいた。

最後にこれまでの議論のまとめとして、「一口に標準化といっても、ルールの標準化もあれば、データの一元化、システム機能の標準化など、切り口は色々ある。それぞれどの程度標準化すべきなんだろうか？」という議論をした（議論3）。

結論としては、ルールやデータは完全に標準化・一元化する。そして業務とシステムについては、2つに分けて考える方針となった。

- 顧客に接するフロント業務は、地域特性ごとにある程度のバラバラさは許容する。会社の競争力を維持する上で必要だから
- 一方でバック業務（事務処理など、顧客に接しない業務）は全社で標準化しない理由はない

この方針を決めた後、将来業務を検討する際やシステム機能の洗い出しをする際に何度も「ウチの工場で今やっていることと違う……」という議論になった。だがこの方針のおかげで「でも、これは顧客には直接関係のないバック業務なのだから標準化できるはずですよね？」と、立ち戻ることができた。

「全社で標準化します」という聞こえがいい方針に、改めてとことん向き合ったことが、この事例のキモである。「システムが老朽化したので作り

直そう⇒バラバラに作ると投資金額が膨らむから標準化しよう」というよくあるストーリーでは、このプロジェクトは頓挫してしまったに違いない。

事例④ プロジェクトの優先順位を明確に表現した

ITプロジェクトを立ち上げると、これまで溜まりに溜まった「プロジェクトで実現したいこと」が押し寄せることが多い。プロジェクトに無関心よりはずっと良いのだが、プロジェクトを混沌とさせる原因にもなる。

特に小さな組織では、コストの関係で頻繁にIT投資ができるわけではない。この機会を逃すと次に実現できるのはいつのことかわからないので、担当の方々も譲れない。感情面も含めてこじれることが多いのだ。

私たちとプロジェクトを立ち上げた、公益財団法人プラン・インターナショナル・ジャパンも同じ状況だった。各国からの寄付により、子どもの権利を推進し、貧困や差別のない社会を実現するために世界70カ国以上で活動する国際NGOである。単なる寄付の一方通行ではなく、子どもたちからドナー（寄付金を出してくれる人）への手紙を届けるなど、きめ細やかな交流を大切にしている。

プロジェクトゴールについて激論になったのは、「ドナー一人ひとりへのパーソナルサービスに力を入れるべきか？　それとも均一サービスを効率よくできるような組織に生まれ変わることを優先すべきか？」という命題だった。

プロジェクトメンバーがたどり着いた結論が右図のピラミッドだった。NGOとして効率よく実施すべき基本的な事務を効率化しなければ、ドナー一人ひとりへのパーソナルサービスをやる余裕は生まれない。パーソナルサービスをする際にITの力を借りようと思えば、事務やデータが土台としてしっかりしている必要もある。

つまり、「ITによるサービスの効率化」を土台として、「パーソナルサービスを強化する」。それが「ドナーが継続的に活動を支援してくれること」につながる、という3段階のストーリーだ。

一見地味な結論だが、これをプロジェクトゴールとしてはっきり定めたことの意味は大きかった。その後の意思決定の場面場面で、「これは土台である第2ゴールに寄与するのか？　それとも後回しにする第3ゴールの

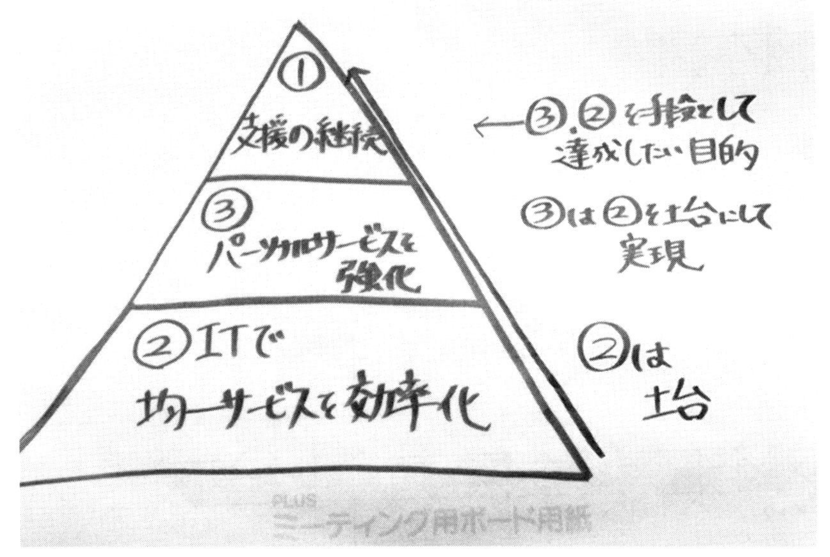

ためなのか？」を確認することになったからだ。

例えばシステム機能の優先順位を決める際も「それってパーソナル寄りの話なので、真っ先に作る機能ではなく、第2ステージになってからでいいのでは？」という意見が、複数のメンバーから自然に出るようになっていた。

良いプロジェクトゴールづくりの4つのコツ

4つの事例から、システム構築プロジェクトで良いゴールを作るコツが見えてくる。

コツA：以後の工程で使えるゴールにせよ

すべての事例に共通することとして、ゴールはお飾り、お題目ではなく、プロジェクトを進める上で役に立っている。判断を下す際の価値観と言っても良い。

例えば事例③では工場ごとの独自機能を作りたくなるたびに、「これはフロント業務でないのだから、全社で1つの機能さえあれば問題ないはずだ」と、機能の作り過ぎを抑制するのに使った。

例えば事例②では「顧客に一貫した住友生命の姿を見せるために、機能がシームレスにつながっているか？」とチェックすることをプロジェクトメンバーが怠らなかった。

時間をかけてゴールを議論するのだから、役に立たなければ意味がない。

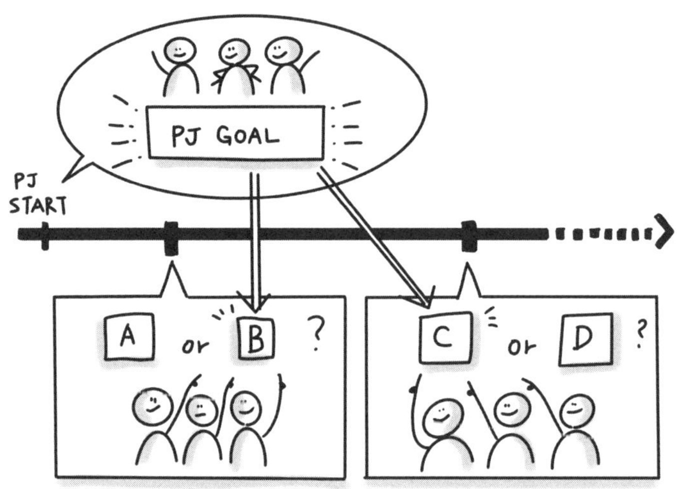

コツB：地に足のついたゴールにせよ

事例①と事例④では、その時点の会社の経営状況をシビアに見つめ、地に足をつけたプロジェクトゴールを定めている。

大掛かりなプロジェクトをやる以上、どうしても華々しいゴールを掲げたくなる。「プロジェクトをやる時は、わかりやすいお題目がないと、ウチの経営会議は通らないんだよね……」という愚痴を聞くこともある。

だがそんな浮ついた姿勢で成功できるほど、システム構築は甘くない。投資金額が予定よりも大幅に膨らんだり、人手がいなくて将来像の検討が不十分だったり、次々と困難が押し寄せる。そんな時に、経営の実情にあった地に足つけたゴールでないと、困難を乗り越える武器にはならない。

コツC：なんのためのプロジェクトか（Why？）をゴールやコンセプトに込めよ

事例②の住友生命では、上から降りてきた「端末を作り変えよ」というゴールには飽き足らず、なぜ作るのか？　端末によって顧客にどんな体験をしてもらい、営業職員の働き方をどう変えるのか？　ひいてはそれによって会社がどう変わるのか？　を議論し、コンセプトという形で、参加者全員で合意した。

端末更改プロジェクトは、単なるハードの置き換えにとどまらない。保険のシミュレーションや事務処理のためのアプリケーションから商品カタログにいたるまで、ほとんどすべての部署に関係がある。こういった複合的なプロジェクトだからこそ、プロジェクトの「Why ？」がしっかりしていないと、アレもコレも、とごった煮のようになってしまう。特にコンセプトが重要なタイプのプロジェクトだと言えるだろう。

コツD：ゴールのわかりやすさにこだわれ

プロジェクトゴールを一度掲げると、独り歩きする。プロジェクトメンバーが参加していない会議で話題になったり、「今度のプロジェクト、チラっと見たけど、こんなことやっているらしいよ……」と噂になったりする。何時間も議論してきたプロジェクトのコアメンバーと違って、局面局面で協力してもらうだけの社員や、完成後にシステムを使うユーザー、途中からプロジェクトに参加するITベンダーにとっても、わかりやすいゴールでありたい。

事例④の公益財団法人プラン・インターナショナルのプロジェクトゴールを図で表現したのは、「土台をまず先に作る」という考えを直感的に伝えたかったからだ。事例①の「今回は夢を追わない。1円でも安く。確実に納期に間に合わせる」というメッセージも、誤解のない、ストレートな表現だからこそ、関係者のマインドを変えることができた。

逆に、事例②の住友生命のコンセプトはそれほどわかりやすくない。図をさらりと見ただけでは、「ふーん、そうかもね」と思ってしまう。このため、このプロジェクトではメンバー一人ひとりが「コンセプトの熱き伝道者」になっていった。プロジェクトが進むにつれ、参加メンバーは1000人ほどにもなったが、かならずコンセプトの説明から話を始める。

新しい端末がもたらす未来の働き方を描いたアニメーションも制作した。ストーリー仕立てだと、コンセプトを誰でも理解できる。だから現場で懸命に仕事をする営業職員さんやその先の顧客のことを考えながらプロジェクトの1つ1つの仕事をできるようになる。少しわかりにくいゴールやコンセプトを掲げる時には、ここまでの熱量を覚悟してほしい。

Column

「素晴らしい道具が手に入ればいい」症候群に陥ってないか

本来手段であるはずのシステム構築自体が目的になってしまっているプロジェクトがよくある。その変種として「AIを導入し、業務を飛躍的に向上させる」など、流行りのテクノロジーを使うことが目的となったプロジェクトも多くなってきた。

「AIを使えば人間が考えもしなかった解決策を見出してくれるのでは？」

「IoTですべてを追跡できるようにしたい」

システムやテクノロジーに過剰な期待を持つと、道具さえ手に入れば、困りごとが勝手に解決する気になってくる。本質的な問題解決に目が向かない。ビジネスや業務を変えるためにシステムを導入するはずが、それが置いてきぼりになってしまう。

新しい道具を押し付けられた現場は混乱し、疲弊する。企業としても投資の見返りは得られず、なおかつ効果が出たかは顧みられることなく、金をドブに捨てることになる。過去にERPパッケージが流行り始めた際に、ERPの特性を踏まえずに追加機能をたくさん組み込み、投資金額の割に非効率な業務が残ってしまったのと同じだ。

新しい技術の導入自体がプロジェクトゴールとなっている場合には、「導入したらビジネスはどう変わるのか？」「それはなぜ嬉しいのか？」を踏み込んで考えることで、ようやく素晴らしい道具を活かせる。

Assessment

なんとしてでも改めたい！　と心の底から思っていますか？

現状の棚卸しをする

この章のレッスン

- システム機能を洗い出したり見積もりの材料にするには、業務とシステムが現在どうなっているかの棚卸しが必須になる
- 漏れなくスムーズに業務とシステムを棚卸しするための9つのフォーマットを紹介する

現状調査の2つの方針

多くの人が「変革プロジェクトを始めるにあたり、現時点の業務やシステムをまず調査すべし」を理解している。日本企業には「現地現物主義」という言葉もあり、まず現状を調べる姿勢が身についているためだ。だが調査の目的を意識せずに「とりあえず調べています」というプロジェクトが多い。調査にばかり闇雲に時間を使ってしまっている。

それを防ぐために、変革プロジェクトで現状を調査する目的や調査方針が2種類あることを知っておいてほしい。

現状調査方針1：課題発見型

1つめは、変えるべきことをはっきりさせるために行う調査だ。現状を調べることで、業務やシステムがどんな構造になっていて、何がガンなのかを明らかにする（それを課題と呼ぶ)。プロジェクトとしてやっつけたい課題が特定できたら、それに対する解決策のアイディアを磨いていくと、それがプロジェクトの骨格になる（施策と呼ぶ)。

課題発見型は、

- ざっくり調査し、大きな課題がありそうな部分を特定する
- 課題があるところを深掘り調査する
- 調査でわかったことを様々な角度から分析し、課題構造を明らかにする

図表D-1 ▍現状調査2つの目的

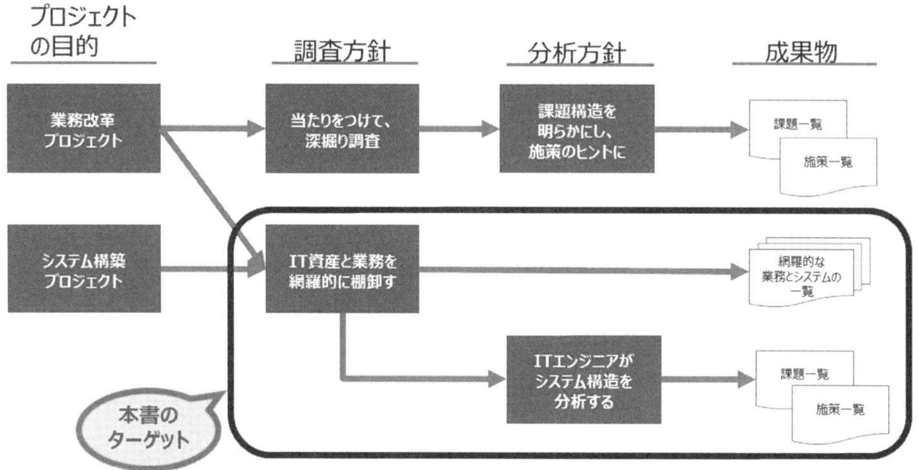

・分析結果を課題一覧や施策一覧にまとめる

という手順で進める。あくまで課題を探し、的確な解決策を見つけることが目的なので、問題がない業務やシステムを詳細に調査するのは時間の無駄。従ってメリハリを付けた調査を心がける。

現状調査方針2：棚卸し型

もう1つの調査は、システム構築の検討材料を集めるために行う。例えばシステム機能の候補をもれなく洗い出すには、現状調査が必須となる。今の業務を知らないと、システム構築の最中に「え？　そんな業務もやっていたのですか？」となる。同様に現行システムを知らないと「え？　経理システムにこんなデータも渡さないといけないんですか？」となる。いずれのケースでも作り直しや、想定していなかった機能を開発することになり、スケジュールや予算を圧迫する。

従って課題発見型とは違い、棚卸し型では網羅性がポイントになる。どうせ後から調査が必要なのであれば、プロジェクト初期に洗いざらい調べておくべきだ。

なお業務改革のプロジェクトでは、両方とも満たす必要がある。まず「そもそも何を改革するか？」を明らかにするために、大きな課題がありそうな業務やシステムを深掘り調査する。その際の成果物は課題一覧や施策一覧になる。
一方でほとんどの業務改革プロジェクトではシステムに手を入れることになる（作り直すか、一部改修）。つまり業務改革＋システム構築プロジェクトとなる。そうなると、後の工程のために網羅的な一覧も作成しなければならない。
本書は業務改革というよりもシステム構築がテーマなので、棚卸し型の調査について解説する。なお、課題発見型についてはこの本の姉妹本である『業務改革の教科書』に詳しく書いたので、参照してほしい。

事例　新ビジネスだからと現状調査をしなかったプロジェクト

あれからもう、20年が経つ。
大企業の1事業部が独立し、新会社の立ち上げと同時に、システム構築プロジェクトが立ち上がった。これまでは親会社のシステムを間借りしていたので、独立にあたり独自システムが必要となったためだ。
私は下っ端としてプロジェクトに参加していたので詳しい事情はわからないのだが、「業務もシステムも、現状調査は一切不要」という方針で、そのプロジェクトは進んでいた。
「この会社は、これから全く新しいビジネスを作る。俺たちが今から作るのは、そのためのシステムなのだから、調査すべき現状業務も現行システムも存在しない」
これが当時のプロジェクト責任者の説明だった。
その代わり、将来構想の議論を熱心にやった。当時の日本にはあまりない形態のビジネスだったので、「どのタイミングで売上を計上するのか？」「そもそも、何を売上とみなすべきか？」などの、かなり根源的な議論だ。
そうやって明確になったビジネスモデルを支えるため、システムを作っていったのだが、大問題が持ち上がったのは、システムテストをしている頃だった。
確かにその会社は全く新しいビジネスを立ち上げつつあったのだが、その陰で地味な従来型のビジネスも新会社に付随していた。モノを仕入れて、売る、普通のビジネスのことだ。

そういうタイプのビジネスも存在していることは、さすがに把握していた。だが現状調査を一切やっていなかったので、その複雑さ（バリエーションの豊富さ）を完全に甘く見ていたのだ。

実務担当者が半ば怒り、半ば呆れたように「この機能を作る予定がないと言いますが、そしたらどうやって売上を計上し、顧客に代金を請求するんですか？　今のシステムは捨てるんでしょ？」と、正論をおっしゃったのを今でも覚えている。

さすがに無視するわけにもいかず、その課題に対処するために、大量の社員が注ぎ込まれた。もちろんプロジェクトは大赤字だ。

これ以来「○○の理由で現状調査はしなくていい」と誰かが言うたびに、頭の中で「いやいや、待てよ。そんな訳ないでしょ」という声が聞こえるようになった。

現状の業務とシステムを棚卸しする9大フォーマット

後の工程で設計や見積の材料にするために、業務とシステムが現在どうなっているのかを棚卸しする。

ただし、現状の棚卸しには非常に手間がかかる。以前のプロジェクトなどで作成した資料がすでにあるのであれば、極力活用しよう。古い資料だったとしても、ゼロから書き起こすよりは「この資料を見て、今やっていることと違う点があったら指摘してください」という形式で調査を進めるほうがずっとスムーズだ。

古い資料がない場合は、調査フォーマットを事前に作成し、埋めていく作戦で調査を進める。フォーマットがあったほうが、手分けして調査しても漏れがなく、短時間で棚卸しができるからだ。

ここでは私たちが普段から使用しているフォーマットを紹介する。まずは紹介するフォーマットを理解し、必要に応じて追加や修正を加えながら使ってほしい（私たちもプロジェクトのたびにカスタマイズしながら使っている）。

9大フォーマット

業務系フォーマット
①現行業務フロー
②現行アクティビティ一覧

システム系フォーマット
③現行ファンクショナリティ・マトリクス
④現行システム一覧
⑤現行インターフェース一覧
⑥現行全体システム構成図
⑦現行システムの主要データ
⑧現行コード体系

共通フォーマット
⑨課題一覧

①現行業務フロー

どんなフォーマット？

初めから終わりまで、業務の流れを一通り記述するフォーマットである。視覚的に流れが理解しやすく、現場担当者とコミュニケーションする際には使い勝手がよい。

部署や役職ごとにレーンを分けて、タスクを記述していく（この形式の業務フローを特にスイムレーンチャートと呼んだりする）。こうすると業務の流れ、担当部門などが、視覚的にわかりやすい。

スイムレーンチャートを書いてみたら、1回の販売をするために、3つの部署間で矢印が5往復していて、「これは明らかに問題があるな」とひと目で全員が理解したことがある。

図表D-2 ┃ スイムレーンチャート

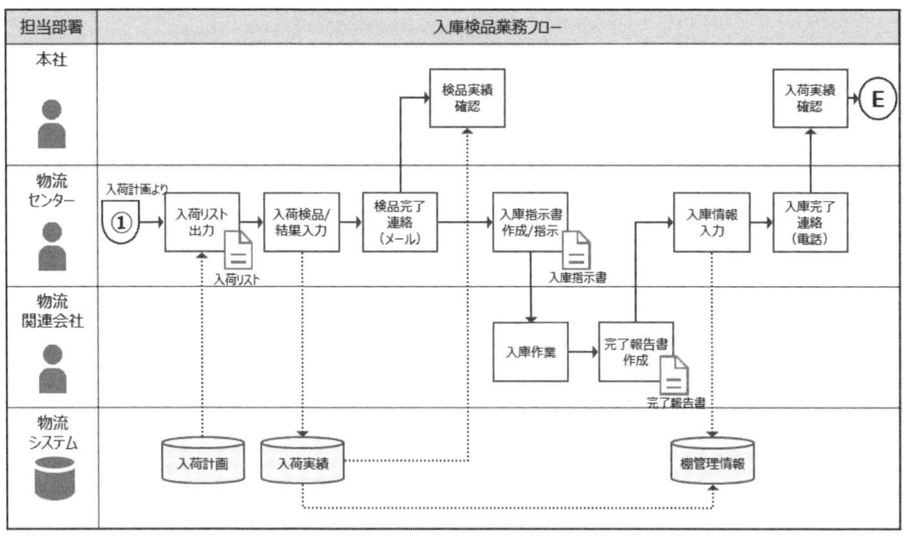

現状の業務をフロー形式で書いておけば、将来業務フローを作るときにも楽だし、そうしてできあがった将来業務フローは後々、デモの依頼をするためにベンダーに渡したり、システムテストのシナリオにしたり、新システムの説明会でも使うことができる。

②現行アクティビティ一覧

どんなフォーマット？

業務にまつわる情報を網羅的に洗い出すためのフォーマットだ。

業務の流れにそって書き出すという意味では業務フローと同じだが、あまり分岐がない業務ではこのフォーマットの方が書くスピードが速く、多くの情報を記載できる。

アクティビティとは、業務を細分化したタスクのことである。細分化の程度によって、レベル1～3まで階層化して表現している。そしてアクティビティごとに、作業者、利用システム、作業ボリュームなどの情報を付け足していく。業務にまつわる情報を全てこの一覧に集約できるのがこのフォーマットのメリットだ。

図表D-3 ‖ 現行アクティビティ一覧

どんな作業を行っているのか
作業している人は誰か
使っているシステムは何か
作業ボリュームはどのくらいか

ID1	業務プロセス	ID2	アクティビティLv1	ID3	アクティビティLv2	アクティビティ内容	業務担当部署	利用システム システム名	利用システム 自動／手動	業務量（頻度、リードタイム）	業務種別	課題
A4.1	発注業務	1	発注処理（在庫品、製作品：流通センター納	1	発注データの生成	在庫品および流通センター納品の製作品に関しては発注日から起算した入荷予定日をもとに、発注データを生成する。	在庫管理	XXシステム	自動	回／日（日次）	通常	
				2	発注点の自動発注	在庫が発注点を下回ると、取引先宛に日次バッチの自動FAX送信で発注処理を行う。	―	XXシステム	自動	回／日（日次）	通常	・発注点が適切ではない場合があるため、適正在庫が担保できない。
				3	FAX受信／出荷	発注データを受信した後、該当製品の出荷を行う。	取引先	―	自動	―	通常	
				4	納期情報等の修正	納期情報に修正がある場合は、SSへ連絡する。	取引先	―	手動	―	s	・納期がマスタと異なる場合があるため、納期が遅延するケースが多い。
				5	納期情報の変更入力	納期情報に変更がある場合は、XXシステムへ変更内容を入力する。	在庫管理	XXシステム	手動	―	イレギュラー	
				6	納期遅延時の顧客への連絡	納期遅延が発生する場合は、顧客へ連絡し、納期予定日を伝える。	SS	―	手動	―	イレギュラー	
		2	発注処理（任意発注）	1	発注書修正・個別発注	取引先からの発注書を手書き修正のうえ、個別に発注処理を行う。	在庫管理	XXシステム	手動	―	イレギュラー	
				2	任意発注	即時対応する必要がある場合は、任意発注処理を行う。	SS	―	手動	―	イレギュラー	

業務改革プロジェクトでは、前述のように「どこが非効率か？」を議論するために業務フローを書くことが多いが、システム構築のために網羅的で緻密な情報が必要なプロジェクトでは、アクティビティ一覧を使うことも多い。

③現行ファンクショナリティ・マトリクス

どんなフォーマット？

システムの機能をマトリクス形式で整理したもの。現行システムの機能をひと目で把握するのに有効だ。

ファンクショナリティ・マトリクス、略してFMと呼ぶフォーマットだ。将来作りたいシステム機能を表現したFMの作り方を、本書のF章からL章にわたって詳しく説明するが、同じフォーマットで現状版FMを作ることも多い。

このフォーマットで現状システムを表現する最大のメリットは、一覧性だ。システムの全ての機能を書き出した上で、「3つのソリューションが無理やり組み合わせて作られている」「この領域の機能がごっそり欠けている」など、全体像を見て現行システムの問題点を議論できる。

また、将来のFMを描いた際に、対象領域がどう変わるのか、機能を追加するのはどの部分か、などを視覚的に比較できるようになる。また、新

図表D-4 ｜ 現行ファンクショナリティ・マトリクス

機能グループ

機能グループに関連する機能

		1	2	3	4	5	6	7	8	9	10
A	販売計画	取引先別月次契約計画登録	取引先別契約計画出力	月次契約計画登録・修正	計画修正承認	契約計画照会	契約計画出力	契約予実分析	契約計画連携データ作成		
		営業支援システム	営業支援システム	営業支援システム	営業支援システム	営業システム	営業システム		営業システム		
B	与信管理	与信チェック									
C	見積管理	顧客用見積依頼登録	見積作成・変更・取消	見積承認	在庫問合せ回答	見積提示	顧客用見積結果確認	見積照会	顧客用見積照会	見積情報出力	社内取引見積
		見積りシステム	見積りシステム	見積りシステム	見積りシステム	見積りシステム	見積りシステム	見積りシステム	見積りシステム	見積りシステム	
D	契約管理	契約登録	契約変更・取消	契約承認	契約書送付管理	契約完了消込	契約照会	契約書出力	契約一覧出力	社内取引契約	
		営業システム	営業システム	営業システム	営業システム	営業システム	営業システム	営業システム	営業システム		

《凡例》
- 営業システム
- 営業支援システム
- 見積りシステム
- 該当機能なし

システムの機能要求に漏れがないかチェックリストとしても使う。

FMの書き方自体は後の章で詳細に触れるが、現行FMを書く際に特有の注意点がある。それは、ITエンジニアに提供してもらった「プログラム一覧」を元に作ろうとしないことだ。FMはエンジニアだけではなく、業務担当者とコミュニケーションするためのツールである。プログラム一覧では詳細すぎ（ボリュームが多すぎ）て、業務担当者がピンとこなかったり、全体を把握するには適していない。

それよりは、現行業務フローやアクティビティ一覧に登場するシステム機能を拾い出して作るほうが、議論に活用しやすい現行FMができる。プログラム一覧はその現行の抜け漏れチェックに使うことをおすすめする。

④現行システム一覧

どんなフォーマット？

今回のプロジェクトに関係するシステムを網羅的に洗い出すときに使う一覧だ。システム刷新の際に「どの範囲を今回のシステムの対象とするのか」という判別や、データ移行で「どれだけデータが分散しているか」を検討する際の基礎資料になる。

業務で使用されるシステムは無数にある。IT部門が開発した公式なシステム以外にも、現場担当者がExcelやAccessで作ったEUC（End User

図表D-5 ▌現行システム一覧

各システムの基礎情報

各システムが対象とする業務範囲

システム名	システム概要	スクラッチ／パッケージ	開発言語／パッケージ名	利用部門（営業所）	EOL時期	引き合い・見積り				受注		生産	
						顧客管理	予実比較	活動管理	見積依頼	受注管理	引当	生産計画	製造指示
生産管理システム	受注から出荷までの各種業務遂行をサポート	パッケージ	xxx7	生産管理	2023年					○	○	○	○
営業システム	顧客管理と受注までの活動管理	SaaS	Salesforce	営業	−	○		○					
営業支援システム	営業日報と実績集計・評価	スクラッチ	Access	営業	−	○	○	○					
見積りシステム	仕様選択により価格感を概算で算出する	スクラッチ	VB.Net	営業	2024年				○				
商品化・設計支援システム	BOMを中心に設計に必要な情報を管理	パッケージ	xxxPLM	設計・開発	2024年				○				

Computing）も、プロジェクトで考慮すべきシステムである。それらを漏れなく調査するフォーマットが現行システム一覧だ。

先に紹介したファンクショナリティ・マトリクス（FM）が機能の一覧であるのに対して、こちらは1システム1行で、機能ではなく技術的なことをまとめた一覧である。開発に使った言語やパッケージ、ハードやソフトウェアの保守契約の期限、利用者、システム管理者などが記載される。

FMより大雑把で構わないが、おおよそ対象とする業務範囲も一覧にしておくと、どれだけシステムが重複・偏っているかを調べることもできる。また、利用目的が曖昧なものや機能の重複も見える。

⑤現行インターフェース一覧

どんなフォーマット？

再構築の対象システムと、他のシステムをつなぐインターフェース（I/F）の一覧である。

近年の高度に発達したシステムが単独で動いていることは稀だ。複数のパッケージやソリューション、スクラッチ開発したシステムを組み合わせて1つの大きなシステムを構成していることが多い。

また複数の業務がデータ連携されていることも多い（例えば販売システムから売上伝票が会計システムに連携されたり、人事システムから社員マスターが販売システムに連携されたり）。

図表D-6 ｜ 現行インターフェース一覧

I/F対象システム		ファイル名（フォーマット）	授受データ		スケジュール			I/F方式					
連携元システム	連携先システム		内容	1回当たり件数	手動／自動	周期	タイミング（時間帯）	FTP	メール	媒体	ODBC	API	他
グループウェア	人事給与システム	XXX.CSV	月次勤怠集計データ	30	手動	月次	毎月5日	-	-	-	-		○
営業システム	経理システム	XXX.TXT	未収情報	1500	手動	週次		○	-	-	-		-
営業システム	経理システム	XXX.TXT	未払情報	1000	手動	週次		○	-	-	-		-
営業システム	経理システム	XXX.TXT	総勘定情報	200	手動	週次		○	-	-	-		-
人事給与システム	経理システム	XXX.TXT	総勘定情報 未払情報	200 200	自動	月次	毎月25日	-	-	-	-		○

どのシステム間でI/Fしているか

どんな内容をI/Fしているか

どのタイミングで、どのようにI/Fしているか

この、複数のシステムを連携するプログラムをインターフェース（I/F）と呼ぶ。システムを作り直す場合、当然他システムとのI/Fも作り直す必要がある。そこで現行I/F一覧を作り、抜け漏れなく検討できるようにする。

調べるべき情報は、I/FのFromとTo（データの連携元と連携先）、受け渡しの技術的な方法、受け渡しタイミングなどである。

現行システム全般を調査する中で「同じような情報をあっちにもこっちにも入力させられる」「リアルタイムに情報が反映されない」という課題は多い。I/Fの受け渡しタイミングや連携するデータの内容を見直す必要があるかも、この一覧を元に議論していく。

⑥現行全体システム構成図

どんなフォーマット？

現在のシステム全体像を俯瞰的に表現した図である。フォーマットというほど決まった形式はなく、主にパワーポイントで機能とその関係性を図にしたものだ。

一覧形式でなく俯瞰図を使うことで、ひと目で全体の構成や現行システムの対象範囲、データの流れが把握できる。

現行システム一覧や現行I/F一覧は表なので、網羅性を担保するには適

図表D-7 ｜ 現行全体システム構成図

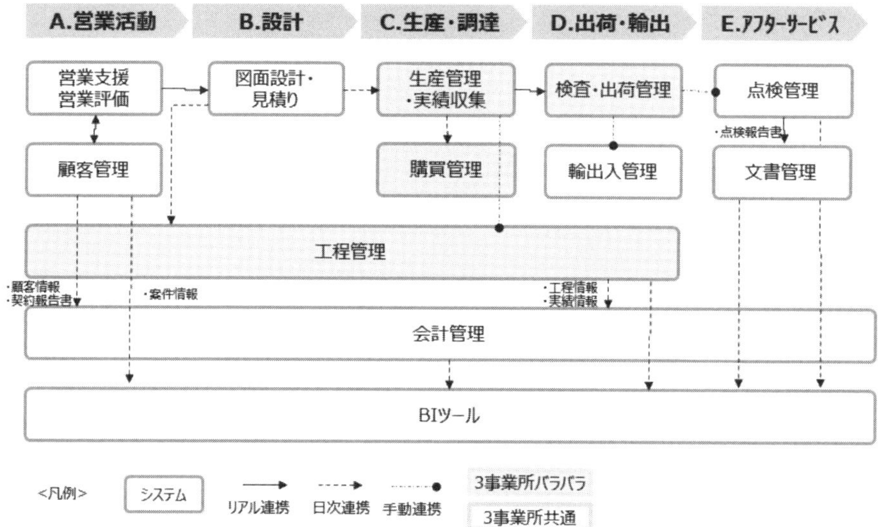

しているが、全体像をつかみにくい。そこで、棚卸しした情報を元に、全体像を書き起こしたものが全体システム構成図だ。決まったフォーマットはないのだが、表現すべきものはおおよそ決まっている。

・システム機能（図表D-7のように、「文書管理」「購買管理」などの粒度が適切）
・システム機能のグループ分け
・連携する周辺システム
・顧客や取引先、金融機関など、主要な関係組織
・データのやり取りを表す矢印

これらを1枚の紙に書き表すと、現状の課題がどこで発生しているか？将来どう変えるか？　今回のプロジェクトの範囲は？　などの議論がしやすい。

システムをだんだんと変化させていくような複雑な計画を作る時は「2020/4/1時点」「2020/10/1時点」……と、現状から将来まで、時系列で何枚も書いていくことで、プロジェクト関係者の頭を整理できる。

図表D-7では、対象範囲やI/Fだけでなく、工場によって現行システムに差がある領域を示している。このプロジェクトは特に、工場ごとに業務もシステムもバラバラだった現状を全社で一元化することが最大のプロジ

ェクトゴールだった。このように色分けすることで、統合/標準化の議論が必要な箇所がひと目でわかる。

システム構成図に限らず、この章で紹介しているフォーマットは、単に書くだけではもったいない。この例のように、プロジェクトで重要な観点に応じて色分けしたり（地理の授業で白地図をテーマにそって色分けしたように)、課題の発生箇所を書き込んだりして、使い倒そう。

⑦現行システムの主要データ

どんなフォーマット？

現行システムが管理しているデータを整理したもの。新システムのデータベース設計やデータ移行の検討材料になる。

現行システムで管理するデータをマスタ（取扱商品や社員など、日々の業務で大きく変化がない基礎情報）とトランザクション（発注情報や経理仕訳など、商取引の記録）に分け、一覧にしていく。

現行FMと同様、エンジニアから現在のデータベースの項目一覧を出力してもらっても、数千個の暗号のような項目名が並んでいるだけで、業務

図表D-8 ‖ 現行システムの主要データ

※X年より以前のデータ保管先

領域	データ区分	データ名称	A事業所		B事業所		C事業所	
			累計データ件数	データ保管先	累計データ件数	データ保管先	累計データ件数	データ保管先
販売／在庫	マスタ	品名マスタ	XXX	品名マスタ	XXX	品名マスタ	XXX	品名区分
		単価マスタ	XX	単価グループマスタ	XX	単価グループマスタ	XX	基準単価テーブル
		取引先マスタ	XX	取引先マスタ	XX	取引先マスタ	XX	契約者テーブル
		受注先マスタ	X,XXX	受注先マスタ	X,XXX	受注先マスタ	X,XXX	[illegible]
		倉庫マスタ	XX	取引先マスタ（倉庫情報も保持）	XX	取引先マスタ（倉庫情報も保持）	[illegible]	[illegible]
	トランザクション	契約データ	XX,XXX	契約データ	XX,XXX	契約データ	XX,XXX	契約マスタ
		受注データ	XXX,XXX	受注ファイル・受注マスタ※	[illegible]	[illegible]	XXX,XXX	オーダーファイル
		出荷データ	XXX,XXX	出荷ログ・出荷トラン※	[illegible]	[illegible]	XXX,XXX	出荷実ファイル
		売上データ	XXX,XXX	売上ログ	XXX,XXX	売上ログ	XXX,XXX	売上データファイル
		在庫データ	X,XXX	在庫明細・在庫ファイル	X,XXX	在庫明細	X,XXX	在庫ファイル
購買	マスタ	購買品マスタ	XX	購買品マスタ	XX	原料マスタ	XX	−
		単価マスタ	XXX	購買単価マスタ	XXX	原料単価マスタ	XXX	

事業所により保管先が異なる
データの古さにより保管先が異なる
データの種類を記載
データボリュームと保管先を記載

担当者との議論には使えない。現在のデータベースにはこだわらず、業務担当者が理解できる粒度で表現すべきだ。

⑧現行コード体系

どんなフォーマット？

現行システムで用いられている主要なコードを整理したもの。コードはシステム・データの根幹となるが、利用されているコードを一覧に整理した資料は意外にない。あらかじめ調査する項目を決めて、情報を埋めていく。

システムはもともと業務にまつわる情報を管理するために構成されたものだ。当然業務にまつわる情報は多種多様であり、その情報を識別するためのコードが存在する。人事情報であれば社員コードや社員資格コードであり、営業情報であれば受注コードや取引先コードなどだ。

主要なコードの種類やコード体系、採番ルールを整理するフォーマットが現行コード体系だ。コード、およびそれに紐づく情報が漏れなくシステ

図表D-9 ｜ 現行コード体系

コード種別	コード名称	桁数	採番ルール	現状・課題
商品に関わるコード	商品コード	8桁	手動	・商品マスタのキーコード、商品番号とほぼ同一で発番 ・商品部にて管理
	商品番号	6桁	手動	・カタログなどに掲載する販売用の番号 ・番号は枯渇しており、廃番の番号を再利用 ・商品部にて管理
	品番	5桁	不明確	・商品を識別する番号 ・製品、BOM上のユニット、素材・資材も同じ品番体系で管理 ・設計・調達にて管理
	商品分類	2桁	手動	・基幹システム導入時に設定された分類
	集計用分類	2桁	手動	・情報解析用にあとから設定された分類
顧客に関わるコード	取引先コード	5桁	連番	・親子関係を保持できていない、横並び ・取引先と購買先が同じ会社でもそれぞれのマスタに登録
	購買先コード	5桁	連番	・親子関係を保持できていない、横並び ・取引先と購買先が同じ会社でもそれぞれのマスタに登録
	受注番号	9桁	連番	−

利用目的が同じ番号が複数ある

情報の正規化が正しくできていない

データの種類と基礎情報を記載

ム機能として盛り込まれていることをチェックするために利用する。

また、システム上の情報の複雑さはコードに表現されることも多い。扱う情報が複数盛り込まれたコードや、各社・各事業所で統一されていないがために情報がつながらないコードなど。そのために必要な情報が即座に得られなかったり、データをつなぐために余計な処理・業務が発生していることは少なくない。

この一覧を見て、将来像やあるべきシステム・情報の持ち方を検討することにもつなげることができる。

⑨課題一覧

どんなフォーマット？

現状の棚卸しをしていく過程で発見した課題を、一覧にしたもの。施策を検討したり、将来像を描く際のベースになる。

現状調査でわかった非効率やシステム機能の不足などを、まずは整理せずにこの一覧表にためていく。あとで再確認できるように、どこの部署の誰から聞いたのかも記載しておく。もちろんヒアリングだけでなく、プロジェクトメンバーが業務を分析して発見した構造的な課題もどんどん追加する。

どんな種類の課題なのか「課題エリア」にマークを付けておくと、施策を検討する際に助けになる。

図表D-10 ┃ 課題一覧

No.	情報元		課題	課題エリア							記入日	記入者
	部署	人		プロセス	組織・役割	制度・規約	システム	人材・スキル	ビジョン	カルチャー		
1	業務推進	xx課長	期首計画(修正計画)時の、入船計画、生産計画、原料受払が連動しておらず、手作業で修正しており効率が悪い。				○				2013/7/1	白川
2	東部販売管理	xx担当	運賃補助の規模が小さいわりに伝票が膨大であり、負荷が高い。			○					2013/7/1	白川
3	生産統括	xx部長	各工場で分析表のフォーマットが統一できていない。			○					2013/7/1	白川
4	関西営業	xx担当	生販計画で無駄な転記作業が発生している。				○				2013/7/2	榊巻
5	業務推進	xx担当	営業支援システムを使って実績を集計している。転記作業が多い。例えば、月初に速報(先月の実績)、執行役員会議資料、月次(経理用)を作成しているが、システムで作成したい。			○	○				2013/7/2	榊巻
6	生産統括	xx部長	販売計画と生産計画が紐付いていない。オーダーに対して生産計画を行っており、生産調整も行っている。	○			○				2013/7/2	榊巻

一通り調査が終わったら、蓄積した課題を整理する。会社として取り組むべき主要な課題を特定したり、課題間の因果関係を検討していく。主要課題が決まったら、「③現行ファンクショナリティ・マトリクス」や「⑥現行全体システム構成図」に課題をマッピングしていくと、どこにどんな課題があるかをプロジェクト関係者で共有する良い資料になる。

棚卸し結果を元に、システムを分析する

私たちが実際のプロジェクトで使う調査フォーマットは上記の9つだけではないが、様々な角度で現状を切り取り、棚卸ししていくイメージはついたかと思う。

次のステップとして、調査結果を棚卸ししたこれらの資料をベースに分析を行う。つまり、「結局のところ、何がガンなのか？」「次にシステムを作る際に、繰り返してはならないことは何か？」を明確にする作業だ。もちろんシステムによって病状は異なるが、分析結果として、以下のような指摘をすることが多い。

・機能連携ができておらず、同じ情報を二重、三重に入力する必要がある
・必要な機能を場当たり的に継ぎ足してきたため、プログラムが複雑化している
・設計資料がない。プログラムを改修する際は解析が必要なので、些細な改修でも時間と費用がかかる
・販売システムと経理システムとで、別々の取引先コードを使っているためにデータが統合できない
・セキュリティが脆弱なため、データ漏洩のリスクがある
・使っているテクノロジーが古いため、メーカー保証が切れていたり、業務量の増加に耐えられない

前回のシステム構築プロジェクトで埋め込まれた問題を何年も引きずっているケースもあるし、最初はスマートなシステムだったのに、改修を重ねるたびに老舗の温泉旅館のように複雑怪奇になってしまったケースもある。

いずれにせよ、現行システムのガンを把握するのは、病巣を残さずに作り変えるためには非常に大切なことだ。

ただし、この本の想定読者である「システムを作らせる人」にとっては、システム分析は荷が重い。現行システムを分析してこれらの課題を見出すのは高いITスキルが必要で、付け焼き刃では取り組めない（参考までに申し上げると、私たちの会社ではこういった分析スキルを高めるために、社内専門家に集中的な経験を積ませている）。

本書に書いた他の作業とは異なり、このステップだけは社内のIT部門や社外のITコンサルタントなど、専門家に依頼すること。医療と同じように、複数のエンジニアにセカンドオピニオンを聞いてみる価値もある。

システム現状調査に「作らせる人」が関与するか？

上記のように、システム分析は専門家に任せるべき作業だが、その手前のシステム関係の棚卸し（現行システム一覧や現行I/F一覧など）も、馴染みがなく苦戦する人が多いだろう。これらの調査もITエンジニアに任せてよい（ちなみに、業務フローなどの作成はもちろん「システムを作らせる人」の仕事）。

しかし任せっぱなしは禁物だ。これから構築するシステムの前身である現行システムについて全く理解していないと、費用や機能の取捨選択の議論についていけなくなる。つまり自分でやらずとも、結果を把握し、今後のプロジェクトに活かせるようにしておくべきだ。

特にシステム分析の結果はよく理解しておく必要がある。「今のシステムがこんな構造になっているから、業務が歪んでしまっている」「2つの機能の関係性がガンなので、今までと全く同じように作り変えただけでは、問題は解決しないぞ……」という問題意識は、「Why⇒How⇒What」のWhyに当たる、プロジェクトの根幹だからだ。

あなたがWhyをしっかり理解していないと、経営者や他のプロジェクト関係者にしっかりと説明できない。それだけでなく、「何にどれだけお金をかけるべきか？」「システムの一部だけを作り直すことに意味があるのか？」など、今後のプロジェクトで迫られる重要な判断を主体的に下せなくなってしまう。

この事態を避けるためにも、このフェーズで作られた調査・現状分析の資料に目を通し、エンジニアに解説してもらうべきだ。もし理解できなければさらに噛み砕いて説明してもらうなり、わかりやすく資料をまとめ直すよう、依頼するのも手だ。

私たちが仕事をしてきた優れたプロジェクトリーダーはIT部門以外の出身が多かったが、プロジェクトが始まってからこうして自分なりにシステムを理解し、チームを率いていた。業務担当者がシステムの中身について無理解だと、エンジニア側も困る。なんとか理解してもらえるように、彼らも努力してくれるはずだ。

事例　お役所でのシステム開発と無謬性

役所でのシステム開発について議論していたところ、とにかく上流工程に時間をかけることに驚いた。例えば現状調査に半年（大きなプロジェクトでは1年）、要求定義に半年、という時間感覚だ。私たちが民間企業とやるプロジェクトの3倍程度だろうか。

そしてプロジェクトが終わった後の反省会では必ず「もっと調査に時間をかけるべきだった」というコメントが出るそうだ。すでにこんなにかけているのに！

どうやらお役人特有の「無謬性の原則」がプロジェクトを長期化させているらしい。無謬性の原則とは「政策に誤りがあってはならない。今後の政策で誤りを起こしてはならないし、過去の政策にも誤りはなかった」という姿勢のことだ。

プロジェクトは初めてやる活動なので、毎回かならず「もっと○○しておけばよかった！」と思うものだ。この章に関係するところだと「機能要求から○○が漏れていたので、あとから見積がふくらんでしまった！――もっと現行システムを調査すべきだった！」みたいな感じだ。

お役人（特に中央キャリア官僚）にはよりすぐりの人材が集められている。そんな彼らがやったとしても、完璧な調査、完璧な要求定義はできないのだ。でも無謬性の原則が体に染み付いているから、「自分たちの作業が完璧ではなかった」を必要以上に反省してしまう。そうしてひたすら時間をかけるようになっていく。

この章を読んだ方にはもうおわかりだろう。完璧を目指す彼らの姿勢がそもそも誤っていることが。半年でダメだからと1年かけても完璧にはならない。そうやって何年もかけてシステムが出来上がった時には世の中が変わっている。

そうではなく、逆に調査や要求定義はほどほどにして、後の工程で不完全さをカバーする方法でプロジェクトを進めるしかない。あとの章でその方法をしっかり学んでほしい。

Business Model

未来予想図、共有できていますか？

将来像（How）を明らかにする

この章のレッスン

- システム機能を具体化する前に、「システムが変わったらどういう絵姿になっているか？」という将来像を描く
- システムをテコにした将来像の描き方や将来業務フローの作成方法を学ぶ

システムについて具体的に検討する前に、業務の将来像を明らかにする。システムは業務の将来像を実現するために作るものなので、目指したい業務がぼやけていては、システム構築も迷走してしまう。

図表E-1 ‖ 施策一覧

これまでリストアップしてきた施策
誰が、いつやるか？それはなぜか？

	改革施策	施策備考	実現フェーズ	優先度			主担当組織	備考 対象外にした理由
				ビジネスベネフィット	組織受入態勢	コスト		
1	分散されているデータの一元化	各種システムで分散管理されているデータを一元管理し、正しい情報を管理できる仕組みを実現する。	1	H	H	H	シス企	
2	組織連携を強化するための情報共有基盤の構築	情報共有するためのITシステムを導入し、組織間のコミュニケーションロスによるお客様のクレームをなくす。	1	H	M	M	シス企	
3	企画、管理業務へのシフト	各種オペレーション業務を効率化し、RFP提案、運用改善に向けての　企画・提案型にシフトする。	1	M	H	M	情シス	
4	運用体制の効率改善	障害の発生から解決まで、横断的なステータス管理を実現し、組織を横断した改善活動を行う。	2	M	M	M	品管	まず第1フェーズで基盤を構築し、第2フェーズで改善につなげる改善を行う
5	組織の役割、ミッションの見直し	プロダクトマネジャーやメーカー担当、パートナーのマネジメント強化など、役割・ミッションの見直しを行い、利益構造の強化を図る。	-	H	M	H	経企	中間マネジメント・ボードで本プロジェクトとは切り離して検討することとした。
6	情報分析基盤の構築	BIツールを導入し、マーケティング活動の質を上げる。	2	M	H	L	営企	高コストであるため、実現フェーズは再検討する。
7	属人化している業務オペレーションの標準化	特定の担当者にしかわからない業務ナレッジをシステム化、マニュアルに落とし込み、標準化する。	-	M	M	L	事務管理	別プロジェクトとして立ち上げ管理、実現する

施策（プロジェクトで変えること）を明確に

前章で現状の棚卸しや分析をした結果として見えてきた施策（課題を解決する方法）を全て書き出し、施策一覧をつくる。「サービス提供時間を延長する」といった、ビジネスのあり方を変更する施策もあるし、「債権回収の専門部隊を新たに作ることで、営業マンが顧客訪問をする時間を捻出する」のように、役割分担を変更する施策もある。

特にシステム分析の結果からは「基幹系システムとは別にデータ・ウェアハウスを作り、必要な情報をいつでも誰でも取り出せるようにする」だとか「全社員にモバイルパソコンを配ることで、パンデミックや震災が起きても業務を止めないようにする」などの、今後システム構築をする際に方針となっていくような施策が生まれるだろう。

施策一覧には、効果が高い施策/低い施策、簡単に実施できる施策/実現が難しい施策が混ざっている。プロジェクトゴールに照らしながら、「効果が高く、比較的簡単に実現できる施策」を厳選していく。

現状+施策=将来の姿

システムを作るにあたり、そのシステムが前提としている業務の姿を明確にしておく。

現状で大きな問題がない業務であれば、「棚卸しした現状業務＝将来の姿」となる。本当はシステムを使い続けたいのに保守切れになってしまい、やむなく再構築するプロジェクトでは、こういったケースが多いだろう。

一方で現状の業務に課題があり、今回のプロジェクトを機に改める場合は、「現状業務＋施策による変更＝将来の姿」という図式が成り立つ。ほとんどのプロジェクトで「将来の姿」は、現状維持の業務と、今回を機に変わった業務がまだら模様になる。

この章では、施策によって現状を変え、新しい業務を構想する方法について説明しよう。まず、見積にまつわる施策を例に考えよう。

このプロジェクトでは調査や分析の結果、「見積書の承認が後手後手に

図表E-2 ▌現状と将来

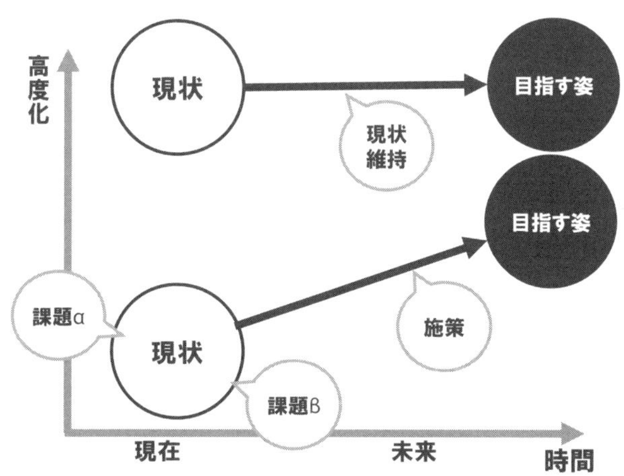

回っている」「見積書の作成に時間がかかる」などの課題が明確になっていた。これらを見積のルールとプロセスを見直すことで改善する施策だ。

このメモのおかげで、変更後の業務プロセスで達成したいことは明確になった。だが業務を変更するためには、もう少し具体的にイメージができるようにしておきたい。そこでもう一歩踏み込み、変更点を図示したものが図表E-4になる。

図表E-3 ▌施策名称：見積ルール／プロセスの見直し

【なぜ必要か】

- ■ 見積の承認権限やタイミングが適切ではない
- ■ 見積の履歴管理が行われていない
- ■ 営業が見積データをExcelと基幹システムに二重入力している

【何を変えるか】

- ■ ガバナンスの観点から、顧客に見せる前に見積書を確実に承認する
  - ◆ 見積書の承認履歴を管理する
  - ◆ 見積管理機能で作成した見積書のみ、顧客に提示可能とする
- ■ 新システムによって、誤ったプロセスで仕事できないようにする
- ■ 新システムによって、過去見積書を再利用しやすくする

【何が良くなるか】

- ■ 内部統制を強化し、企業イメージ損失のリスクを抑制する
- ■ 営業の見積書作成にかかる工数が削減できる

図表E-4 ║ 見積プロセスのラフスケッチ

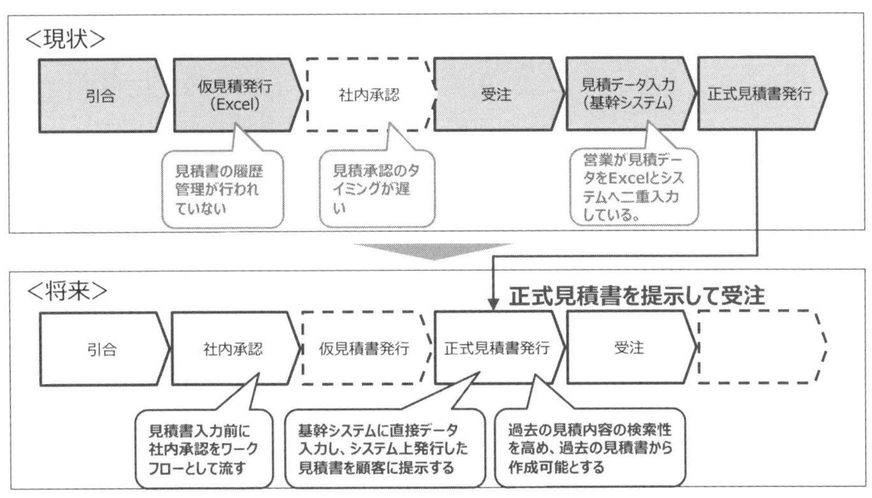

業務フローほど細かくはないが、現状と将来を比較すれば、「何を変えるか」「変えた結果、どんな効果を狙っているか」はわかる。ここまでくると業務のイメージが湧いてくるし、システム機能に求められること（機能要求）も見えてくる。

詳細な将来業務フローを書く前に、このような「変えたいことをわかりやすく示した図」を一旦書いておくと、やりたいことがボヤけずにすむ。この事例では関係者に説明するためにわざわざパワーポイントでお絵かきをしたが、ホワイトボードのなぐり書きで済ませることもある。やり方はなんでもいいので、細かい業務フローを書き始める前に「ここを変えるのがミソ」とはっきりさせることが何より重要だ。

システムをテコにして業務を変える

この見積にまつわる業務の変更は典型的な業務改革であって、システムを作り直さなくてもできる施策だ。だがシステムをうまく使うことで、業務プロセスやビジネスモデルを大きく改善する施策もある。

例えばこれまで店舗で販売していた商品を自社のWebサイトで売ったり、箱づめされた記憶媒体で販売していたソフトウェアをダウンロード販売に切り替えるのがその典型。そういった社外からもわかる変更だけでなく、社内の仕事を新システムで変える業務改革も効果が大きい。ここではシステムをテコに業務を変えるパターンの中から、私たちがプロジェクトで使うことが多いもの5つを紹介しよう。

パターン①：電子化によるペーパーレス

例えば下記の図は、これまで顧客から、FAX主体で注文を受けていたケースだ。大口注文先である販社は一部EDIを利用していたが、現場に近づくにつれシステム環境も整っていないため、FAXでの注文がほとんどだった。それをWebを通じた発注に置き換えた。

顧客に慣れていただく必要があったので交渉が必要だったが、EDIやFAXに比べてWebシステムを用意することで入力ミスのチェックも可能になり、顧客にもメリットがあった。

図表E-5 ▎電子化によるペーパーレス化

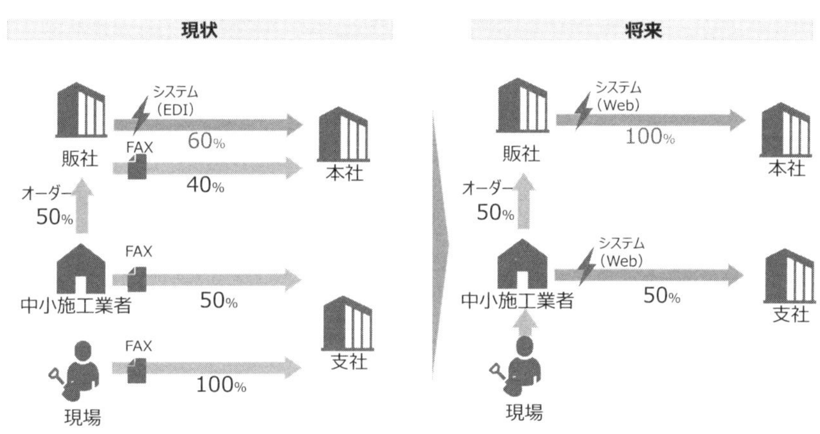

パターン②：デバイス配布による「どこでも電子化」

10年ほど前までは、企業システムといえば、オフィスか工場で使うものだった。だがスマートフォンやタブレット（iPadのような端末）が普及したことで、社外でもシステムを使えるようになった。

例えば保険の営業職員は、契約条件の変更手続きをその場でできる。顧客に画面を見せながら一緒に手続きすることで、ミスの防止や安心感を持ってもらえるメリットもある。建築現場では、必要な資材をその場で在庫確認し、発注できる。

今までしていた「現場仕事が終わってから、一旦事務所に帰って事務処理をして……」という無駄な往来がなくなるため、業態によっては劇的なスピード化と効率化を狙える。移動という物理的な制約を取っ払えるからだ。

現在の業務フローを眺めながら、主な登場人物全員に対して「この人にタブレットを渡したら、何が良くなるだろうか？」と、一通り考えてみるのは無駄ではない。

パターン③：発生時点入力

パターン①や②とも関係するが、業務効率化の鉄則として、「データは発生した場所で当事者が入力するのが、一番効率的」という考え方があり、発生時点入力と呼ぶ。データのシステム外受け渡し（紙やメールのやり取り）はそれだけでコストがかかる。つまり面倒だし、情報漏洩のリスクがある。さらに当事者ではない人が入力すると、それだけミスが増える（例えば自分の名前を入力ミスする人は少ないが、他人による入力では多い）。

今まで「AさんがExcelに記入⇒メールで担当のBさんへ⇒Bさんがシステムに登録」といったやり取りがあれば、Aさん自身が登録するシステムを検討しよう。

パターン④：データの一元管理

前章で「現行システム構成図」というフォーマットを紹介した。完成した図を眺めると、システムが連携できていない場合、人間がシステムの代わりに情報をつないでいる様子がよくわかる。一番ひどい例では、同じ情報を計8回記入していた。もちろん同じ人が8回ではなく、紙やExcelが人から人へと渡っていき、それぞれが転記や入力を繰り返していたのだ。いわば、至らないシステムの尻ぬぐいを人間がしている構図だ。

例えば図表E-6は販売システムと在庫システムがうまく連携できていないケース。システムだけでなく担当者も営業と在庫担当とで分かれているため、双方が連絡しあって初めて一連の業務が成り立つ。

データが一元管理されていれば、それぞれがシステムに登録したり、データを見ることで、自然と業務を回すことができる。いわばシステムが人間の仕事をつなぐイメージだ。これなら発注担当が休暇をとっていても、仕事全体が滞ることもない。

このようにきちんとシステムを作れば、業務フローをかなりシンプルに、効率的にできる。ITを作らせる技術がなければ業務改革ができないのはこのためだ。ただしデータを一元管理するためには、単に1つのシステムを作るだけではなく、統合度が高い、複雑なシステムを作らなければならないし、業務やデータの標準化も必要となる。

図表E-6 ┃ データの一元管理

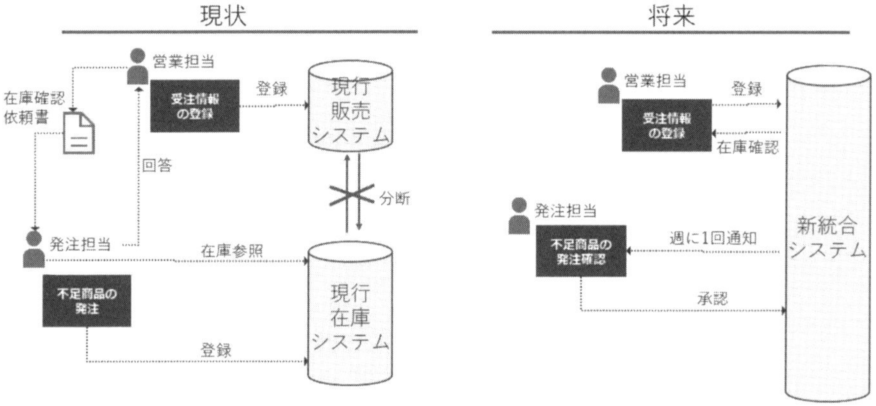

パターン⑤：人間では煩雑すぎることをシステムで実現

人間がやっていたことをシステムにやらせるだけでなく、人間がやるにはあまりにも大変で諦めていたことを、システムの力を借りてやるタイプの将来像もある。私たちの会社の営業改革がそのパターンだった。

コンサルティング企業の商談はかなり息が長く、最初に商談してから3年後にようやく受注することもある。長い期間をかけてファンになってもらったり、顧客内で変革プロジェクトの機が熟すのを待たなければならない。

だから営業活動も、数年単位で顧客とのリレーションを深めたい。ところがこれは口で言うほど簡単ではない。営業担当者は数人しかおらず、彼らはどうしても目先の案件を追っかけるのに時間を使ってしまう。

この状態が長く続いていたのだが、MA（マーケティングオートメーション）と呼ばれるツールが登場したことで、変化を起こすことができた。MAの全容を語るにはページが足りないが、私たちの会社の文脈に沿って言えば「webやメールを通じた顧客とのコミュニケーションを、地道に追っかけられるツール」である。これを使いこなすことで、これまで人間ではやりきれなかった長期間の顧客対応が、MAの力で可能になった。

ツールの流行に飛びついても、大抵は宝の持ち腐れとなる。だがこの事例のように「元々やりたくてもできなかったことを可能にする、パズルの最後の1かけら」としてツールを使うと、大きな効果を上げられる。

プロジェクトの最中にこのパターンを探す際の切り札的な質問は「もし時間が無限にあったら、何をやりたいですか？」だ。この事例の場合は「もし時間が無限にあるならば、これまでお付き合いのあった顧客に対して、いったん商談が終わった後も末永く、役に立つ情報を丁寧に届けたい。それらをどれくらい活用してくれているか、全てトラッキングしたい」が問いへの回答だ。それをたまたまMAが叶えてくれたのだ。

応用　全く新しい業務を構想する場合

企業でシステム構築をする場合、現状業務が存在しないことは稀だ。だがデジタル技術をテコにして新規事業を立ち上げる際は、「現状業務⇒改善点⇒将来業務」という検討の流れではなく、いきなり将来業務を構想することになる。

あるサービスを無償で提供する代わりに、その利用実績データから新たなナレッジを生成し、別の会社に提供するサービスを立ち上げた際の事例を紹介しよう。

文章だけではどんなビジネスなのかイメージできないので、その時はもう少し具体化した図（図表E-7）も書いた。

この絵では主に、システム機能の大きな塊とデータの流れを表現している。その上で機能の塊ごとに果たすべき役割を検討した（図の吹き出しに記載）。

この図を見ると「AIによる学習など、ナレッジを生成するためになんらかの機能が必要」「単にサービスを提供するだけでなく、利用実績を詳細に蓄積する機能が鍵となりそう」「ナレッジ利用者からのリクエストに応えるAPI的な機能も必要」などが読み取れる。

図表E-7 ｜ ビジネス概要図

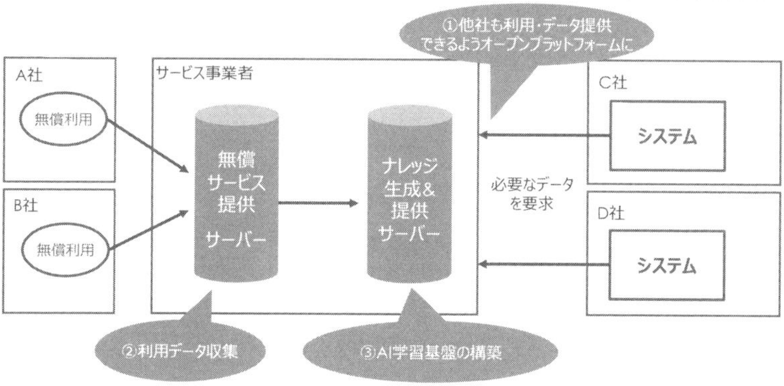

この図を土台として、さらにより細かな運用方針やデータの流れを決めていくことで、業務フローやシステム要求も検討できる。

ゴールや目指す姿の表現方法は、図だろうと、文章であろうと構わない。一番大切なのは、実現した際の業務やシステムがイメージでき、システム機能を洗い出す土台になることだ。

将来業務フローを作成する6つのテクニック

いよいよ将来業務の設計図とも言える将来業務フローを書いていく。このパートでは業務フローを作成する際のテクニック6箇条を伝授したい。

業務フロー作成のテクニック6箇条

①変化点を必ず書き出す
②まずはアナログで作る
③フォーマットを決める
④メインフローが先、イレギュラーが後
⑤詳細はとりあえず脇に置く
⑥1人で作らず、人を巻き込む

①変化点を必ず書き出す

将来業務フローを書く際の一番の落とし穴は、現場業務フローを清書しただけのフローになってしまうことだ。書くたびに「どういう意図で、何を変えるのか？」を意識しないと、だれでもそうなってしまう。

あらかじめフローごとに変化点を書き出してから、フローを書き始めよう。

・これまで営業所でやっていた作業を支社に集約する
・コンプライアンスチェックができていないので、必ず第三者が承認する
・電話で注文を受けるのではなく、顧客にwebから入力してもらう

などだ。

フローを書く前工程の施策検討でこういった業務方針を議論しておき、「具体的にはこんな業務プロセスになる」を表現するのが将来業務フローになる。

図表E-8 ║ 変更点一覧

■受注の現行業務での課題と将来業務での変更点は以下の通り

NO.	現状	将来
1	受注精度が低く、ロスが発生している。	・新規オーダー受注時に販売課にてオーダー精査を行う。 ・オーダーに仮情報が含まれるものは仮オーダーとして登録し、後工程でのオーダー精査を効率化する。
2	受注可能かの判断がすぐにできない、適切でない場合がある。	新規オーダー受注時にPSI管理表を用いて、受注可能かを判断する。
3	受注明細を一部FAXで受けており、業務が非効率である。	FAXでの受注を廃止し、webオーダーを導入する。
4	明細変更を受ける判断が適切にできていない（無理な変更も受けてしまう）、その結果ロスが発生している。	・明細変更時にオーダー精査を行う。 ・リードタイム表を顧客に共有し、**無理なオーダー変更を許容しない方針とする。** ・PSI管理表を用いて対応可否の判断をする。

②まずはアナログで作る

業務フローはいきなり清書しない。業務フローは書いた後に、多くの人の目にさらされて磨いていくもの。電子データ（Excel、PowerPoint、Visio等）できれいに作成しても、修正が繰り返されて無駄になる。はじめはアナログ（手書きや付箋など）で作成していこう。

アナログには、すぐに修正ができる、一覧性が高い、そして誰もが書き足せるなど、多くのメリットがある。

「タイミングに無理がある」

「全体を見るとココとココに不整合がある」

「あの工場の事情を配慮できてなかった」

全体を見渡すと不備や疑問が見えてきて、その場で付箋を貼り替えたり、書き換えたり修正できる。きれいに電子化するよりも、この時点では将来像や施策に沿った業務を作り込むことに専念しよう。

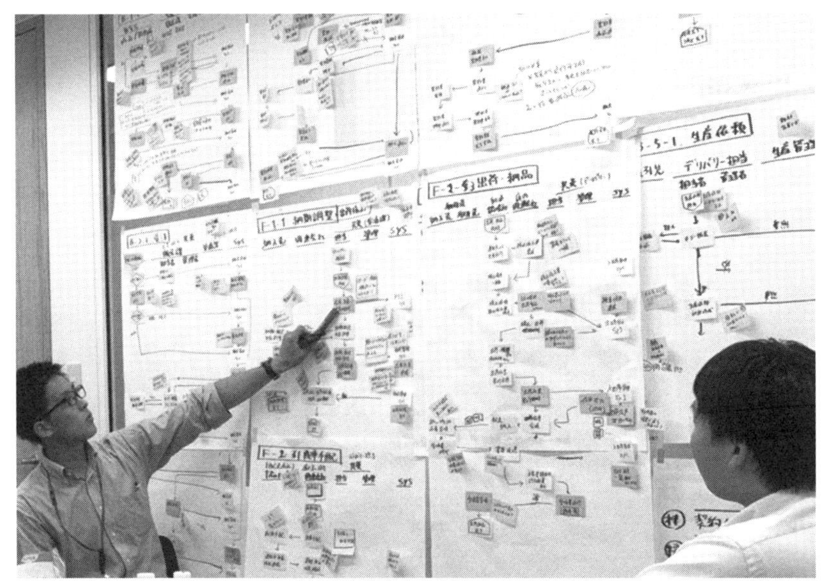

③フォーマットを決める

将来業務フローはアナログで書くべきだが、議論を尽くしたらさすがに清書して電子化した方が良い。この後の工程で、ずっと使う資料だからだ。ざっと用途を挙げておくと、a）機能要求の洗い出し、b）ベンダーへの情報提供、c）プロトタイプセッションのシナリオ、d）テストシナリオ、e）ユーザーマニュアルや説明会資料、などだ。

大きなプロジェクトでは領域ごとに手分けして作るので、プロジェクト全体でフォーマットを統一しておこう。上記の場面で、フォーマットが統一されていないと活用しにくいからだ。

業務フローは縦書き／横書き、Excel ／ PowerPoint ／ Visioなど、いくつかの流儀があるが、プロジェクトメンバーが使い慣れているもので構わない。

図表E-9 ║ 将来業務フローのフォーマット例

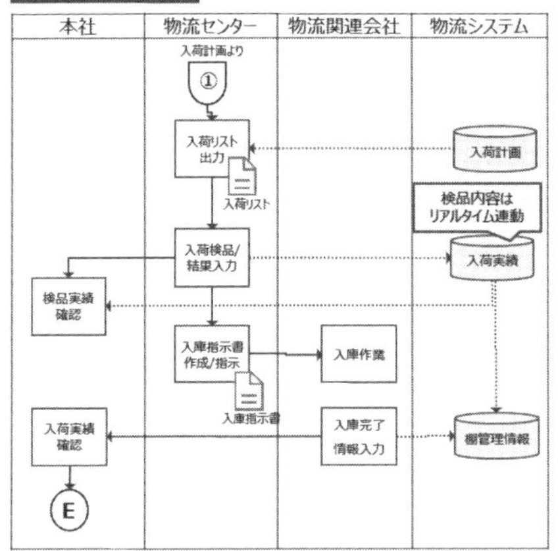

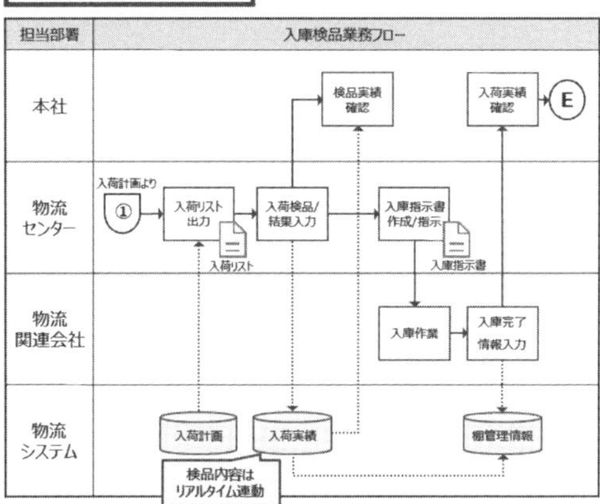

④メインフローが先、イレギュラーが後

最終的にはバリエーションを踏まえたフローを作成するのだが、初めから色々なケースを考慮しだすと、議論が発散しすぎて効率が悪い。まずはメインフローを最初から最後まで書ききることに専念しよう。

商品・サービスの違いでフローが変わる場合や、イレギュラーケース（例えば商品に問題があって返品する場合）などは、メインフローをベースに肉付けして書いたほうがスムーズに書ける。

⑤詳細はとりあえず脇に置く

フローを作成している途中で「このタスクの成果物は何か？」「こんなシステム、本当に作れるんだろうか？」と、多くの疑問が湧いてくる。これらを全て調査し始めると、いつまでたってもフローが書き終わらない。

こういうときは色の違う付箋に「要検討事項」として書き出しておこう。不明点だけでなく、今決められないこと、実際運用する上でのリスクや懸念など、気になることは全て貼り出しておく。

すべてのフローをいったん書ききった上で、あらためて検討事項を議論

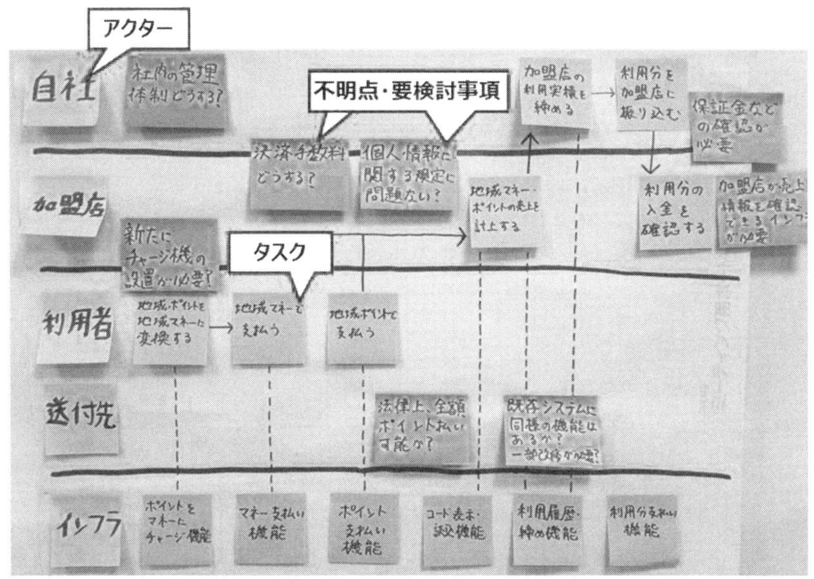

していく。一度全体を俯瞰できているため、議論しやすくなっているはずだ。

⑥1人で作らず、人を巻き込む

仕事は多くの人と協力してやるものなので、将来の業務も関係者と議論しながら作るべきだ。多様な視点でチェックすることで、非効率な業務や考慮漏れを防ぐこともできる。

工場ごとにバラバラだった業務を標準化するようなプロジェクトでは、実際にその仕事をやっている担当者たちを集めて議論すると、よい将来業務になる。なにより「自分たちで作った新業務」という感覚を持てるので、その後のプロジェクトに協力してくれる。ただしその場合はプロジェクトのコンセプトや標準化の意義をあらかじめしっかり合意しておかないと、総論賛成各論反対になってしまう。

何人かで議論しながら作る場合は特に、先に説明したように壁に貼り出したアナログのフローが有効だ。PowerPointなどで作り込むと「完成版」と受け取られ、「こんなんじゃあ、全然仕事が回らないよ」と反感をくらいやすい。だがアナログだと、あからさまにたたき台に見えるので、積極的に改善意見ももらいやすい。

Column

システムを作らせるには、業務をちゃんと語れ

顧客の業務をなにも知らない若手コンサルタントがプロジェクトに配属されて3ヶ月も経つと、「うちの社員よりも業務を知っている」と顧客から評価されるようになる。比較対象はその道5年のベテランだったりする。

こういう現象がしばしば起きるのは、業務の流れや目的を構造的に理解する訓練を積んでいるからだ。構造的に頭に入っているから、改めるべき課題を発見したり、将来像を検討したり、課題を解決するアイディアを出せる。

逆に言うと5年携わっていても、漫然と言われたことをやっているだけでは、構造を理解できない。すると将来像の議論には参加できない。

皆さんは自分の現在の業務を「ちゃんと」語れるだろうか？

どういう目的で、なにをインプットして、どういうノウハウで作業して、なにをアウトプットしているのか？　ビジネス全体の中で、自分が担当する業務がどういう役割を果たしているのか？　やらなかったらなにが起こるのか？

同様に、皆さんは将来の業務がどうなってほしいか「ちゃんと」語れるだろうか？　何を変えたいのか？　なぜ変えたいのか？　変えた結果、前後の業務とどうつながるのか？

これらをちゃんと語れる人はかなり少ない。これができないと、システムをちゃんと作ってもらえないのに。

組織が部門ごとに縦割りになっているので、自分の部署の作業しか知らないことがほとんど。まるでベルトコンベアの自分の持ち場しか見ていないように。

だが、悲観し過ぎなくても良い。変革プロジェクトで改めて業務フローで業務全体を描いてみると、自然に全体の流れを理解できるようになる。隣の部署（もしくは他の会社）が思ったより大変な仕事をしてくれていること。良かれと思ってやっている作業が、実はやらなくても良かったこと。

プロジェクトも半ばを過ぎると、ビジネスのありようを理路整然と語れるようになっているだろう。

Scope

Concept Framing（ゴール明確化） / Assessment（現状調査／分析） / Business Model（構想策定） / **Scope（要求定義）** / PEW（パートナー／製品選定） / BPP（プロト検証） / Design（設計） / Deployment（開発・テスト） / Rollout（導入）

何を作るかを組織で決めるのって大変です……

システム要求（What）を決めるプロセス

この章のレッスン

- システムを作る上で重要となるシステム要求定義の流れを理解する
- システム要求をまとめる上で難しい点を把握し、「なぜこのプロセス・成果物ならうまくいくか」がわかるようになる

これまでのフェーズでプロジェクトのWhyとHowが固まったので、ようやくWhat、つまり「どんなシステムを作るのか」を決めるScopeフェーズを開始できる。一般的には要求定義、要件定義などと呼ばれる工程だ。

この章は要求定義の最初の章として、全体を俯瞰するための3点を説明する。

・要求定義とはなにか？（言葉の整理など）
・要求定義はなぜ難しいのか？
・要求定義（特に機能要求定義）のステップ

システム要求、要件、そして設計

要求定義と要件定義という言葉は一般に、「誰がその作業の主体か」に着目して、以下のように使い分けられる。そして設計はそれらに続く工程だ。

要求定義

システムを作らせる人が、「システムはこんな風であってほしい」と、システムに求めることを明確にする作業。システムに詳しくない人が定義するので、システム的な厳密性、網羅性には欠ける。

要件定義

システムを作る人が、システムに必要とされる性能や実装すべき機能などを明確にする作業。システムが果たすべき機能はすべて要件定義書に書かれるべきなので、例えば「どういうケースでエラー表示をするか？」の一覧表を作るプロジェクトもある。

設計

システムを作る人が、要件を実現する技術的な方法を決める作業。例えば「この機能は○○というソリューションを使う」「データ構造はこうする」といった具合だ。ユーザーから目に見える画面レイアウトなどを固める設計を「外部設計」、目に見えない内部ロジックを考える「内部設計」に分ける場合もある。

イメージしにくいと思うので、まずは住宅の例に当てはめてみよう。

要求

・キッチンは明るい方がいい
・トイレは2つもいらない
・風通しの良さが重要

要件

・キッチンは2階に
・トイレは階段の下に作る。したがって天井は低くなる
・階段の上に、常時開けておける小さい窓を作る

設計

・実際の設計図

こう整理して書くと当たり前に見えるのだが、要求は家に住む人にしか言えない。トイレが2つあることが書斎よりも重要、という人も中にはいるだろう。どっちが正しいという話ではない。何を重視するか？　という価値観で決めることだ。

そして要件は住む人と建築のプロとの共同作業になる。「キッチンは絶対に2階がいいんです！」と主張する施主もいるだろうし、「2階のキッチンは明るくて良いものですよ」とプロが提案し、それに施主が賛同する場合もあるだろう。

また、プロからの要件の提案を受けることで、施主が自覚していなかった要求が浮かび上がることもある。例えば「キッチンを2階にすると、子ども部屋に行くのにキッチンを通らない。思春期になったら親子の会話が減りそうでイヤ！」という具合だ。

それに対して、設計は完全にプロの領域だ。キッチンを2階に設置することで、水回りの配管をどう巡らせるべきか？　といったことは専門家でなければわからない。それらを全て踏まえた上でベストな設計図を書く際に、中途半端に素人が口を出すとかえって悪くなるものだ。

ここで描いた施主とプロの建築家の関係は、そのままシステムを作らせる人と作る人の関係になぞらえることができる。要求／要件／設計それぞれについてシステム構築での例をあげると、

要求

- 契約条件は同じ顧客との間では頻繁には変更されない。だから受注の際には条件を都度入力したくない
- 上司は部下の職務経歴を自由に参照できるようにしたい

要件

- 契約条件は契約マスターに登録する。受注の際には契約マスターから条件を自動で受注画面に表示することで、都度入力する手間を省く
- 上司が職務経歴を参照できる「部下」とは、同じ組織に属し、かつ職位が自分より低い社員のこと

設計

- 受注データは契約データとリンクを張り、受注画面に条件を自動で表示できるようにする。ただし受注画面で条件を変更することもできる
- 組織マスターの管理職情報と社員マスターの職位情報をプログラムが読み取り、参照権限を自動でコントロールする

といった感じになる。

設計について中途半端に素人が口を出すとかえって悪くなるのも、住宅と同じである。例えば「職務経歴を自由に参照できるように」を実装する方法は、何通りかあるかもしれない。その場合はITエンジニアが技術的なメリット／デメリットを踏まえてベストな方法を選ぶべきだ。ユーザーが良かれと思って「組織マスターの管理職情報を使え」と言うと、ITエンジニアは「使わなければならない」と捉え、足かせになってしまう。

まとめると、

「要求はお金を払うユーザーが出す。設計はプロのシステム開発者がやる」

となる。これが大原則だ。「システムを作らせる技術」をテーマとした本書で、要求定義について多くの章を割くのは、作らせる人が主役となる工程だからだ。作らせる技術のうち、要求定義はかなりの割合を占める。

図表F-1 ‖ 要求定義、要件定義、設計

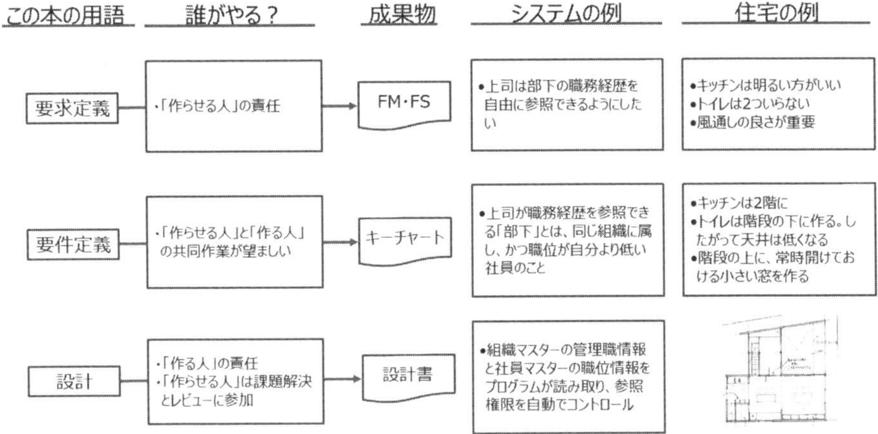
この本の用語
誰がやる？
成果物
システムの例
住宅の例
要求定義
・「作らせる人」の責任
FM・FS
●上司は部下の職務経歴を自由に参照できるようにしたい
●キッチンは明るい方がいい
●トイレは2ついらない
●風通しの良さが重要
要件定義
・「作らせる人」と「作る人」の共同作業が望ましい
キーチャート
●上司が職務経歴を参照できる「部下」とは、同じ組織に属し、かつ職位が自分より低い社員のこと
●キッチンは2階に
●トイレは階段の下に作る。したがって天井は低くなる
●階段の上に、常時開けておける小さい窓を作る
設計
・「作る人」の責任
・「作らせる人」は課題解決とレビューに参加
設計書
●組織マスターの管理職情報と社員マスターの職位情報をプログラムが読み取り、参照権限を自動でコントロール

「欲しいシステムをもれなく、正確に表現する技術」と言ってもよい。

システム要求の3大障壁

ユーザーが要求定義に責任を負う。だが、それは口で言うほど簡単ではない。先に住宅の例を挙げたが、建築家に「私たち家族はこんな家が欲しいのです」と網羅的で矛盾のない要求を伝えられる家族がどれだけあるだろうか？　要求定義のステップを説明する前に、もう一度システム要求の本質的な難しさを確認しておこう。

障壁①：完璧なリストアップができない

家を建てる前に「自宅に求めることの完璧なリスト」を作ることを想像すると、その難しさがわかるだろう。ほとんどの人はそういった作業に慣れていない。「子どもたちが食卓で宿題をしているのを、ごはんの支度をしながら見守るお母さん」みたいな、ドラマで見たような漠然としたイメージしか持っていない。

ましてや、より複雑なシステム要求となると「契約条件を入力しておくことで、受注の際には条件を都度入力しなくて済むようにしたい」などとスラスラと語れる業務担当者は20人に1人くらいしかいない。

だから要求定義では常に「抜け漏れのなさ」が目標になるし、要求定義

以降の工程では、「要求の抜け漏れがいまさら見つかった！　この機能がないと困る！」という事態に悩まされる。

障壁②：常に予算オーバーになる

システムに求めるものを網羅的に洗い出せたとしよう。次に直面するのは、「これを全部作ったら、とんでもない金額になってしまう」という予算オーバー問題だ。このあたりも住宅建築と似ている。

したがって、リストアップされた機能に優先順位を付け、作る機能と諦める機能を取捨選択する工程が大事になる。

障壁③：立場が違えば、システムに求めるものが変わる

もう一つ、組織で要求定義する際に特有の難しさがある。それは、関係者全員のコンセンサスをとることだ。住宅の場合でも「お父さんは書斎が欲しい。お母さんは広々としたキッチンが欲しい」といった具合に、関係者の間で思惑が食い違うのが普通だ。会社組織でも、もちろん同じことが起こる。もっとぐちゃぐちゃした形で。

担当者が「こんな機能が欲しい」と口にしたことを単に資料に書き写しただけでは、要求を定義したことにはならない。プロジェクト関係者の利害はしばしば食い違っている。意見が矛盾していることも多い。だがそれを乗り越えて意見を一つにまとめなければ、プロジェクトにならない。

これら3つの障壁を意識して、私たちケンブリッジは要求定義をこう定義している。

要求定義とは利害関係者の意見を**まとめて**、実現すること／実現しないことを**揺るぎなく**定めること。

組織で行うことを意識して「まとめて」という言葉を使っている。「揺るぎなく定める」というのも、システム構築の経験者が読むと味わい深い。わざわざこう書いてあるということは、決めたつもりの要求が、その後プロジェクトを進めるうちにブレまくるのが普通、という意味だ。

これから説明する要求定義の方法論は、こういった要求定義の難しさに対処するために開発された。お作法にしたがって作業していくことで、自然にハードルを乗り越えられるように考えられている。

要求定義3つの成果物

システム要求定義の主要な成果物は3つある。そしてそれぞれの成果物ごとに、それを作るステップがあり、本書の章構成とおおよそ対応している（下図参照）。詳細は各章を読んでもらうとして、ここでは各成果物をどのようなプロセスで作成するのかをざっと説明する。

図表F-2 ｜ システム要求定義の3つの成果物と作成ステップ

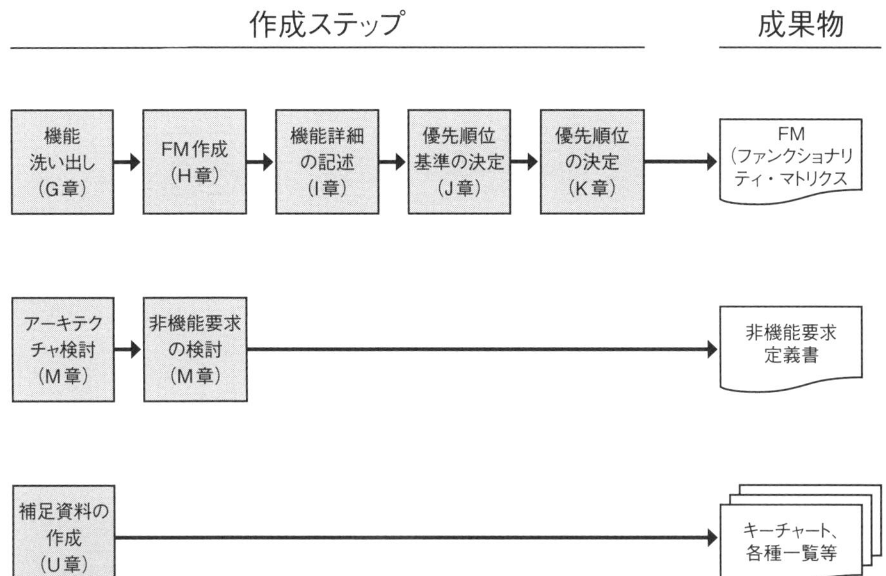

成果物その1：FM（ファンクショナリティ・マトリクス）

構築する機能の一覧である。正式名称はファンクショナリティ・マトリクスというめんどくさい名前なので、プロジェクト関係者は全員「FM」と呼んでいる。本書でもFMといったらこの資料のことを指す。詳しくはH章で説明するので、いまは「必要な機能がずらずら並んでいて、優先順位の高さに応じて色分けされている」とだけ覚えておいてほしい。このFMがシステム要求定義で最も重要な成果物である。

FMの特徴は表のフォーマット自体よりもむしろ、FMを作成するプロセスにある。非常に合理的で洗練されているのだ。本書の「G章：機能洗い出し」から「K章：優先順位の決定」までがそれにあたる。

図表F-3 ‖ FM（ファンクショナリティ・マトリクス）

		1	2	3	4	5	6
A	注文管理	受注情報取り込み	受注情報登録	受注確認書発行	与信依頼	与信結果確認	
		H/M/M	H/M/M	M/M/L	M/L/L	M/L/L	
B	部品管理	部品情報登録	部品情報変更	部品在庫表示	部品在庫情報更新	部品発送依頼	部品情報削除
		H/M/M	H/M/M	M/M/M	M/M/M	M/L/M	M/L/L
C	顧客管理	顧客情報登録	顧客情報変更	顧客情報削除	関連会社一覧表示		
		H/H/M	M/M/M	M/M/M	M/M/L		

《凡例》

受注情報取り込み	優先度「高」（第１ステージにて導入）
発注確認書発行	優先度「中」（第２ステージにて導入）
与信依頼	優先度「低」（第３ステージにて導入）

成果物その2：非機能要求定義書

システムへの要求は「請求書発行」などの機能だけではない。例えば、「このシステムは夜間停止しても構わないのか？」「どれくらい応答スピードにこだわるのか？」「大切なデータを失わないために、どの程度厳重にバックアップを取るか？」などを「システム非機能要求」と総称する。

これをおおよそ決定するのもこのフェーズでの仕事となる。なぜなら、この方針によってシステム投資金額がかなり上下するからだ。

少しIT寄りの作業になるため、情報システム部門などの信頼できるITエンジニアに任せられる場合は、「作らせる人」はあまりタッチしなくても良い。ただし本書の冒頭で書いたように「投資額とセキュリティレベルのバランス」など、作らせる人も意思決定に参加すべきテーマがあるので、ITエンジニアに相談された時は逃げずに悩んでほしい。

非機能要求と、その前提となるアーキテクチャについてはM章で扱う。

成果物その3：キーチャート等、各種補足資料

システムの機能要求はFMでおおよそ表現できるのだが、中にはFMというフォーマットに馴染みにくいものもある。例えば以下のような資料だ。

・業務パターン（商流や契約の種類など、機能を作成する際に配慮すべきパターンの種類がどの程度あるか？）
・ユーザー種別と、それぞれに当てるべき利用権限、参照権限
・給与の計算式（主任だと、残業代＝基本単価×1.25×……）
・移行すべきデータの種類と複雑さ
・接続すべき外部システムの一覧

例えば、「契約登録画面」という機能であっても、契約の種類が全社で1種類しかないケースと、20種類あるケース、整理ができておらず何種類あるのかわからないケースがある。それによって、システムを作るのに必要な期間や予算は全く違ってくる。

こういったパターンの棚卸しと整理は、システムを設計する際に必要となる。だとしたら、なるべく早いタイミングで整理し、ITエンジニアに的確に伝えたほうが良い。そしてこれらのパターンを明確に、なるべく少なくすること自体が、業務改革の典型的な施策になる。

これらFM以外の要求定義／要件定義資料については、U章で扱う。

FM作成の5つのステップ

最も重要な成果物であるFM作成のステップだけは、次章から5章にわたって詳しく説明するので、この章でざっと全体の流れを俯瞰しておこう。

機能要求定義のステップ①：機能洗い出し（G章）

まず、「こんな機能が欲しいかも……」というレベルでも構わないので、欲しいシステム機能をひたすら洗い出す。この時点では、どれくらい欲しいのか？　投資する価値があるのか？　今回のプロジェクトの範囲か？などは一切考えなくて良い。昨今だと「AI使ってこんなこと自動でできないかな？」みたいな機能もリストアップされる。

機能要求定義のステップ②：FM作成（H章）

次に、洗い出された機能をFMのフォーマットに合わせて記載する。

やりたいことを1つ1つの機能に分ける。この際、どのくらいの粒度で記載するか（機能を細かく並べるか、ざっくりでよいか）の判断に少しコツがいる。

そして、いくつかの機能をざっとグループにまとめる。例えば「出荷業務に関連する機能」といった具合だ。

機能要求定義のステップ③：機能詳細の記述（I章）

FMの各機能ごとに「受注情報の取り組み」と名前が付けられるが、その名前だけでは、どんな機能か分かりにくい（特に社外のプロジェクト関係者には）。

そこで機能詳細（FS）と呼ばれるFMの補足資料をWordやExcelなどで別途書く。ただし、どんな機能かが伝われば良いので、時間をかけて完璧な記述を目指すよりは、短時間で完成させることを優先する。

機能要求定義のステップ④：優先順位基準の決定（J章）

FMに列挙したシステム機能をすべて構築するわけではない。この中には、ないとビジネスが成り立たない必須機能から、「聞かれたから要望を言ってみたけど、まあ、なくてもいいよね」という機能が混在している。

そこで優先順位をつけることになる。この際、多くのプロジェクトでは「声の大きな人が欲しい機能が優先的に作られる」となってしまう。だが、その人の主張が会社全体にとって最適な選択とは限らない。

そこで経営視点で「どんな機能を優先的に作るべきか」の基準を議論し、まずこれを合意する。例えば「プロジェクトゴールに直結する」「年間で3人月以上、業務を効率化させる」などだ。

「基準を決める≒価値観をすり合わせること」なので、この議論は激論になりがちで、システム構築プロジェクトの山場の1つとなる。だがこのステップこそが先程「立場が違えば、システムに求めるものが変わる」で説明した、要求定義の障壁を乗り越える鍵なのだ。

機能要求定義のステップ⑤：優先順位の決定（K章）

決定した優先順位基準に従い、すべてのシステム機能を採点していく（レーティングと呼んでいる）。すでに前の段階で基準を合意してあるので、基準に従って1人で機械的に作業することが多い。

最後に、レーティングが上位な機能から順に、「真っ先に作る」「後から作る」「プロジェクトが一段落してから再考する」などと稼動時期を決めていく。

こうして、優先順位ごとに3、4色に色分けされた、下図のようなFMが完成する。

それでは次章からいよいよFMを作るステップを詳しく説明していこう。

図表F-4 ▍FM（ファンクショナリティ・マトリクス）

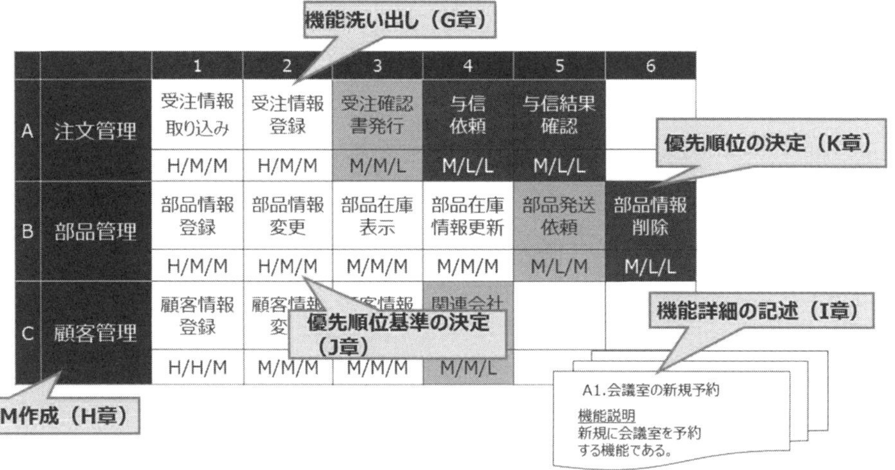

Column

作らせる人が要求定義をし、作る人が要件定義をする、は本当？

本章の最初に説明したように、

・要求定義：システムを作らせる人が責任を持つ

・要件定義：システムを作る人が責任を持つ（できれば共同作業をする）

という分け方が一般的な定義だ。

言葉の定義としては異論はないのだが、私たち自身がプロジェクトをやる際は、これほど明確な役割分担はあえてしていない。要求定義であれ要件定義であれ、作らせる人と作る人の共同作業であるべき、というのが私たちの主張だ。そうしないと生産性も成果物の品質も高くならない。もう少しこのことについて深掘りしてみよう。

上記の一般的な定義のベースとなっているのは、「要求を話すのは、ユーザーにしかできない。だからユーザー（システムを作らせる人）が責任を持つべき」という考え方だ。そのため「要求定義書はユーザーさんが書いて下さい。僕らITエンジニアはその通りに作りますから」という注文がエンジニアから出されることが多い。

だがこれは無理な注文だ。ユーザーは正しく要求を定義する訓練は積んでいないからだ。ユーザーは業務のプロであって、要求定義のプロではない。

・要求がわからないITエンジニア

・要求は潜在的にわかるが、要求定義を表現することに不慣れなユーザー

という組み合わせが、ポテンヒットを生む構造になっている。「システム構築で最大の難所が要求定義」と言われるのはこれが原因だ。

このポテンヒットに対処する方法は2つある。1つはユーザーが要求定義の方法を学ぶこと。本書の存在意義はここにある。潜在的に要求を知っている業務部門が要求をもれなく正確に語れるようになるのが一番手っ取り早い。

私たちケンブリッジは本書で説明している要求定義の方法論を、プロジェクトの最中に業務担当者に教えている。すると業務担当者が要

求定義書をバリバリ書き始める。コツさえ伝えれば、十分できる。

もう1つの方法は、ITエンジニアが「要求を引き出すプロセス」にも責任を持つことだ（この場合のITエンジニアは社内のIT部門でも、社外のITベンダーでも構わない）。業務担当者にとってシステム構築プロジェクトへの参加は、キャリアのなかで数回しかないかもしれない。だがITエンジニアにとっては日常である。

初めてのシステム構築で不安を抱える業務担当者よりは、場数を踏んでいるITエンジニアが「次はこの資料を作りましょう」「次は優先順位について議論しましょう」とプロジェクト全体をリードしたほうが、スムーズに進むはずだ。

だが現実にそういうエンジニアは少数派だ。職業上の習慣なのか、もともとの性格の問題なのか、業務担当者に対してリーダーシップを発揮するのが苦手な人が多い。そうして要求定義をユーザーまかせにしておきながら、「ユーザーさんが要求を出してくれないから、スケジュールが遅れまくりだよ」などと愚痴っている。

私は「要求を出し切ることに責任を感じるかどうか？」で、プロフェッショナルなITエンジニアと、言われたことをやるだけの作業者に二分できると思っている。逆に言えば、「それはお客様のご判断ですから」と慇懃に言って判断を丸投げするITエンジニアには憤りを感じる。コンサルタントを名乗っていても、そんな感じの人もいますからね。

本書は基本的にシステムを作らせる人のための本だが、「作る側の人」も本書を読んで、作らせる人をどんどんリードしてほしい。もちろん「作らせる人」も本書を読んで、要求定義、要件定義を自らバリバリやってほしい。

大事なのはプロジェクトが進み、良いシステムが完成すること。どの立場の人がリードするかはどうでもいい。方法論を勉強する意欲がある人が学び、その人がリードするしかない。

機能を洗い出す7つの方法

この章のレッスン

- 要求定義で初めのステップが「要求の洗い出し」である。この段階では「徹底的に出し切る」ことに集中する
- 要求を網羅的に洗い出すための７つの方法を事例を交えながら紹介する

図表G-1 ｜ FM（ファンクショナリティ・マトリクス）

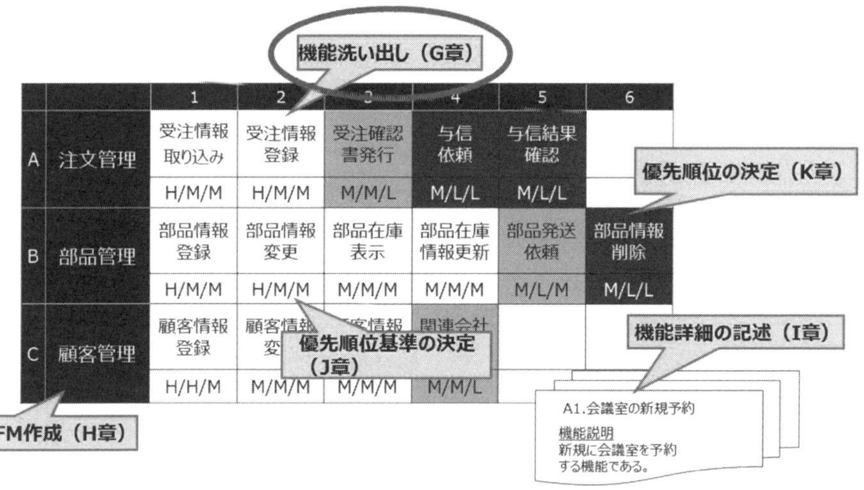

要求定義の第一歩は、「システムに求めること」について片っ端から要求を書き出していく作業だ。この段階ではとにかく書き出すことを優先するため、フォーマットは気にせず、Excelのリストでも付箋でもフリップチャート（模造紙）でもよいので、とにかくどんどん出す。

必要なシステム機能をこの段階でなるべく網羅的に、なるべくたくさん洗い出す必要がある。そのためかなりの手間をかけることになるが、この手間を惜しまない方がよい。ここで必要な機能を漏らしてしまうと、後々のフェーズで「あれ？　これでは業務が回らないのでは？」「お客様が困るのでは？」などと気づき、要求定義からやり直すハメになる。効率が悪い。

発散⇒収束モデル

1つ、網羅的な洗い出しのコツがある。洗い出しの最中は「いやいや、こんな機能は作ってもどうせ使わないでしょ」「あの部門は自分たちが楽になることばっかり考えてる」などと言わず、ひたすら数を出すことに専念することだ。

要／不要の議論（機能に優先順位をつける作業）は、洗い出しが完全に終わってからやればよい。逆にその段階になったら、洗い出しはダラダラ続けずに「さあ、ここからは絞り込みですよ」と明確にモードを変える。

この、アイディア出しと絞り込みをはっきり分けるプロセスを「発散⇒収束モデル」と呼んでいる。まずはアイディアを発散させることに専念し、十分出し切ってからそれを絞り込む。1回は風呂敷を広げられるだけ広げ、その後たたむイメージだ。この順番を愚直に守ることは極めて効果的だが、そこには2つの理由がある。

図表G-2 ｜ 発散→収束モデル

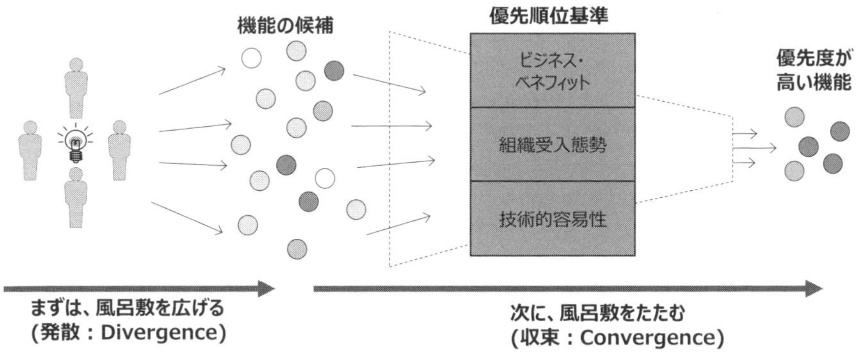

機能の候補
優先順位基準
ビジネス・ベネフィット
組織受入態勢
技術的容易性
優先度が高い機能
まずは、風呂敷を広げる
(発散：Divergence)
次に、風呂敷をたたむ
(収束：Convergence)

まず、洗い出しに集中することの大事さ。そもそも網羅的にシステム機能を洗い出すことは極めて難しい。だからチームの全員が洗い出しモードに集中する必要がある。サッカーで「今は攻められているから、耐え忍ぼう」と思っているディフェンダーと「さっさと追加点を取って楽になろう」と思っているフォワードがいたら勝てないのと同じで、プロジェクトメンバー全員がその時々で同じ方向を向いていないと、議論と作業が噛み合わない。

Aさんが「こういう機能もアイディアとしてはありだよね」と発散の話をしているのに、Bさんは「今回のプロジェクトでは効率化よりも売上向上に貢献する機能を優先したい」と収束の話をしている。よくある光景だが、これでは議論が空転する。

もう一つ、この後に優先順位を決める議論の準備という意味がある。機能を洗い出す時、自分がアイディアを出すたびに「その機能は作るのがめちゃくちゃ大変だからエンジニアが嫌がりますね」などと言われたら、自分の意見は歓迎されていないと受け取る。

それが続くと機能の洗い出しに参加したくなくなる。さらに、洗い出しがそういう状態だと、作る機能を絞り込んだ結果に納得できない。そのままシステム構築に突入すると、「まあ、このシステムは○○さんが勝手に作ってるものだから……」と協力してくれなくなる。それでもいつかはシステムは完成するだろうが、システムを使って効果を刈り取りにくくなる。

だから、もし「この人が出すアイディアはどうせ実現されないな」と内心思ったとしても、まずは「アイディアをありがとう」と言ってリストに加えよう。もし本当に価値が低い機能なのであれば、後の工程で優先順位をつける際に自然に落とされる（そういう優先順位の決め方をする）。その方が、あなたから頭ごなしに否定されるより、ずっと納得度は高い。最終的に落とされるのは同じだとしても。

なお、本章は発散（機能の洗い出し）についての章だが、収束（機能の絞り込み）についてはI～K章で説明する。

機能を洗い出す7つの方法

この章の冒頭で「とにかく、あらゆる方法で機能を網羅的に洗い出せ」と強調した。ここからは、私たちが普段のプロジェクトで機能洗い出しに使っている手法を紹介する。もちろんこの7つすべてを使うとは限らないが、「もし今回この方法を使うならどんな感じになるかな？」と、一通り検討した方が良い。

機能を洗い出す７つの方法：基本編

①現行システムから洗い出す
②標準テンプレートから洗い出す
③業務フローから洗い出す
④ソリューションや入門書で抜け漏れをチェックする

機能を洗い出す７つの方法：応用編

⑤ビジネスの文脈を捉え、将来への布石を打つ
⑥新規ビジネスモデルから導き出す
⑦シーズ×シーンマトリクスを使う

洗い出し方法①現行システムから

全く新しいシステムをゼロから作る場合を除くと、システム構築をする際には、何らかの現行システムがある。せっかく新しいシステムを作るのだから、前と同じにする必要はないが、今ある機能が今回も有力候補なのは間違いない。

もう必要ないのでは？　と思ったとしても、検討のまな板に載せておかないと、後で「実はこういう使い方もしているんです。ないと困ります」と言われてしまう。現行システムで今の業務が回っている現実があるのだから、現行システムを一通り見渡すことで、最低限の網羅性は担保できる。これも現行システムを"元ネタ"にすることの強みだ。

ただし、現行システムをベースとした洗い出しに特有な注意事項もある。

a）細かすぎる記述

現行システムの保守担当者に「今のシステムの機能一覧をください」とお願いすると、1000行くらいあるプログラムのリストを出してくれることもある。これは細かすぎて、新システムの要求とし

ては使い物にならない。「ユーザーのどんな要求を満たすための機能なのか？」という観点で、まとめ直す必要がある。この記述のさじ加減は重要なので次章以降でも説明する。

b）使われていない機能
現行システムのすべての機能が現役バリバリで使われているとは限らない。作ったはいいけど、使いこなせずに終わる機能は案外多いのだ。これは一旦リストに加え、優先順位付けをする際に落とせばよい。

c）「いま使っている機能＝必要な機能」と思い込んでしまう
使われていない機能はもちろん、使っている機能だとしても、今後必要とは限らない。そもそも業務自体をなくしてしまうかもしれない。業務改革とシステム構築を並行に進める時は特にそうなる。つまり現場の担当者が「いま使っているのだから、絶対必要です」と言ったとしても、正しいとは限らないのだ。
業務の全体像を俯瞰し、「現在と将来、どう変わるのか？　なぜ変えるのか？」をきちんと踏まえなければこの判断はできない。洗い出しは発散フェーズなので要不要の議論には深入りせず、淡々と機能をリストアップすることに努めてほしい。

d）現行システムについて誰も語れない
現行システムは動いているのだが、中身についてわかっている人が誰もいない、という恐ろしい状態にたまに遭遇する（システムのブラックボックス化と呼ぶ）。そこまでひどくなくても、設計書が全くないとか、あっても古くて信用できないケースはよくある。
ドキュメントがないなら、現地現物に当たるしかない。業務フローをもとに、ヒアリングで洗い出しをしたり、実際の画面を操作しつつ、機能をリストアップする地道な作業をすることになる。

事例　機器保守点検での要求洗い出し

ある機器の保守点検を担う会社でのこと。保守業務には
・問題発生の受け付け
・契約内容の確認
・保守員の手配

・整備後に顧客に代金を請求

などの作業があるが、これらを管理するためのシステムが、作業ごとにバラバラなのが問題だった。例えば請求書を発行するために、一から情報を入力し直さなければならない。効率も悪いし、保守員の手配までに時間がかかるなど、サービスレベルを落とす原因にもなっていた。

システムを作り直すべきだと社員の誰もが感じていたが、手がつけられなかった。現行の仕様をまとめた資料が全くなかったからだ。プログラムだけがあり、一応問題なく動いてはいる。典型的なブラックボックスシステムだ。これでは改修もままならない。

いよいよシステム刷新に取り組むことになった時、資料がないので現地現物を確認し、要求を洗い出すことにした。保守点検している現場に行って、どう業務を行い、システムにどんな情報を登録しているか、横でじっと観察する。機器の分解の流れも見せてもらった。

こうして現行システムの使われ方が把握できた。実際に利用されている機能／されていない機能も判別できたし、手作業でやらざるを得ない作業もリストアップできた。

現行システムについての資料があったとしても、すべてを網羅できているとは限らない。現地現物で確認しながら調査することが、変革の基本だと改めて実感したプロジェクトだった。

洗い出し方法②標準テンプレートを使う

私たちのように多くの顧客とプロジェクトをやっている会社は、業務領域ごとの標準テンプレートを持っていることがある。これらを使えば、ゼロから洗い出すより網羅性を担保しやすいし、圧倒的に能率が良い。

特に経理や人事などのコーポレート部門の仕事は、システムに求める機能は会社ごとの差が少ない。例えば住民税の計算方法や書類の作り方は行政から指示されるのだから、どこの会社でも求める機能は同じだ。

図は、ケンブリッジが持っている人事領域の標準テンプレート。図には400程度の機能が含まれており、さらにタレントマネジメントだけで別途200程度ある。

いくら人事や経理が会社ごとの差異が小さい領域だとはいえ、もちろん「この会社だけが求めている機能」もある。人事領域で言えば、4月の定期異動を検討するための機能や、お弁当発注など福利厚生/庶務領域に多い。ヒアリングで標準テンプレートに記載されていない機能が見つかるたびに、足していく。

そうして鰻のタレのように継ぎ足しながら使うことで、プロジェクトをやるたびに少しずつテンプレートがリッチになっていく。販売システムや生産管理システムを作る際は、会社ごとの差異が経理や人事よりは大きい。だが、例えば「顧客に請求書を発行する機能」はどこの会社でも必要だ。中身が違っていても、漏れは防げる。

もちろん社内のどこにもなければ諦めるしかないが、あなたがシステムづくりを本業とする会社の一員ならば、探してみる価値はあるだろう。

図表G-3 ｜ 標準テンプレート（人事領域の例）

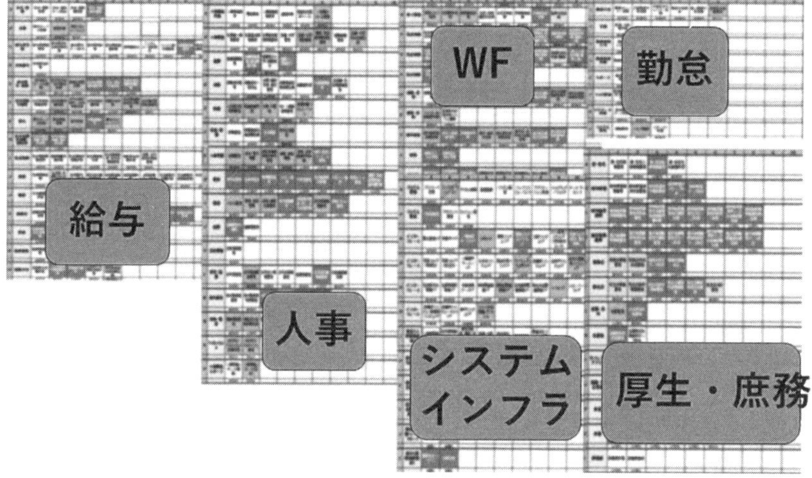

洗い出し方法③業務フローから機能を拾う

王道中の王道。業務の流れに沿って、そこで扱うシステム機能を拾い上げていく方法だ。システムに詳しくない業務担当者にとっては、一番やりやすい方法である。仕事の流れに沿って議論が進むのでイメージがしやすいからだ。

特に業務改革とシステム構築を一度にやるプロジェクトでは、機能の洗い出しより先に、将来業務フローを描くので（E章）、それをそのまま使えば良い。

業務フローにはいくつかのフォーマットがあるが、スイムレーンチャートで書いておくと、機能の洗い出しには便利だ。「運送業者」や「デリバリー担当」など、作業をする人と同じように「システム」のレーンを設けておく。すると、「システム」に矢印が出入りしている部分では、何らかのシステム機能が必要なことが一目瞭然となる。

図表G-4 ｜ 業務フローから機能を拾う

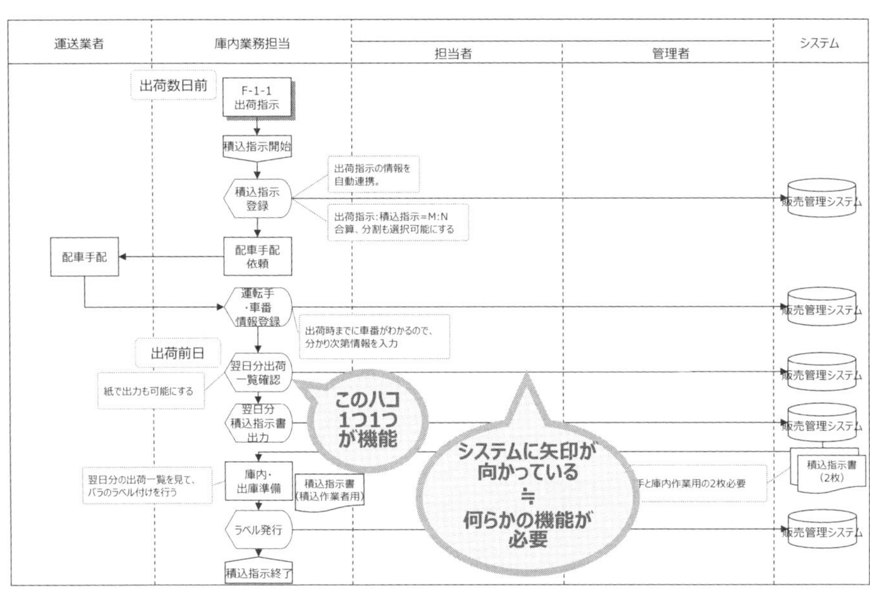

事例　工場ごとにバラバラな業務とシステムをゼロから議論した

C章で紹介した金属加工メーカーを覚えているだろうか？　プロジェクト立ち上げ段階で「本当に標準化すべきか？」をとことん議論し「顧客に接するフロント業務は、地域特性ごとにある程度のバラバラさは許容する。会社の競争力を維持する上で必要だから。一方で事務処理などのバック業務は全社で標準化する」というコンセプトを作ったプロジェクトだ。

その後、将来業務を議論する際には各工場から該当業務の担当者を全員呼んで、全社共通業務を作っていった。プロジェクトメンバーが本社で考えた理想像を工場に押し付けても「これでは、ウチの工場は回らないよ！」となるのが見えていたからだ。

この方法は非常にうまくいった。全員が「標準化すると会社全体にとってどんなメリットがあるのか？」を理解した上で、それぞれの工場の現時点の事情を共有し、「だとしたらこれがベストでは？」を協力して議論できたのだ。

いきなりパソコンで業務フローを書くのではなく、付箋を使ってゼロから業務を設計したのも良かった。「この付箋はコッチに移した方が、ガバナンスが利くのでは？」などと、あるべき姿を納得いくまで議論できたからだ。

一旦できあがった付箋の業務フローはプロジェクトルームにしばらく貼り出しておいた。そうすることで他のテーマを議論している最中にも、「いやでも、この段階できちんとデータ入れておけば……」などと、壁を指差しながら改良を進められた。

業務とシステムはニワトリとタマゴのように、「どちらが先か？」という関係にある。

・こんな業務をやりたいから、こんなシステムが必要
・こんなシステムがあるから、業務はこうなる
・システム機能を作るのが難しいから、業務はこうならざるを得ない

といった具合に、相互に影響し合う。

このプロジェクトでもそういう悩ましさはあったが、「今のシステムではこんなことはできないけれども、本当はシステムに任せたいよ

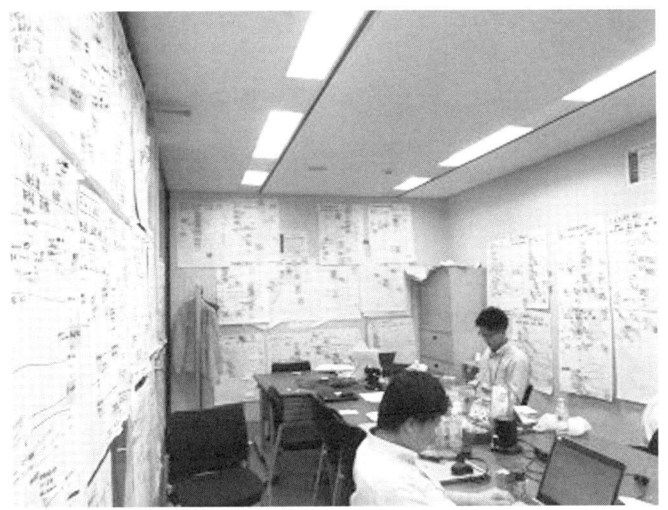

＜将来業務フローが壁一面に貼り出されたプロジェクトルーム＞

ね」「こんな機能を作れば、ぐっと効率化できるぞ」と、これから作るシステムについてもある程度は想定しながら議論を進めた。

「システムを使う業務はピンクの付箋に書く」と決めておき、システムに過剰な期待をよせた業務フローになってないか、ある程度システムに知見があるメンバーがチェックすることも怠らなかった。そうして出来た業務フローを電子化したのが、先に載せた図だ。

業務フローの検討に時間をかけた分、いざFMを書く段階では、機能の洗い出しが非常にスムーズだった。淡々とピンクの付箋を拾い出していけばいいからだ。

いろいろな事情で、ここまで王道まっしぐらの機能洗い出しにならないケースもあるが、現状から大きく変えるプロジェクトの場合は、こうした丁寧な検討の積み上げが関係者の納得感を生み、後々変革の成果を刈り取ることができる。

洗い出し方法④ソリューションや入門書で抜け漏れをチェックする

実は、システム機能を洗い出す一番手っ取り早い方法はパッケージ製品の機能一覧を見ることである。例えば経理業務のパッケージのカタログを見ると、支払業務に使う機能、有価証券管理業務に使う機能……など、多くの機能がリストアップされている。

ただ「自社にとってどんな機能が必要か？」を落ち着いて考える前にこういった情報に触れすぎると、本当に必要なのか、ベンダーのセールストークに乗せられているだけなのか、だんだんわからなくなってくる。

そこでお勧めしたいのが、まずは将来業務フローなどをベースに、自社で必要な機能を洗い出す。十分時間をかけて洗い出した後で、ソリューションの機能一覧で抜け漏れをチェックする方法だ。これならば、冷静に判断できる。

チェックに使える“元ネタ”は他にも色々ある。例えば業務の入門書。「誰でもわかるマーケティング入門」「明日から税務担当になれる本」みたいな本はたくさん出版されている（私たちはフムフム本と呼んでいる）。こういった本にザーッと目を通し、「あれ、いま洗い出してないけど、もしかしたら必要かもしれないな」と追記していこう。

ここからは、洗い出し方法の後半戦。全く新しいビジネスを作ったり、新技術を活用する際に有効な、応用編を紹介する。

洗い出し方法⑤ビジネスの文脈を捉え、将来への布石を打つ

現場の方と欲しい機能について議論をしていると、「今これに困っているので、この機能が欲しい」と、どうしても近視眼的になりやすい。それとは別に、ビジネス全体が目指す方向性を見極めて、将来必要になる機能を出しておくのも大切なことだ。

いくつか例をあげておこう。

- 来年海外法人を設立するので、連結経営を睨んだ管理会計機能が必要
- 5年後に売上が2倍になる想定なので、いまは手作業＋記憶に頼っている契約管理をシステム化しておきたい
- 売上の拡大が望めないので、少ない人数でルーティンワークを回すための支援機能が欲しい

もちろん将来を睨んだ機能なので、優先順位を決める時は後回しになることが多い。だがこの段階では、まずは全て洗い出すことが大事。最初に

議論した機能を、3年後についに開発した！　といった経験は何度もある。

洗い出し方法⑥新規ビジネスモデルから導き出す

「洗い出し方法③業務フローから」において、将来の業務の姿から必要な機能を拾い出すことについて説明した。だが、全く新しい事業をゼロから立ち上げるようなプロジェクトでは、業務フローよりもザックリとした「新事業の構想図」をベースにシステム機能を洗い出すことがある。

これは地域通貨を立ち上げるプロジェクトで、利用シーンと関係者を整理した図だ。これ自体は、地域通貨がどんなものかイメージを膨らませるために描いたものだが、図を見ていくことで、必要なシステム機能が浮かび上がってくる。

例えば同じ支払機能であっても、法人同士（BtoB）もあれば、個人間（CtoC）もある。海外旅行者もユーザーになりえる。こうした場合、すべてを１つの機能でまかなえるのか、それぞれごとに別の機能が必要なのか、丁寧に議論していく。

このようにDX（デジタルトランスフォーメーション）と呼ばれるプロジェクトでは、「すでに人間が作業をしていて、それをシステム化する」

図表G-5 ▍将来像から機能を洗い出す

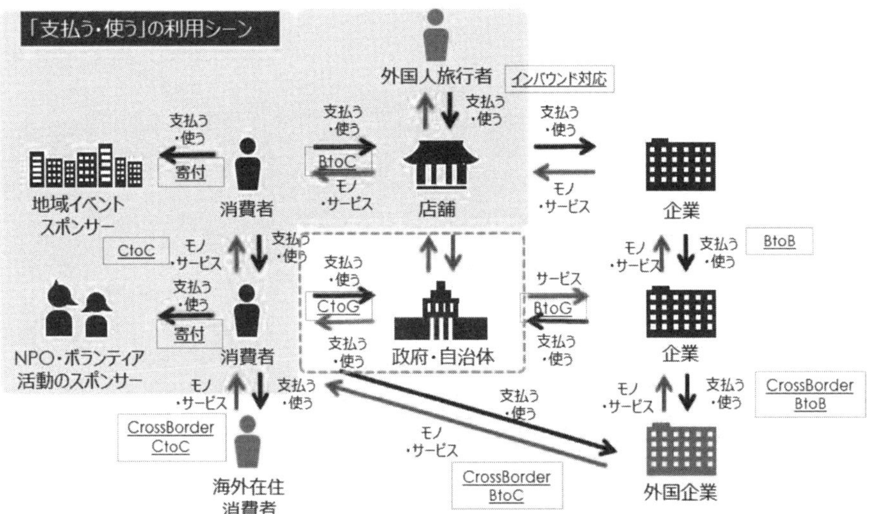

ではなく、「デジタル技術を使って新しいビジネスを立ち上げる」という形になるため、ビジネスとシステムを同時に構想する必要がある。

従って図のような絵を何枚も書きながら、「このビジネスは価値を出せそうか？」「この技術は実装できそうか？」の２つを往復しながら考えていくことになる。ビジネスモデルが固まるのとほぼ同時に、FMに記載すべきシステム機能も固まっていく。

洗い出し方法⑦シーズ×シーンマトリクスを使う

洗い出し方法⑥で解説した新しいビジネスモデルのイメージ図すらない状態で、「今どきの新技術を我が社に適用したら、画期的なことが起きないだろうか？」と議論を始めることもある。

こんな時にアイディアを出す方法が、新技術（シーズ）と自社ビジネスの様々な局面（シーン）を無理やり掛け合わせてみる方法だ。

例①

シーズ：ロボットによる倉庫でのピッキングが実用段階に入った

シーン：自社倉庫で、少量多品種な保守部品をピッキングしている。似た部品のピッキングミスが多い。

⇒まずは横浜倉庫で、ロボットピッキングのトライアルから始める

例②

シーズ：ICタグの性能アップ＆低コスト化

シーン：全国500拠点で、雑多な機器の棚卸しをしている。倉庫の奥にしまわれているときなどは、探すのが一苦労

図表G-6 ｜ シーズ×シーンマトリクスで機能を洗い出す

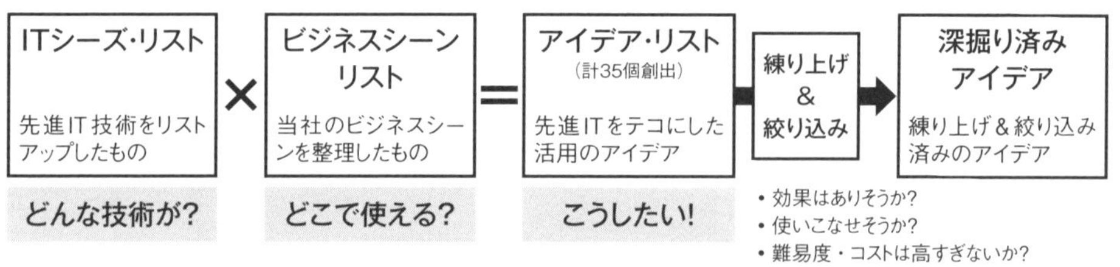

⇒トラブルが起きやすいレンタルパソコン全てにICタグを貼り、ICタグリーダーを導入。資産台帳システムと連動できるようにする

こんな形で、シーズとシーンを掛け合わせると、アイディアのタネはいくらでも作れる。下図は、私たちが使っているシーズリストとシーンリストである。シーズリストは業界、業種を問わずに使えるので、会社で1つ作って随時更新している。シーンリストはプロジェクトごとに異なるため、毎回作らなければならない。

図表G-8は、同じことをもう少しカジュアルにやった時のものだ。この

図表G-7 ‖ シーズリスト・シーンリスト

シーズリスト

カテゴリー	シーズ名	内容
AI	Watson	自然言語処理と機械学習を使用して、大量の非構造化データから洞察を明らかにするテクノロジー・プラットフォーム 構造化データだけではなく、非構造化データも分析できる有数のAIである
AI	ディープラーニング	畳み込みニューラルネットワークを AI研究に関する大きなブレイクス 革新であると言われている
AI	神経を可視化して人工脳を作る	昆虫はヒトと比べて極めて単純な 物を避けて移動したり危険なもの →昆虫の脳を人工的に製造でき
AR/VR	3Dホログラム技術	・イギリス・MUSION社が開発し 3Dホログラム技術。
AR/VR	AR翻訳アプリ	スマートフォンのカメラを外国語文 れる。
ウェアラブルデバイス	Ring (指輪・ジュエラブルデバイス)	その指輪を人差し指に嵌めれば るようになる。 この指輪を嵌めた利用者は、予 の動きを行う事で、指輪内部の の命令を発信できる。

シーンリスト

サービス種別	サービス分類	該当するサービス
モノ提供サービス	ユーザーに作ったモノを提供する	・自社製品の販売 ・他社製品と組み合わせた製品の提供 ・部品・パーツの販売
	ユーザーにモノを届ける	・配送
	ユーザーにモノを貸し出す	・機器レンタル／利用量課金サービス
	ユーザーが利用できる状態にする	・施工サービス ・工場レイアウト設計サービス
情報提供サービス	ユーザーに価値ある情報を提供する	・診断サービス
	ユーザーが知りたいことを教える	・問い合わせサービス
快適提供サービス	ユーザーに安心安全を提供する	・運用監視サービス ・定期診断サービス ・点検・メンテナンスサービス
	ユーザーの定期業務を楽にする	・定期交換支援サービス ・部品・パーツオンライン発注サービス

時は、「保険の営業職員さんが今どきのタブレット端末を使うと、業務でどのように役立てられるか？」というテーマで考えた。

シーズ：最新タブレット端末

シーン：保険営業

という形だ。シーズといっても、すでに発売され、多くの人がプライベートでは使いこなしているものなので、それほど荒唐無稽ではない。ただしビジネスではまだうまく活用できていなかったので、無理やりアイディアを出すことは有効だ。

タブレットには多様な機能が詰め込まれている。そして保険営業も様々なシーンがある。従ってもう少し要素分解して組み合わせを考えていった。

シーズ：カメラ、GPS、マップ、QRコードリーダー、TV電話……
シーン：アポ取り、住所変更対応、保険金シミュレーション……
といった具合だ。

こうやってシーズとシーンを組み合わせることによって、多くのアイディアを出すことができるのだが、残念なことにほとんどは使い物にはならない。よく調べるとシーズが未成熟すぎて実用には遠かったり、AIにデータを取り込んでどんな示唆を得たいのかぼんやりし過ぎていたり。一番多いのは「できなくはないが、苦労して作っても効果が小さく、投資を回収できない」というケースだ。

それらの玉石混淆のアイディアから、実用化のチャンスがあるアイディアを残し、必要なシステム機能をFMに載せる。アイディアが生き残る確率は1/50くらいだろうか。だからまずは数をたくさん出すのがコツだ。

この方法は、無難な現状踏襲の機能ばかりになってしまった際などに有効だ。あえて発想を飛躍させ、無理やり発散させるのだ。

図表G-8 ║ カジュアルなシーズリスト

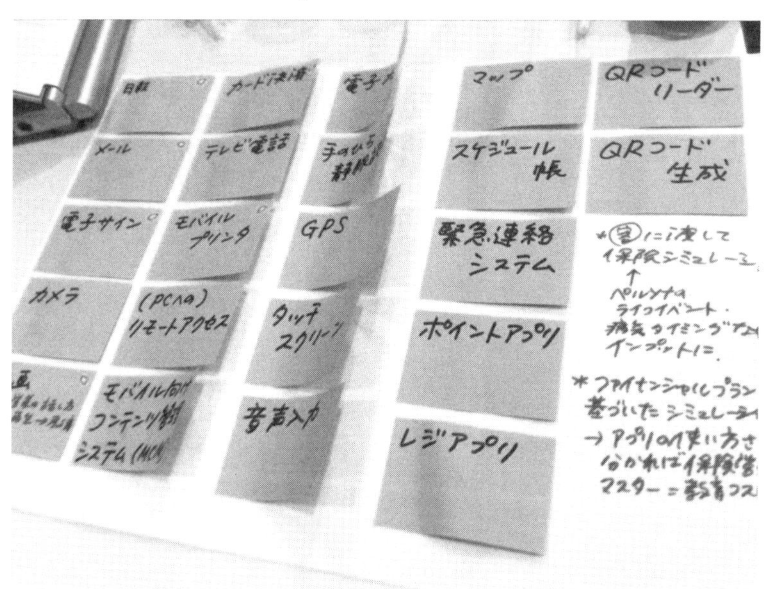

要求をFMにまとめる

この章のレッスン

- 要求が洗い出せたら、俯瞰して全体を見えるようにFMにまとめる
- 無数にあがった要求を並べるだけではこのあとのステップに役立たない。FMのまとめ方／分割の視点を学ぶ

図表H-1 ‖ FM（ファンクショナリティ・マトリクス）

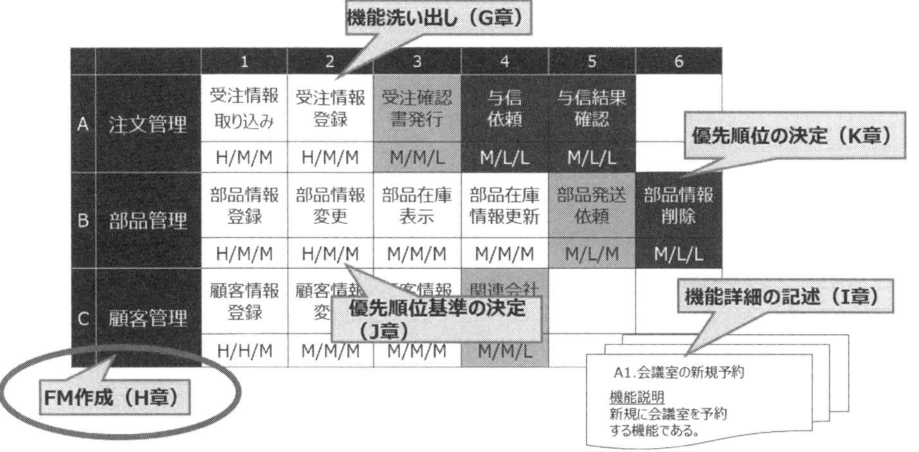

最初にFMにまとめる基本的な流れを説明しよう。その後応用編として、まとめる際のコツについても触れる。

FMにまとめる基本ステップ

ステップ1：機能をセルに整理する

前章が終わった時点で、あなたの手元には付箋やExcelなどに書き散らかした機能が数百個溜まっていることだろう。前の工程では数多く出すことに専念したので、似たような機能が重複して書かれていたり、漠然とし

図表H-2 ▌機能をセルに整理

Step1：セルに整理する

		1	2	3	4	5	6
		受注情報 取り込み	受注情報 登録	受注確認 書発行			
		部品情報 登録	部品情報 変更	部品在庫 表示	部品在庫 情報更新	部品発送 依頼	
		顧客情報 登録		情報 削除	関連会社 一覧表示		

これ1つ1つ
がセル

すぎてなんの機能かわからないメモも混ざっているに違いない。そこでそれらの情報を整理し、「受注情報登録」など、わかりやすいタイトルをつける。呼びやすさ覚えやすさを優先し、6～8文字程度にした方が良い。

そうやってタイトルを付けた機能1つ1つを“セル”と呼んでいる。Excelのマス目1つ1つをセルと呼ぶのと同じだ。

やり始めるとすぐに、「1つ1つのセルをどの程度の粒の大きさ（粒度）にすべきだろうか？」という疑問が湧くだろう。FMはユーザーが自ら書いたり、ユーザーと議論するためのツールなので、「ユーザーが理解できる粒度」が1つの基準となる。例えば「受注情報登録」と言われれば、受注業務を担当しているユーザーは「ああ、受注日や商品コードを入力する画面のことね」とわかる。

この際、厳密にシステム画面1つを1セルにする必要はない。最近の業務パッケージでは画面が細分化されているので、実際には受注情報登録は「メイン画面1つ＋3つのサブ画面」で構成されているかもしれない。だがFMのセルとしては「受注情報登録」の1つだけで十分だ。この時点ではどんなパッケージを使うのか決まっていないし、ユーザーにとってこの段階で重要なのは、「受注情報が登録できること」であって、それが何画面に分割されているかを考えるのはずっと先になる。

図表H-3 ┃ セルをグループに分ける

Step2：セルをグループ分け

	1	2	3	4	5	6
注文管理	受注情報取り込み	受注情報登録	受注確認書発行			
部品管理	部品情報登録	部品情報変更	部品在庫表示	部品在庫情報更新	部品発送依頼	
顧客[illegible]	[illegible]報	顧客情報変更	顧客情報削除	関連会社一覧表示		

1行が1グループ

ステップ2：セルをグループに分ける

後で議論しやすいように、セルを「注文管理」「部品管理」などに分類する。だいたい1つのグループは3セル～15セルくらいが目安だ。

普段仕事する上での業務上の分類があるはずなので、それに素直に従った方が使いやすいFMになる。例えば販売管理システムであれば「見積、契約、出荷……」といった業務の流れごとにグループ分けする。人事システムであれば、「給与計算、研修管理、福利厚生……」などになる。したがってあまりグループの分け方で悩むことはない。

なお、「見積申請」「契約変更申請」などの申請機能や帳票などは、業務の流れとは切り離し、申請グループ、帳票グループを作ることが多い。後で優先順位付けの議論をしやすくするためだ。

ステップ3：セルとグループを並べる

並べる順番にはあまり神経質になる必要はないが、以下2つを念頭に並べることが多い。

- ・業務の流れに沿ってまとめる
  受注→生産→出荷など、業務の流れと同じ順序で並べたほうが、読み手がイメージしやすい。後で「あの機能どこに書いたっけ……」という際も探しやすいし、抜け漏れにも気づきやすい。
- ・大事そうな順に並べる

あとの工程ですべてのセルに優先順位を付け、作る順番を決める。この際、全くデタラメにセルやグループが並んでいるよりは、ざっくりと優先順位ごとに左から右に並んでいる方が、使いやすいFMになる。「ここから右は全部第2ステージで作ります」などと、視覚的な議論をしやすいからだ。

もちろんFMのセルを並べている段階では厳密な優先順位はわからないので、「迷ったら優先順位が低そうなものは右に寄せておく」程度でよい。

図表H-4 ｜ セルとグループを並べる

機能分類	1	2	3	4	5	6	7	8	9	10
販売計画	取引先別月次契約計画登録	取引先別契約計画出力	月次契約計画登録・修正	計画修正承認	契約計画照会	契約計画出力	契約予実分析	契約計画連携データ作成		
与信管理	与信チェック									
見積管理	顧客用見積依	見積作成・変更・取消	見積承認	在庫問合せ回答	見積提示	顧客用見積結果確認	見積照会	顧客用見積照会	見積情報出力	社内取引見積
契約管理	契約登録	契約変更・取消	契約承認	契約書送付管理	契約完了自動消込	契約完了手動一括消込	契約照会	顧客用契約照会	契約書出力	契約一覧出力
（続き）	社内取引契約									
受注管理	顧客用受注登録・変更・取消	受注登録・変更・取消	受注処理・棄却登録	受注承認	受注分割	受注納期一括変更	受注照会	顧客用受注照会	受注情報出力	社内取引受注

より細かな業務の流れ

業務の大枠の流れ

応用 FMを書く際に、パッケージソフトを意識するケース

FMを作成する際に特定のパッケージを意識しないのが基本だ。「SAPにはこんな機能がある」「新しいSaaSサービスだとAIがこんなこともやってくれるらしい」という議論はワクワクするので盛り上がるが、「自分たちが本当に必要な機能はなんだろう？」を地に足つけて考えるには邪魔になる。最先端のステキ機能が必ずしも自社に必要とは限らないし、使いこなせない場合もあるのに、かっこいいデモ動画などでその気になってしまう。

とはいえプロジェクトによっては、FM作成に着手する前に、パッケージについて知ってもらう機会を作る。読者の皆さんが自分のプロジェクトでどうするかを判断できるように、そちらのケースも説明しておこう。

あらかじめパッケージについて知ってから要求定義をした方がいいケースは、経理や人事などのシステムを作る場合だ。これらの業務は、販売管理や生産管理と比べると、比較的会社ごとの違いが少ない。例えば四半期ごとに作成すべき情報は上場企業であればほぼ同じだし、所得税の計算方法は全国一律だ。

そして企業規模ごとに、定番のパッケージもある程度絞られている。例えば1万人以上の企業で使える人事給与パッケージは、せいぜい5種類しかない。

したがって、これらの領域の業務改革やシステム構築をする際は、プロジェクトメンバー全員で軽くパッケージソフトの勉強会をやることが多い。ほとんどのユーザーは10年〜30年前に作られた自社のシステムしか知らない。

特に最新パッケージについてよく勉強している人がユーザー内に数人だけいる場合は、話が全く噛み合わない。それよりは最近のトレンドを全員が頭に入れておいた方が、「新業務プロセス⇒FM」という工程がスムーズに進む。

ただし、パッケージソフトで提供されている機能を全てその会社で使う訳ではない。FMを書いた後、改めて優先順位をつけることは絶対に端折ってはいけない。だから私たちはパッケージの勉強会をする時は「あくまで今回作るかは別問題ですからね。ショールームで見てるだけですからね」と念押しをする。

応用　セルをうまく作る4つのコツ

先に「セルは、ユーザーが理解できる粒度にするとよい」と書いたが、FMに慣れている私たちが作成する時はもう少し気を使う。応用編として、セルを分割するコツを書いておこう。(FMに不慣れなうちは、以降のページを読み飛ばしても構わない)

セル作成のコツ1：実装が難しそうな機能はセルを分ける

最新の技術を使ったり、これまでやっていない業務をシステム化する場合は、システムとして実際に作れるのか？　という議論になりやすい。

例えば10年ほど前の人事システムでは、人事異動や要員配置のシミュレーション機能を作る会社は少なかった。そのため人事パッケージでも良い機能が提供されておらず、自社に合わせて構築しようとすると、コストが非常に高くつく。

FMを書く際に「配置計画」というセル1つで表現することもできたが、こういった事情を踏まえて、「グラフィカルな配置シミュレーション」や「要員計画シミュレーション」など、小さい粒度のセルを複数記載した。この結果、後の工程で「これは無理」「これだけは実装できないか？」という詳細な検討をすることができた。

どの機能の実装が難しそうか？　については、詳しい人に聞くしかない。IT部門にチェックしてもらっても良いし、付き合いのあるITベンダーがあれば、軽く情報収集しても良い。「自分の会社でも現時点ではやっていない業務は、世間的にも珍しいケースが多い。当然業務パッケージに標準機能として搭載されているケースは少ない」ということも知っておくと良いだろう。

図表H-5 ｜ FMの例（人員配置）

		1	2	3	4	5	6
	出向・出向受入管理	出向先情報管理	出向協定書情報管理	取扱連絡書印刷	出向者退職金管理	グループ外出向受入情報管理	グループ外への出向者管理
		M/M/H	M/M/H	L/L/H	L/L/H	L/L/L	M/L/L
	配置	人材過不足情報管理	公募管理	キャリア申告管理	グラフィカルな配置シミュレーション	要員計画シミュレーション	
		L/L/L	L/L/L	H/M/L	L/L/L	L/L/L	

セル作成のコツ2：色々な実現方法がありそうな機能はセルを分ける

1つの機能に見えても、「手動を前提とした機能／半自動の機能／全自動の機能」などと、実現方法が複数あるケースがある。少しわかりにくいだろうから、実例で説明しよう。

上記は契約の変更や完了を管理する機能のFMだ。保守契約など、顧客

図表H-6 ‖ FMの例（契約管理）

	1	2	3	4	5	6
契約管理	契約内容登録	契約内容変更・取消	契約完了手動登録	契約完了一括消込	契約完了自動消込	契約書送付管理
	H/M/M	H/M/M	M/H/H	M/H/H	M/H/H	M/H/M

と複雑な契約を交わす企業は、こういった契約管理機能を必要としている。契約のステータスを終了にする機能が、3つのセルに分かれているのがおわかりだろうか？

1)「契約完了手動登録」：1契約ずつ画面を開き、手で契約終了を入力する機能

2)「契約完了一括消し込み」：例えば「すでに契約終了日を迎えたすべての契約」といった条件で検索し、ヒットした契約のステータスをまとめて"終了"にする機能

3)「契約完了自動消し込み」：契約終了日や契約条件などから、自動で契約ステータスを"終了"にする機能

1）のような1件ずつ入力する機能は、契約管理パッケージソフトには当然ある。だが、3）のような自動機能はパッケージソフトにはないか、あったとしても条件が微妙に自社と合わなかったりして、すんなりとシステム化できないことが多い。

「自動で実施した結果を人間がチェックするのか？」「万一間違った消し込みをした場合はどうするのか？」といった業務的な検討も必要となる。こういった事情から、優先度が落ちて、真っ先には作らないことが多い。

この際、単に「契約完了登録」というセルを作り、「AIで自動で契約ステータスを更新する」とITエンジニアに伝えると、「契約の管理は会社として絶対必要なので、なんとしてでも自動消し込み機能も実現しなければ」と、歪んだ優先順位付けが起きてしまう。

こういったことを防ぐために、人が利用する「契約完了手動登録」とAIを駆使する「契約完了自動消し込み」は別のセルにしておき、優先順位に差をつけられるようにしておく。

・「契約完了手動登録」はないと経理業務が成り立たないので最優先に作る

・「契約完了自動消し込み」は、作れば大幅な省力化になるが、構築

コストが高く業務で使いこなすのも難しいので、システムが安定稼動してから作成する

といった具合だ（優先順位の付け方についてはJ章、K章で詳しく説明する）。

セル作成のコツ3：利用シーンが複数考えられる機能はセルを分ける

同じ機能でも、社員がオフィスで使うケースと社外の人が屋外で使うケースとで、セルを分けておいたほうが良い。例えば自社の社員がオフィスで使う際はパソコン前提の機能でよいが、同じ機能を協力会社の社員に建築現場で使ってもらいたい場合はタブレットでも使えるようにしなければならない。

もちろん両方のデバイスで使える機能を1つ作れば良いケースもあるが、FMを書いている段階では、そこまで決まっていない。後で混乱しないよう、迷ったらセルを分けておくのが無難だ。

保守作業用のシステムを構築したあるプロジェクトでは、保守員が年配の方も多く、パソコンの扱いに不安があった。そのためタブレットでシステムを操作してもらう想定をし、FMを書く際にもパソコンとタブレットとで別々に記載した。

後に機能ごとの要不要を議論した際に、「パソコンよりもタブレット優先」「タブレットの機能が実現できるパッケージを選びたい」と、そのプロジェクトにとっての優先順位を明確にすることができた。結果として、

図表H-7 ‖ FMの例（作業準備）

	1	2	3	4	5
作業準備（タブレット）	基準情報・計画取込	作業予定一覧照会	作業指示確認	作業工程追加	
	M/H/M	H/H/M	H/H/M	H/H/M	
作業準備（PC）	基準情報・計画取込	作業予定一覧照会	作業指示確認	作業工程追加	
	L/M/M	M/M/M	M/M/M	M/M/M	
作業（タブレット）	業務手順書参照	結果記録	記録写真登録	日常点検チェック	
	H/M/M	H/H/M	H/M/M	H/M/M	

最適なパッケージ選定につながった。

セル作成のコツ4：セルの粒の大きさはあえて揃えない

この章の説明を読んで気づいた人もいると思うが、FMのセルの粒の大きさを無理に揃えなくてもよい。

一番極端な例としては、かつて「給与計算」という巨大な1つのセルを書いたことがある。大企業の給与計算は、様々なロジック（例えば残業代や所得税の計算など）がぎっしり詰まった、とても複雑な機能だ。作るのに何ヶ月もかかる。だが、必要か？　不要か？　の議論の余地はないため、セルとして細かく分割する意味はない（20個に分割しても、結局全部必要だから）。

一方で、社員に対する融資制度や寮社宅管理など、福利厚生関連の機能は「利用頻度が少なく、効率化にも貢献しないために作らない」という選択肢があるため、後に議論しやすいように比較的細かく書いた。

つまり、粒の大きさが均等であることよりも、「この機能は作る。これは作らない」と、白黒はっきり付け、それを揺るがない形で表現できることを重視している。

この考え方は要求定義全体のプロセスからすると非常に合理的なのだが、ITエンジニアから反発されることがある。私もかつてSEだったので良くわかるが、粒度が揃っていないこと自体が、職業的感覚として気持ち悪い。

なお、粒度を揃えることのメリットも、ないわけではない。それはセルの数で、ざっくりしたボリューム感をつかみやすいことだ。要件定義の進捗を図る際に「FMのセルで言えば、250個中、89個まで終わりました」だとか「売掛金管理機能はセル25個。支払管理は42個」といった具合に。セル1つ1つの大きさ、複雑さが違うのであくまで目安でしかないが、感覚はつかめる。

したがって「まずはおおよそ粒度が揃うように、ユーザーにとってわかりやすい粒の大きさでセルを書く。一通り書き終わった後に、後で議論しやすいようにセルを分割する」というやり方がもっともスマートな方法だろう。

事例　ダメなFM、良いFM

FMは機能がずらずら並んでいるだけなので、一見簡単そうに見える。だがいざ書いてみると、書き方を迷うことや、議論しにくいFMだと後で気づくことが多い（私もケンブリッジ入社後、数年はそうだった）。

皆さんが自分で書く際の参考になるように、ダメな例と良い例を比較してみよう。下図は通信教育に絡む要求を整理したFMだが、まずは悪い例から。

図表H-8　FMの悪い例

何のことかわからない

登録か参照か何をするのかわからない

	1	2	3	4	5	6
通信教育	項目一覧（人事）	受講者一覧	コースガイド	受講状況一覧	通信教育個別設定	未修了者確認
	コース申込・用紙出力	受講検索				

本人向けと人事担当向けが不明確

「○○一覧」というセルがいくつかあるが、どんな機能か、何をしたいのかをひと目で想像しにくい。また、このFMは大企業の人事部門向けに作ったのだが、通信教育のカリキュラムを管理する人事部が使う機能と、通信教育を受講する一般社員が使う機能が混ざって書かれていることも、わかりにくい原因になっている。

さらに見ただけでは想像しにくいとは思うが、この後の工程で「この機能はいる/これはいらない」を切り分けにくいセルの分け方になっている。

同じ内容を書き直した、良い例がこちらだ。

図表H-9 ‖ FMの良い例

	1	2	3	4	5	6
通信教育（人事）	講座情報管理	受講者一覧参照	修了情報登録・管理	通信教育個別設定	未修了者確認	必須受講状況検索
通信教育（社員）	コースガイド参照	受講状況一覧確認	コース申込（Web）	コース申込用紙印刷		

まず、人事部と社員が使う機能を別のグループにした。

そして「受講検索」という利用目的が曖昧なセルを「必須受講状況検索」という名前に変更した。特定の業務をする社員にはいくつかの研修受講が法律で義務付けられており、正確/タイムリーに受講状況を把握する必要があったからだ。

この2つは全く同じ機能のFMなのだが、かなり違った表現になっている。良い例は以下を満たしている。

・事情を知らない人が読んでもわかりやすい
・後々のステップで議論しやすい切りわけ方
・このプロジェクトで開発するのか、しないのか、白黒はっきりするような分け方

FMは1度書いてそれっきりの資料ではなく、今後プロジェクトを通じて使い倒す資料だ。だから私たちプロは、後々の使いやすさを強く意識して作る。逆に言えば、後のステップでどういう議論をするかを把握しておくと、ぐっと良いFMを書けるようになる。

とりあえずはこのまま読み進め、実際にFMを作る際にこの章を読み返してほしい。

I章 要求の詳細をFSに表現する

この章のレッスン

- FMの各機能ごとに、「どんな機能か？」を表す機能詳細（FS）を記載する
- プロジェクト内の認識合わせやベンダーへの理解には荒すぎず、ただし書きすぎない表現が求められる

図表I-1 ‖ FM（ファンクショナリティ・マトリクス）

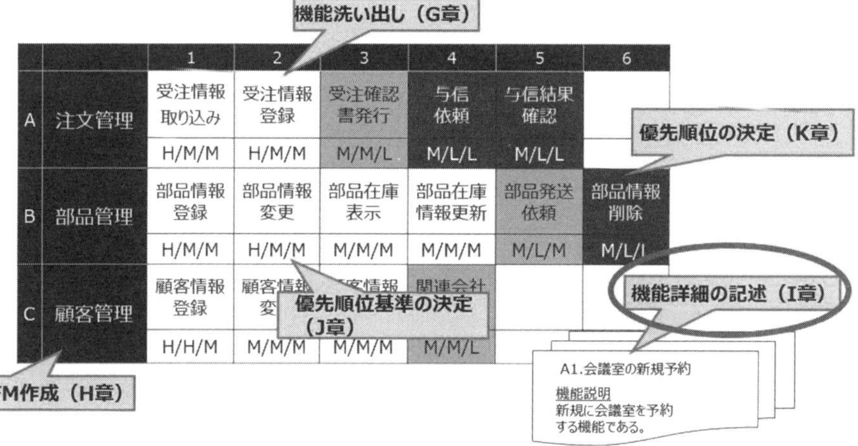

セルの説明を具体的に書く

FMのセルには「建物情報登録」などのタイトルがついているが、数文字なのでどんな機能かを具体的に説明することはできない。そこでFMのセル1つ1つに対して説明書をつける。それをFS（Function Specの略。日本語では機能詳細）と呼んでいる。

セルごとに「どんな処理を行うのか」「どんな情報を扱うのか」などを書く。文章が中心になるので、以前はフォーマットを決めてWordに書い

図表I-2 ┃ FS記述例（Word版）

FS

FS

FS

・ <B−001>商品企画登録

概要

- 販売者自身がECサイトで販売する商品登録を行うことができる。
- 業務負荷を下げるため、入力の手間を最小限とする補助を行う。
  - 既に別サービスの会員である場合はその情報の取り込み
  - 入力欄に応じた入力モードの切り替え
  - 郵便番号による住所自動入力
  - 商品コピー　など

主な項目

- 商品名称、商品カテゴリ、カラー、サイズ、画像（複数）、商品説明　など

他機能との関係

- ＜「商品情報CSV一括取り込み」機能＞
- 複数の商品企画の情報を一括で登録することができる。

商品の種類（将来の事業展開も含む）

- 水栓金具

…

図表I-3 ┃ FMとFS（Excel版）

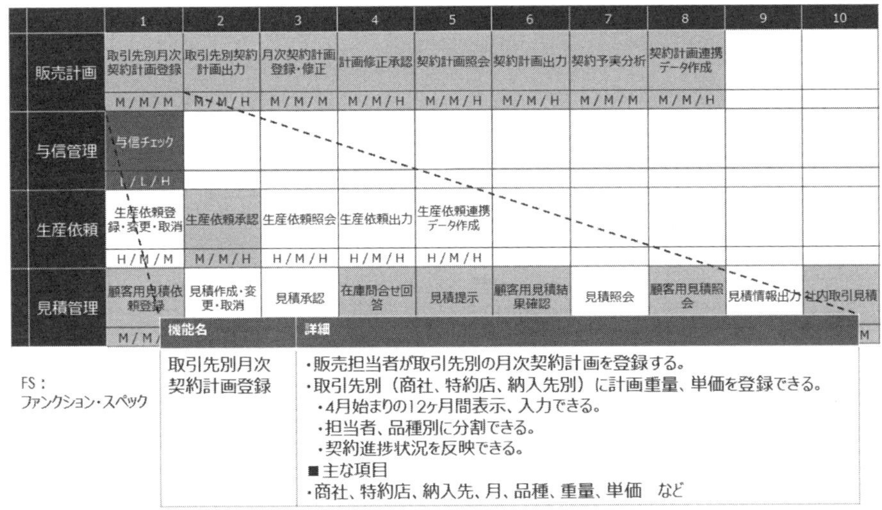

	1	2	3	4	5	6	7	8	9	10
販売計画	取引先別月次契約計画登録	取引先別契約計画出力	月次契約計画登録・修正	計画修正承認	契約計画照会	契約計画出力	契約予実分析	契約計画連携データ作成		
	M/M/M	M/M/H	M/M/M	M/M/H	M/M/H	M/M/H	M/M/M	M/M/H		
与信管理	与信チェック									
	L/L/H									
生産依頼	生産依頼登録・変更・取消	生産依頼承認	生産依頼照会	生産依頼出力	生産依頼連携データ作成					
	H/M/M	M/M/H	H/M/H	H/M/H	H/M/H					
見積管理	顧客用見積依頼登録	見積作成・変更・取消	見積承認	在庫問合せ回答	見積提示	顧客用見積結果確認	見積照会	顧客用見積照会	見積情報出力	社内取引見積
	M/M									M

機能名	詳細
取引先別月次契約計画登録	・販売担当者が取引先別の月次契約計画を登録する。 ・取引先別（商社、特約店、納入先別）に計画重量、単価を登録できる。 ・4月始まりの12ヶ月間表示、入力できる。 ・担当者、品種別に分割できる。 ・契約進捗状況を反映できる。 ■主な項目 ・商社、特約店、納入先、月、品種、重量、単価　など

FS：
ファンクション・スペック

ていたが、最近は図表I-3のように、後で情報を整理しやすいExcelを使うことが多い。

注意すべきは、業務やシステムに詳しい人が担当すると、どこまででも詳しく書けてしまうことだ。FSの書き方を詳しく説明する前に、今後の

工程でのFSの利用シーンをざっと知っておこう。

利用シーン①プロジェクト内での認識合わせ

セルの数が多くなってくると、書いている当事者でも、どのセルがどんな機能か混乱してくる。「あれ？　この時使うのは“建物情報登録”でいいんだっけ？　それとも“住宅設備入力”だっけ？」みたいな会話がよく発生する。企業で使うシステムは複雑なものなので、ある程度は仕方ない。

この後の工程でセルごとに要不要を判断するが、その際に「そもそもなんの機能だっけ？」という認識が揃っていなければ、議論にならない。プロジェクトメンバーが機能について把握する際、拠りどころになるのがFSだ。

利用シーン②ITベンダーへ渡すRFP

後の章で詳しく説明するがRFP（Request For Proposal）とは、ITベンダーへの提案依頼書のことである。つまり「システムを作りたいので提案してね」という書類であり、そこには当然「作らせる人として、どんなシステムが欲しいのか」を表現する。

RFPにはもちろんFMを含めるが、FMには「建物情報登録」などと書いてあるセルが羅列されているだけなので、ITベンダーが自分たちに都合の良いように解釈して「簡単に構築できるので、800万でいかがでしょう？」などと提案してくる。パッケージを買ったあとで「建物情報登録にはもっとこんなことを求めているのに！」となると厄介なので、FSでセルの中身についても認識を合わせよう。

利用シーン③パッケージのFit&Gap

こちらも後の章で詳しく説明するが、パッケージソフトを選定する際にもFSがベースとなる。選定の大きな決め手は「自分たちの機能要求にどの程度あっているか？」だが、それを判断する際に、FSに書いたことが実現できるかをチェックする。この工程をFit&Gapと呼ぶ（詳しくはO章参照）。

このチェックする作業はパッケージに詳しいITベンダーに依頼することも多いため、FSは社外の人が読んでも理解できるように書いたほうが良い。

FSに書くこと4つ、書かないこと2つ

FSに書くべきことは大きく分けて4つある。そして書くべきではないことについても説明しよう。FSを書きながら、この4つの要素が含まれ

FSに書くこと4つ

①実現したいこと
②扱う情報
③他の機能との関連
④バリエーションやイレギュラー

FSに書かないこと2つ

①実装方法
②画面イメージ

図表I-4 ‖ FSに書くこと

機能名	詳細
商品企画登録	・販売者自身がECサイトで販売する商品登録を行うことができる。 ・業務負荷を下げるため、入力の手間を最小限とする補助を行う。 ・既に別サービスの会員である場合はその情報の取り込み ・入力欄に応じた入力モードの切り替え ・郵便番号による住所自動入力 ・商品コピー　など ■主な項目 ・商品名称、商品カテゴリ、カラー、サイズ、画像（複数）、商品説明　など ■他機能との関係 <「商品情報CSV一括取り込み」機能> ・複数の商品企画の情報を一括で登録することができる。 ■商品の種類（将来の事業展開も含む） ・水栓金具 ・建材・タイル ・水回り製品

①実現したいこと（概要）
②扱う情報
③他の機能との関連
④バリエーションやイレギュラー

ているか？　書きすぎていないか？　を自問してほしい。

FSに書くこと①実現したいこと

まずは素直に、この機能で実現できることを書く。現在使っているシステムがあるならば、該当機能の処理内容が参考になるだろう。全く新しい機能ならば、人間がやっている作業を書けば良い。

書く際は以下の点に注意しよう。

- 1～2行程度で箇条書きすること
- 「○○ができ、××もできる」のような複数の要素を一文に記載しないこと。2つ実現したいことがあるなら切り分けて記載する
- 「誰が、何を、どうする」を記載すること。厳密に言えば「誰が」は機能の説明には不要だが、読み手が利用シーンを想像しやすくなる
- 「入力支援、チェック機能、仮登録」などのサブ機能についても軽く書く

FSに書くこと②扱う情報

「部品情報を登録する」と書いたとしても、「部品情報」に何が含まれるか、読み手によってかなり幅がある。このあたりが曖昧な結果、後の工程で発生しがちなやり取りはこんな感じだ。

ITベンダー「部品情報とあったので、寸法や質量のことだと思ってました」

現場の方「いや、この部品情報は品質や在庫に関わる情報だから、在庫の仕方や管轄部署についても登録できなきゃ困るよ」

ベンダー「だとするとうちの製品だとここまでしかできませんね……」

特にシステム構築に不慣れな現場のユーザーは「この記載で伝わるだろう」と思いがちだ。扱う情報をざっとでも書けば、ITエンジニアは必要な処理まで推測できることが多い。

ただし、システムで扱う情報も詳細に書き出すときりがない。しっかりしたデータモデルは後の工程で作るので、その機能がメインで使う情報だけで構わない。

FSに書くこと③他の機能との関連

情報や処理は一連の流れをたどるので、1セルだけで実現したいことを完結できることは少ない。「勤怠情報を給与計算に渡す」や「販売予測を購買予定機能に渡す」など、複数の要求・機能が絡み合っていることが多い。

その場合には「○○のセルで登録した情報を当機能に連携する」など関連を記載しておく。要否を議論する際に、関連がある機能は両方作るか、両方作らないかになるからだ。

また混乱防止のため、他のセルとの区別を書くケースもある。例えば「住所や所有者など、建物全体については当セルで扱い、建物に付属する設備や外構については“設備入力”や“外構入力”など、他のセルで扱う」などだ。

FSに書くこと④バリエーションやイレギュラー

例えば「生産指示」という機能について考えてみよう。工場に対して「A商品を1000個、B商品を500個作れ」と伝達する機能だ。受注生産のときと見込み生産とで指示の仕方が変わる場合は、同じ生産指示でも2通り考慮する必要がある。これがバリエーションだ。

一方で「生産する個数が3000個以上の場合は在庫スペースの関係で特別対応が必要となり……」というようなケースも、イレギュラーとして記述する。

バリエーションやイレギュラーを網羅的に書こうとすると、調査にかなりの時間が必要なことも多い。この段階ではすべてのバリエーションを網羅する必要はないが、どんなパターンがありうるのか、ざっと把握できるようにしておこう。

FSに書かないこと①実装方法

F章で住宅建築になぞらえ、「要求は設計ではない」「システムを作らせる人が、下手に設計に口を出すとITエンジニアにとって制約となり、最適な設計を妨げる」と説明した。

FSはあくまで要求を記述する書類なので、「どのパッケージソフトのどの機能を使う」とか「○○データをこう加工して……」といった、処理方法は書く必要がない。あくまで「ユーザーとしてどんな機能が欲しいか」「何を実現したいのか」に専念する。

製品パンフレットを思い浮かべてほしい。パンフレットには、「音楽ファイルを1000曲以上取り込める」「曲順をシャッフル再生できる」など、どんなことができるかが書いてある。マニア向けを例外とすれば、パンフレットに作り方や使われている技術の詳細は書いていないはずだ。

図表I-5 ‖ ちょうど良いFSの記述レベル

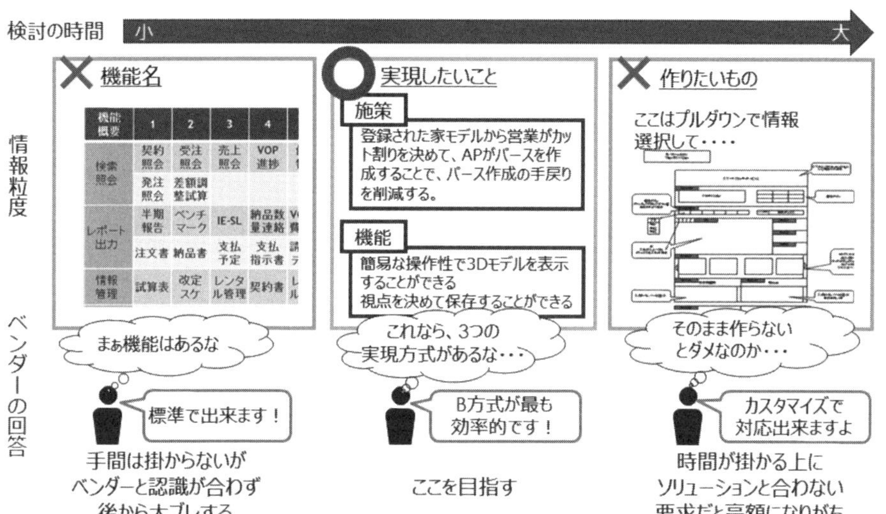

FSに書かないこと②画面イメージ

他の人が作った要求定義書を見ると、画面イメージが添付していることがある。書くのにも時間がかかるし、昨今のシステム開発ではゼロから手作りするケースが少ないので、せっかくの画面イメージどおりにはならないことが多い。つまり、この段階で画面イメージを一生懸命作ったとしても無駄骨なのだ。

住宅において設計図を引くのはプロに任せたほうが良いように、システム画面の設計もプロに任せよう。

なぜ、FSを詳細に書きすぎなくてもいいのか?

この章では繰り返し「細かく書きすぎない」と強調してきた。プロジェクトで顧客にそれを説明すると必ず、「機能要求を書き漏らすと、後でトラブルになる。細かく書くべき」と反対される。もちろんそれを承知の上であえて、「FMのセルを書き漏らすことは極力防ぐ。一方で、FSに全ての要求を書き込むことは諦めるべき」と私たちは主張する。この理屈を少し丁寧に説明しよう。

顧客の一般的な反論

システム構築の経験がある顧客は誰しも、要求定義/要件定義に本来必要な機能を書き漏らした苦い経験をしている。

後の工程で書き漏らしが発覚すると「ITベンダーに追加で機能を発注し、予算オーバー」か「必要な機能を泣く泣く諦める」というつらい選択肢のどちらかを選ぶ羽目になる。だから「要求定義/要件定義の段階で完璧な書類を作らなければ、プロジェクトは失敗する！」という信念を持つ方が多い。

特に製造業には「自工程完結」というトヨタ生産方式の考え方が浸透している。彼らにとっては「要求定義の記述は程々に抑え、次の工程にすすむ」という方法には生理的拒否感がある。

残念ながら100%完璧なFSは作れない

この反論には説得力があるのだが、1つ落とし穴がある。トヨタ生産方式は同じ車を10万台作ることを前提にしている。生産開始当初（例えば最初の100台）は慣れていないために多少のミスもあり、「自工程完結」はできない。だが改善サイクルを速く回し、完璧な品質を作って次の工程に引き継ぐことを工場全員で目指せば、残りの9万9千9百台を作る生産性はとても高くなるだろう。

だが、システム構築での要求定義では同じFSを1回しか作らない。人間だから、初めてやる作業ではどうしても、ミスや抜け漏れをしてしまう。品質を上げるためにどれほど熱心に仕事をしても100%にはならない。

100%完璧なFSを目指すべきでもない

完璧なFSを目指すことのデメリットを考えてみよう。

①量が多すぎて読めない

FM/FSは「作らせる人」から「作る人」へのコミュニケーションツールである。ITベンダーに提案依頼をする際に、1000ページの資料を渡しても読んでくれない。量が多ければ適切なコミュニケーションができる、というのは誤りだ。

②作らないセルに工数を使うのは無駄

FMのセルには「洗い出したけれども、優先順位が低いので開発しない機能」も多く含まれる。後の章で詳しく説明するが、プロジェクトによっては、FMに記載された35%しか最初の稼動までに開発しないケースもある。

だとしたら、作らない65%のセルのFSを書くことに多くの工数を使うのは無駄だ。FSは優先順位を決められる程度の記述にとどめておき、作ることが決定したセルについて、後の工程でもっと詳細に検討すればよい。

③完璧なFSを前提に後工程をやるリスク

システム構築で「自工程完結」を目指す人は、後の工程で「前の工程の成果物は完璧に違いない」と思い込みやすい。だってあれだけ時間かけて完璧にしたんだから！という訳だ。だが実際には完璧ではない。思い込みのせいで抜け漏れの発見が遅れ、傷は深くなる。

つまり100%完璧なFSは、出来ないだけでなく、目指すべきでもないのだ。

完璧を目指さないことはスピードを生む

私たちは比較的大規模なシステム開発（例えば一部上場企業の経理・購買システム）でも、FM・FSを書くのに1ヶ月ほどしかかけない。人事システムは会社による違いが小さく、過去の成果物を活用できるため最速で2週間。ベンチャー企業で他社に全くない業務とシステムを検討する際では2ヶ月程度だった。

これは私たちが慣れていたり、過去の成果物を参考にできるからでもあるのだが、完璧なFSを目指さないこともスピードの理由だ。時間もお金も有限なのだから、100%を目指して時間を浪費するくらいなら、速やかに終わらせ、次の工程に進もう。

ではどれくらいが適切な品質?

完璧なFSができないとして、どの辺の品質を目指すべきなのだろうか？　私たちケンブリッジでは

a）セルの優先順位を決められればOK

b）開発工数が2倍以上ズレなければ良しとする

というあたりを目指している。先に「実装方式や画面イメージは不要」と書いたのは、a）の考え方がベースになっている。同様にバリエーションや扱う情報をざっと書くべきなのは、それを書かないと平気で工数が3倍になったりするため、b）に抵触するからだ。

ミスをどこでリカバリーするか?

この段階で100%完璧を目指さないとしたら、FSの不完全さをどこでリカバリーするのだろうか？　後の章で順に説明するが、項目だけあげておこう。

・キーチャートで要求の網羅性を担保する（U章）

・パッケージとのFit&Gapをしながら要求を変える（N～P章）

・プロトタイプセッションで課題を洗い出す（S章）

「自工程完結を目指すのではなく、あえて完璧でなくとも次に進み、後からリカバリーする方が、最終的に速くなる」というのは多くの読者の直感には反するだろう。この後のリカバリーの工程を読みながらもう一度考えてほしい。

Column

要求定義をScopeフェーズと呼ぶ理由

システムを構築している最中で一番頻繁に起こるトラブルは、「もともとこの機能を作ることになっていたのか？」という言い合いだ。例えばあるシステムを1億円でITベンダーに発注したとしよう。その場合、「部品発送依頼」という機能はその1億円に入っていたのだろうか？

入っていたのであれば良いのだが、もしITベンダーが「いや、その機能は1億円の範囲外ですよ。必要ならば追加でお金をいただきます。あ、納期も1ヶ月伸びますね」と言ってきたら大変だ。社長には「1億円でできます」と言ってしまったし……。何としてでもITベンダーに作らせよう。

逆にITベンダーの立場からすると、急に作るものが増えたのに支払金額は据え置きでは、たまったものではない。だから発注者と請負者の間で言い争いとなる。しかも曖昧な資料しか残っていない場合は、子どもの喧嘩のような「言った言わない議論」になってしまう。せっかくベンダーとの間で築いてきた信頼関係も台無しだ。

プロジェクトの計画段階で、何を作るのか何は作らないのかを明確にする（Scopeをハッキリさせる）ことは、それほどまでに重要なのだ。これが明確でなければ、プロジェクトは必ず迷走する。

私たちはFMを書くフェーズのことを、日本で馴染み深い要求定義や要件定義ではなく、アメリカから伝わったままの「Scopeフェーズ」と呼んでいる。このフェーズでやることが、完璧な要求を記述することではないからだ。

そうではなく、作るものと作らないものをハッキリさせること、つまりプロジェクトの実行範囲（Scope）を決めることこそがScopeフェーズの目的なのだ。

日本企業と一緒にプロジェクトをやると、方法論に横文字が多いことへの不満を漏らす方もいる。「Scopeなんてしゃらくさい言い方ではなく、要求定義って呼びましょう」と言う顧客は多い。

だが、名前が違うのは中身が違うからだ。譲れない一線もあるのですよ……。

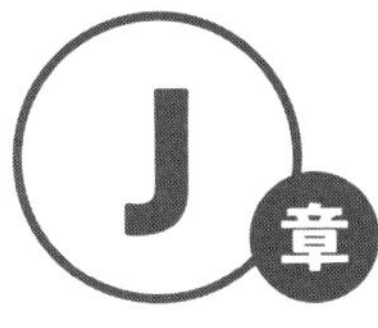

J章 優先順位の基準を決める

この章のレッスン

- すべての要求を作ることはできない
- 本当に必要な要求を見極め、納得と合意を得られる優先順位基準を決める

図表J-1 FM（ファンクショナリティ・マトリクス）

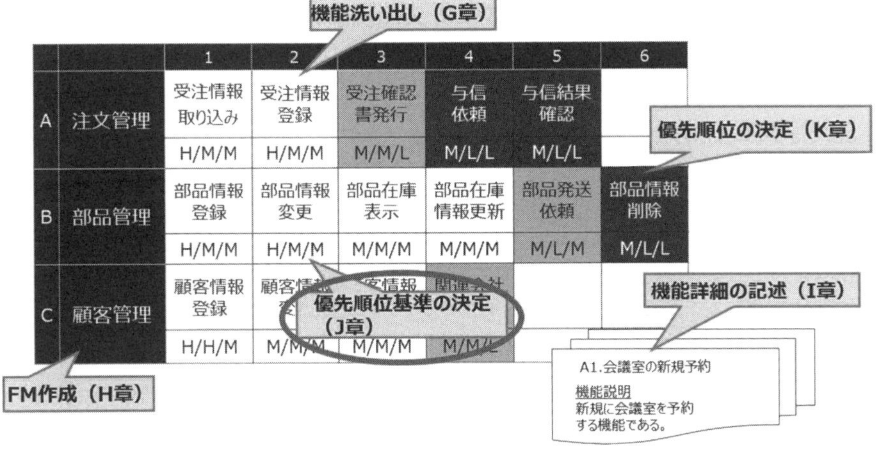

絶対に全部作るな!

これまでも触れたが、FMに洗い出された全ての機能を作るべきではない。だがそうしているプロジェクトが非常に多いので、今一度ここで強調しておこう。

ユーザーからの要求を全て開発すると何が起こるだろうか？

絞り込まない弊害①予算オーバー／納期オーバー

たくさんの機能を作ると、当然時間とお金も多く必要となる。プロジェクト開始時点でプロジェクトゴールとして明確に予算や納期が決まっている場合は、オーバーすればその時点でゴール未達となってしまう。

絞り込まない弊害②プロジェクト難易度が上がる

プロジェクトによっては、予算や納期が明確に決まっていない場合もある。要求定義の後でスケジュールや予算を決めるケースだ。この場合でも、投資額が大きくなることの弊害がある。それは投資を回収しにくくなることだ。同じ効果を狙うなら、投資1億よりも2億の方が、黒字になりにくい。

もちろん、開発規模が2倍になれば、単純にプロジェクトを遂行する難易度も上がる。プロジェクトメンバーが2倍になれば、コミュニケーションが難しくなり行き違いが起こる。開発期間が2倍になれば、その間に経営環境が代わり、システムに求められる要件も変わっていく。マネジメントが難しくなるのだ。

絞り込まない弊害③使われない機能

個人的にはこれが一番避けたい事態だ。せっかくお金をかけ、苦労して構築した機能を誰も使わないのだ。大企業の大きなシステムだと、機能の3割を全く使っていないことはざらにある。

実にバカバカしい。最初からそんな機能は作るべきではないのだ。もちろん神様ではないので、どの機能が使われないかを完璧に予想できない。ただ、要求定義の段階でもう少し「この機能、本当に使うのか？」を真剣に議論すれば防げたケースが非常に多い。

絞り込みには納得ずくのコンセンサスが必要

なぜ企業は繰り返し、このような事態に陥るのか?

「そもそも、ユーザーの要求を絞り込む発想がないケース」が一番多い。システムの発注主であるユーザーが欲しいと言ったから作る。お金も払ってくれるし。ITベンダーとしては拒否する理由がない。

別のパターンとしては、ITエンジニア（IT投資予算を預かるIT部門など）は機能を絞り込もうとするのだが、ユーザーが拒否することもある。「必要だから要求しているのです。ないと業務が回りません」と。こう言われると、ITエンジニアとしては反論しにくい。業務を知っているのはユーザーなので。

投資決裁をする経営者が「とにかくユーザーの要望をよく聞いてシステムを作りなさい」と指示すると、この構図に拍車をかける。口に出さないまでも「エンジニアは黙って作れば良いんだよ。必要なんだから」という空気がある会社も多い。

この構図を覆し、絞り込まれた本当に必要な機能だけを開発するためのキーワードは「納得と合意（コンセンサス）」である。A章で書いたように、システム構築には経営／業務部門／IT部門が参加する必要がある。その3者が「機能をどの程度作るのか？」「どれを作るのか？」について意見を戦わせ、立場を離れて会社としてのコンセンサスを作らなければならない。

そして、コンセンサスには必ず納得感が伴わなければならない。経営者が全て問答無用に決めたり、予算を盾にIT部門が機能要求をバッサリ削った場合、ユーザーとしては納得できないだろう。表立って反論しなくても、長くシステムを使っていくのは彼らだ。単に使うだけでなく、システムを使いこなし業務を良くして利益を出さなければ、構築した意味がない。だから単に命令に従うのではなく、意思決定のプロセスに参加し、納得した上でシステムを使っていくべきだ。

3つの基準を3段階評価

これからの工程でセルごとに優先順位を決めるのだが、誰かが必要だと思って洗い出された機能が集まっているのだから、「どれも大事に見える」「比較しきれない」となりがちだ。

1つ1つのセルを見ると、「これは今回のゴールに必須だ」「現場の今のITスキルだと使いこなせないかも」「先進的すぎて本当に実現できるんだろうか……」と意見はでてくる。だが人それぞれ価値観が異なることと、膨大なセルを相対的に比較することが難しく、組織として優先順位をいざ付けるとなると、迷う。

だから各セル個別の議論の前に、評価基準をまず決める。私たちケンブ

図表J-2 ┃ 優先順位の基準

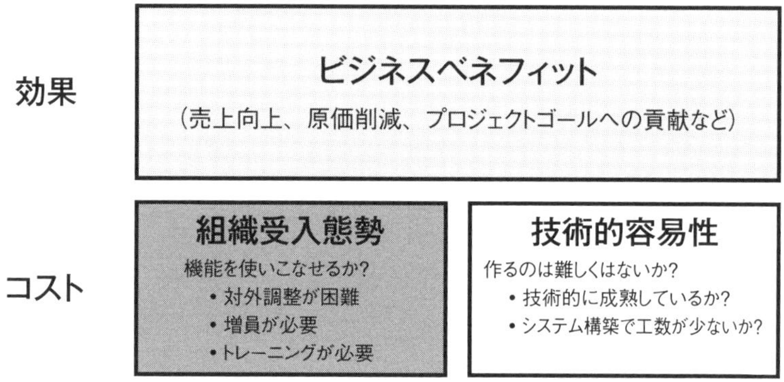

効果	ビジネスベネフィット （売上向上、原価削減、プロジェクトゴールへの貢献など）	
コスト	組織受入態勢 機能を使いこなせるか？ • 対外調整が困難 • 増員が必要 • トレーニングが必要	技術的容易性 作るのは難しくはないか？ • 技術的に成熟しているか？ • システム構築で工数が少ないか？

リッジでは「ビジネスベネフィット」「組織受入態勢」「技術的容易性」の3つの基準を使う。それぞれの基準ごとに、3段階（High ／ Medium ／ Low）で評価する。

この3つの優先順位基準を示すと「コストは基準にならないのですか？」と聞かれるが、組織受入態勢と技術的容易性を合わせると、コスト（投資＋使い続ける費用）になる。FMのセルごとに、そのセルがどの程度価値があるのかを記入していく。図表J-3の右の部分、M、H、Lという部分がそれだ。

・ビジネスベネフィットはMediumなので、まあまあ。この機能がないとビジネスが立ち行かないという訳ではないが、あると効果がある、というくらいだろうか。

図表J-3 ┃ FSにおける優先準位と評価

機能グループ名	機能		機能要求	優先順位		
	セル	名称	詳細	ビジネス・ベネフィット	組織受入体勢	技術的容易性
仕掛・承認状況リスト	A-1	自分宛仕掛・承認状況リスト表示	・ログイン情報をもとに自分宛の仕掛・承認状況をデフォルト表示する。 ・キーを指定し仕掛・承認状況を検索する。 ・検索した設変情報の詳細画面を表示する。 ・検索した設変に紐づく朱書きジョブシートの画面を表示する。 ・検索した設変に紐づく変更内容書（仮）の画面を表示する。 ・新規に設変情報を作成する画面を表示する。 ・仕掛・承認状況一覧をExcelファイルに出力する。 ・朱書きデータを表示する。	M	H	L

各セルの評価を記入する

・組織受入態勢はHigh。特に対外調整や訓練の必要はなく、待ち望まれている機能。
・技術的容易性はLowなので、想定しているパッケージに機能がなく、手作りなのでコストが高い。

という評価になる。それでは、3つの基準それぞれについて、詳しく説明しよう。

Column

3段階評価って粗すぎる？

顧客にH、M、Lのことを説明すると、「3段階ってやけにざっくりしていませんか？　10段階評価にしたい」と意見をいただくことが多い。要求絞り込みのプロセスを通して実際にやってみるとわかるのだが、10段階にすべきではない。

理由は2つある。まず、10段階で評価しようとすると、評価に時間がかかる。HかMか？よりも6か5か？の方が厳密な検討が必要だ。

そして評価が5だろうが6だろうが、実は最終的な優先順位付けにはあまり影響がない。大事なのはビジネスベネフィットだけでなく、組織受入態勢や技術的容易性を踏まえて総合的に優先順位をつけることだからだ。この説明で腑に落ちない場合も、もうしばらく読み進めてほしい。

優先順位基準1：ビジネスベネフィット

ビジネスベネフィットは「この機能が、ビジネス上どれほど価値があるか？」を示している。プロジェクトが狙っているビジネス上の価値は、プロジェクトゴールに表現されているはずだから（例えば、30%の業務効率化を目指す、など）、ビジネスベネフィットとは「プロジェクトゴールにこの機能がどれほど貢献するか？」と言い換えても良い。

図表J-4はあるプロジェクトのビジネスベネフィットの例だ。このプロジェクトでは①業務効率化、②サービス品質向上、③コンプライアンス遵守をプロジェクトゴールに掲げていたので、それらをビジネスベネフィッ

図表J-4 ‖ ビジネスベネフィット

	H	M	L
ビジネスベネフィット	・10人月以上の削減効果が期待できる機能 ・サービス品質向上を向上させる機能 ・コンプライアンス上不可欠な機能	・5人月程度の削減効果が期待できる機能 ・現状サービス維持に必要不可欠な機能	・あれば便利な機能 ・代替手段がある機能 ・利用頻度が少ない機能

トの基準に素直に反映させている。

ただし、同じ業務効率化への貢献でも、貢献度が大きいものと小さいものがある。そこで「10人月以上の削減ならHigh」「5人月ならMedium」と差をつけた。似たような議論がサービス品質向上についてもあり、「今より向上させるならHigh」「現状維持に必須ならMedium」とした。

事例　ビジネスベネフィットが全てHighのFMがあった

私がケンブリッジに入社してすぐのころ、隣のプロジェクトで作ったFMを見せてもらったら、全てのセルのビジネスベネフィットがHighとなっていた。

「だってお客さんが、全部の機能が必要だと言い張るんだもん」とそのプロジェクトのメンバーは言っていた。「え？　おかしくない？」と思ったが、当時はその違和感を言葉にすることがまだできなかった。今ならば、なぜおかしいかを説明できる。

まず、「全部欲しい」という気持ちはわかる。だが冷静に考えてほしい。全てのセルをHighと評価するのは、何も選んでいないのと同じだ。本当にセルA-1とセルK-4は、全く同じ程度必要なのですか？？

ビジネスベネフィットに限らず、優先順位基準は「いる／いらない」をあまり意識しすぎないで決めたほうが良い。「セルK-4は必要ですか？」と聞いたらほとんどのユーザーは「必要です」と答える。

そうではないのだ。「セルA-1とセルK-4のどちらがより必要ですか？」と問うべきだ。「A-1はないと死ぬ。K-4だって絶対欲しいけど、なくても死にはしない。だとしたらA-1はHighだが、K-4は

Mediumだな……。」みたいな議論をして、とにかく差をつけるべきだ。

次の章で説明するが、差を付けた上で予算が潤沢で納期に余裕があるならば、両方作ればいい。予算と納期のどちらかに制限があるならば、K-4は泣く泣く後回しにするかもしれない。

「とにかく全部いるから、全部Highだ」という雑な議論では、このようなきちんとした意思決定ができない。

別なプロジェクトでの事例も紹介しよう。上記の例と同じようにプロジェクトゴールに沿ってビジネスベネフィットの基準を決めたところ、80%のセルがHighになってしまった。

そのプロジェクトでは業務効率化、情報の一元管理など、4つをプロジェクトゴールに盛り込んでいたので、ほとんどのセルがどれかには当てはまり、それらが皆Highになってしまった。これでは意味がない。結果的に、全部がHighだったあのプロジェクトと同じじゃないか。

しかたなく、再度議論することにした。「より大事なゴールに貢献しなければHighとはみなさない」という考え方に変えて、優先順位に差をつけることにしたのだ。だとすると論点は「4つのプロジェクトゴールのなかで、本当に大事なのはどれだ？」になる。プロジェクトゴールを設定した時は「あれもこれも」と横並びで4つ盛り込んだが、ゴール同士の優先順位をシビアに見直すことになったのだ。

かつて議論をしたプロジェクトゴールの見直しに抵抗を感じるプロジェクトメンバーもいた。だがプロジェクトが進むとともに、ゴールをよりシェイプアップするのは必要なことだ。

この時は、会社の業績が良くなかったこともあり、じんわりと経営に貢献する情報の一元管理よりも、短期間でモトが取れる業務効率化を優先し、真っ先に機能を構築した。背に腹は代えられないという判断だ。

ちなみに、先送りにした情報の一元管理のための機能群は、最初の稼動より2年おくれて開発することができた。その頃までには業績も回復していて、より高度な業務にチャレンジする機運もあり、結果的にベストなタイミングでの構築になった。

優先順位基準2：組織受入態勢

組織受入態勢とは聞き慣れない言葉だと思うが、「この機能を使いこなすのはどれくらい簡単か？」を表す基準である。難しい場合はLowになる。

20年前にケンブリッジに入社したときに、これが3つの基準の1つであることにびっくりした。本書で紹介している要求定義の方法論にはCoolな要素がたくさんあるが、組織受入態勢の重視は間違いなくその1つだ。

図表J-5 ｜ 組織受入態勢

	H	M	L
組織受入態勢	・簡単なトレーニングで受入可能 ・運用ルールや規定の変更が少ない	・運用ルールの見直しが必要 ・複数部門間の調整や役割分担の見直しが必要な機能	・組織変更など、全社的に影響がある機能 ・社外交渉が必要な機能

H／M／Lの差が明らかで評価しやすい

一般的にシステム機能を求めるユーザーは、機能を使いこなすことの大変さに無頓着だ。稼動の直前にシステムの使い方をトレーニングする段階になって、ようやく意識する。

一方でITエンジニアはシステムに詳しいので「こんな機能作っても、使われないんじゃないの？」と思っていることもあるのだが、口には出さない。「ユーザーが欲しいと言ってるのだから、作らないわけにはいかない」となりがちだ。

だがこの章の冒頭で強調したように、作ったはいいが使いこなせずに無駄になる機能は大変多い。ユーザーとITエンジニアの間のポテンヒットのようになって、組織受入態勢を誰も考えないからだ。使わない機能は、はじめから作るべきではない。そのためには、「作る／作らない」を決める際に、組織受入態勢（使いこなせるか？）をしっかり意識すべきだ。

組織受入態勢が低いとは、どういうことだろうか？　いくつかのパターンに分けて考えよう。

①使うのが難しい

単純に、使うために多くの知識や慣れが必要な機能だ。例えば大企業の給与計算システムは単にボタンの押し方を知っているだけでは使いこなせない。しっかりしたトレーニングが必要となる。

②業務を変えなければならない

例えば客先に行く地下鉄の経路を調べるツールならば、使う際に業務を変える必要はない。いままで勘と経験でやっていたことが便利なツールに代わるだけだ。だが、営業案件情報をデータベースに登録する機能だとそうはいかない。チームで営業するスタイルが浸透していなければ、単に登録がめんどくさいだけで効果は上がらない。つまり経路検索よりも案件情報登録機能の方が、ずっと組織受入態勢が低い。

③他部門と調整が必要

新しい機能を使う際に、他部門や他の会社に協力してもらうケースがある。例えば今まで得意先からのFAXで受注しているのをやめ、得意先がタブレット端末で直接発注入力できるような機能を作ったとしよう。

FAXでの受注は送信ミスが多いし、字の誤読がミスのもととなっている。タブレットを使ってもらえば、セキュリティ上も業務効率上も良いことづくしだ。つまりビジネスベネフィットは高い。

ただし、この機能が効果を発揮するのは、タブレット端末での発注に得意先が素直に応じてくれることが条件となる。依頼・交渉が必要だ。実際に交渉してみると、「慣れているFAXのままがいい」「現場が雑然としているので、iPadを置いておくのが不安」など、様々な理由で難航しがちだ。

経理部門が主導するプロジェクトであれば、営業や人事など他の部門の協力を取り付けるのは少しハードルがあるし、この例のように社外、特に顧客企業の場合はさらにそのハードルは高くなる。つまり組織受入態勢が低い。

④データを用意できない

パッケージソフトで機能が提供されたとしても、使うためのデータを用意するのが困難な場合もある。例えば物流企業が建物情報を管理する機能を作ったとする。「交通量が多すぎてトラックを横付けできない」「入り口が狭くて大きな荷物は搬入できない」など、スムーズに運ぶための情報だ。

だがこういった情報は、運転手のメモ帳に手書きされているだけだったり、業務委託先の従業員しか持っていなかったりする。データが用意できなければシステムなどただの空箱でしかない。

組織受入態勢が低くなるパターンを4つあげた。逆に今のシステムでも全く同じ機能を使っていたり、電車の経路検索のように直感的ですぐに使いこなせる機能の場合は、組織受入態勢はHighになるだろう。

事例 今回は組織受入態勢を無視します！

人材育成や人事評価などを管理するシステムのことをタレントマネジメントと呼ぶ。この領域のFMを作っていたあるプロジェクトで、組織受入態勢の基準をどう決めたのか質問したら「今回は優先順位基準に組織受入態勢を使わないことにしました」と返ってきてびっくりした。

先に強調したように、私は組織受入態勢を考慮せずに機能の優先順位付けをすることは絶対にあってはならないと思っている。今回使わない理由を詳しく聞いてみると……

・議論した結果、組織受入態勢は「その機能のベースとなる新人事制度が決まっているか？を基準に評価すべき」という結論になりました。

・ところが、どの機能に関しても新人事制度は確定していないことがわかりました。したがって、組織受入態勢は全てがLowとなります。

・全てLowで差がつかないのであれば、基準として意味がないので、今回は組織受入態勢を無視することにしました。

なるほど。「全部Lowなら、基準にする意味がない」については正しい。組織受入態勢として制度の確定状況が重要なのも確かだろう。ただ、「今回の組織受入態勢を制度の確定状況だけで判断する」は明らかに間違いだ。

同じ人事業務でも、人事異動や給与計算は会社として絶対に必要な業務であり、それを支える機能も「作ったけれども使われない」はほとんど起きない。だがタレントマネジメントは中長期的にはすごく大事だが、やらないと罰せられるたぐいの業務ではない。制度を作っても形骸化したり、システム機能を作っても入力されない事例がとても多い。
　結局その時はそういったことをこんこんと説明し、申し訳ないが組織受入態勢の議論をやりなおした。

優先順位基準3：技術的容易性

　簡単に作れる機能は技術的容易性がHigh。逆に作るのが難しい機能や、優しいけれども工数が多くかかる機能はMediumやLowになる（技術的容易性も聞き慣れない言葉だと思う。アメリカから伝わった際はTechnical Complexity、つまり技術的難易度だったのだが、そうすると難しいものほどHighということになり、議論が混乱するためにこの名前にしてある）。

　組織受入態勢にくらべると、「この機能はお金かかるかな？」を気にしてくれるユーザーは多いので、すんなり議論をスタートできる。

　技術的容易性が低くなる要素についても、いくつかあげておこう。

①作るのが難しい

例えば1999年ごろであれば、Webサイトとデータベースを連携する機能を構築したことがある技術者は少なく、よい開発補助ツールも少なかった。技術的容易性がLowだ。もちろん2020年時点では、それだけではLowにはならないだろう。

現時点では、ロジックを明確にする機能などが難しい部類に入る。例えば、在庫が減ったら自動で発注する機能は、口で言うとシンプルに聞こえる。実際の発注業務には担当者の勘と経験が加味されていて、それをロジックに書き起こすのが難しかったりする。じゃあAIで……となっても、安定的によい発注ができるようになるまではかなりの調整が必要だ。

②パッケージで提供されない

経理、人事、販売管理などの領域では、パッケージソフトを活用してシステムを組むことが普通となった。こうなると、技術的容易性はシンプルに「パッケージにあるか？　ないか？」で判断できる。

例えば所得税の計算ロジックは複雑で、ゼロから構築するにはかなり

図表J-6 ▌技術的容易性

	H	M	L
技術的容易性	・自社特有な特殊機能ではない ・パッケージ標準機能で実現できる機能	・自社特有な独自機能 ・カスタマイズが必要な機能	・ゼロベースでの新規開発を必要とする機能 ・事例が少なく、実現手段が不明確な機能

の工数がかかるが、全ての人事給与パッケージに標準機能として提供されている。使いこなすための設定作業もそれほど大変ではない。したがって技術的容易性はHighとなる。

③他システムへの影響

基幹系システムが古くて改修が難しく、そこと連携する機能はすべて技術的容易性がLowになってしまうケースがある。例えば金融機関の基幹系システムはメインフレームと呼ばれる大型コンピュータであり、メインフレームにあるデータをリアルタイムに操作する機能はメインフレーム側の改修が必要となり、何をやるにしても数百万、数千万円かかる。

Column

技術的容易性はプロジェクトが進むと変わる

この段階で技術的容易性を決める際、詳細な技術検証は行わない。作らないかもしれない機能に対して、そんな時間を投入するのが無駄だからだ。だからこの段階での技術的容易性Highとは「恐らく簡単にできるだろう」という推測にすぎない。

したがって工程が進むと、アテにしていたパッケージ機能が使い物にならないことが分かったり、技術検証がうまくいかないケースは当然でてくる。そうしたら技術的容易性をHighからLowに格下げし、「それでも私たちはこの機能を作るべきなのか？」を再度議論しなおす。

これに限らず、不確実性が多いシステム構築プロジェクトにおいて、「前にこう決めたじゃないか。今さら変更したくない」という硬直的な態度は絶対に避けるべきだ。

工程が進めば、新たにわかることがある。「どう意思決定することが、プロジェクトにとって、ひいては会社にとってベストなのか？」を、最新の情報をもとに問い続けなければ、健全なプロジェクトにはならない。

基準は関係者を巻き込んで決める

この章で説明した優先順位基準を決めるプロセスには、必ずプロジェクトの主な関係者が参加する必要がある。FMのセルの洗い出しやFSを記述する工程はプロジェクトメンバーが分担しながらコツコツ作っていくが、この基準だけはプロジェクトオーナー（生産管理システムを作る際なら、執行役員の製造部長など）にも参加してもらう。

それは、優先順位基準を決めるこの工程こそが、プロジェクトに意志を込めるパートだからだ。必ずしもITに詳しくないプロジェクトオーナーに、「作る機能はこうやって絞り込むのですよ」と理解していただき、プロジェクトでやっていることを他の経営幹部に胸を張って説明できるようになってもらうためでもある。

経営層からは「もっとビジネスベネフィットをシビアに見るべき」「組織受入態勢はもっと現場を巻き込んで評価しろ」などと意見をもらう。経営層にヒアリングした結果や経営戦略に沿って説明することも有効だ。「事業のスピードアップを重視されていると伺ったのでビジネスベネフィットに含めた」「リストラはNGということなので、組織受入態勢に反映した」といった具合だ。

逆に、プロジェクトオーナーなどの経営幹部やシステムを使うユーザーがこの工程に参加しないと、後から「なぜあれを先にやらないのか」「俺が言った機能は入っていないのか」という声があがり、抑えることはできない。

人は自分が参加して決めたことを覆すことを嫌う。自分たちで基準を決めてもらうことで、プロジェクトの味方になってもらえる。これから作るシステムも「俺のシステム」と思ってもらいやすくなる。

利用者と経営層の声に丁寧に対応するのは非常に骨が折れるが、その後のプロジェクトをうまく進めるためには我慢のしどころだろう。

セルごとの評価は機械的に

優先順位基準が決まったところで、ようやく1つ1つのセルにH、M、Lを付けていく（この作業をレーティングと呼ぶ)。議論の末に基準が決まったのだから、レーティングはある程度機械的にできるはずだ。

大きなシステムではセルの数が数百あるので、時間短縮のために1セルあたり30秒ずつくらいしかかけない。逆に言えば、それくらいサクサクと判断できる明確な基準を作っておくべきだ。

私たちがリードするプロジェクトでは、おおよそ次のような流れでレーティングをする。

1）プロジェクトリーダー級がごく少人数集まって、ビジネスベネフィットと組織受入態勢を端からどんどん決めていく。

2）意見が分かれたセル、判断できなかったセルだけをマークしておき、詳しいメンバーに決めてもらう

3）プロジェクトメンバーの得意領域がはっきりしている場合は、領域ごとにレーティング担当者を割り振ることもある（レーティングが甘い人と厳しめの人がいるので、後日、全体を見渡しての調整をし

なければならない）

4）プロジェクト全体会議などでざっとレビューし、質問や違和感があるセルに絞って議論し直す

5）技術的容易性については専門家がプロとして判断する方が速くて確実。情報システム部門や私たちのようなコンサルタントに一任することが多い。パッケージソフトを使う場合は、パッケージベンダーに採点してもらうこともある

ここまでの工程で、下図のようなFMが出来上がっているはずだ。つまり、それぞれのセルにH/M/Mなどのレーティング結果が書き添えてあるが、どのセルを最初に開発するかを示す、色分けはまだされていない状態だ。次の章ではFMの最終段階である、フェーズ分け（色分け）を行う。

図表J-7 ‖ FM（レーティング済み）

		1	2	3	4	5	6
A	注文管理	受注情報取り込み	受注情報登録	受注確認書発行	与信依頼	与信結果確認	
		H/M/M	H/M/M	M/M/L	M/L/L	M/L/L	
B	部品管理	部品情報登録	部品情報変更	部品在庫表示	部品在庫情報更新	部品発送依頼	部品情報削除
		H/M/M	H/M/M	M/M/M	M/M/M	M/L/M	M/L/L
C	顧客管理	顧客情報登録	顧客情報変更	顧客情報削除	関連会社一覧表示		
		H/H/M	M/M/M	M/M/M	M/M/L		

《凡例》
H/M/M
技術的容易性
組織受入態勢
ビジネスベネフィット

K章 作る機能を決める

この章のレッスン

- 要求をレーティングした結果から、作る順・範囲（フェーズ）を決めていく
- 時間をかけず、判断理由も明らかなフェーズの分け方を学ぶ

図表K-1 ┃ FM（ファンクショナリティ・マトリクス）

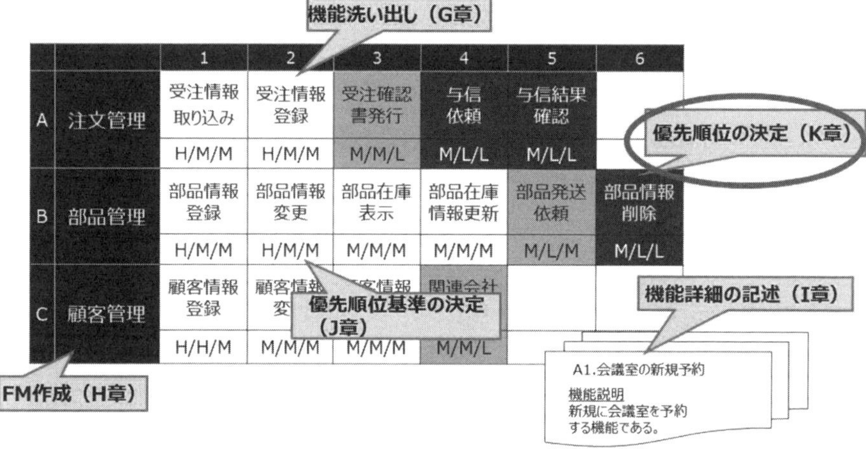

良いレーティングの機能を真っ先に作る

前章までの工程で、1つ1つのセルには優先順位基準に照らしてH/M/Mなどの評価が書き込んである。これから機能ごとに開発する／しないを選んでいくのだが、そのベースとなる考え方はとてもシンプルだ。

「効果があり、簡単に作れ、簡単に使いこなせる機能を真っ先に作る。それよりも優先順位が落ちる機能は後から作る。もっと優先順位が低い機能は作らない」

「効果がある」とはビジネスベネフィットが高いこと。「簡単に作れる」

とは技術的容易性が高いこと。「簡単に使いこなせる」は組織受入態勢が高いことだ。

一般的なプロジェクトでは、レーティングに従ってセルを3色に塗り分ける。

白いセル：最優先に作る機能（第1ステージで開発）

グレーのセル：最初の稼動を迎えた後、第2弾として作る機能（第2ステージで開発）

黒いセル：作らないか、グレーのセルを全て開発し終わってから要否を再検討する

レーティング結果がH/H/Hであれば、文句なしに真っ先に作ることになる。逆にL/L/Lであれば、作る必要のない機能と言える。

白とグレーのセルについては、明確に決めるが、黒いセルについては「作らない」ではなく、「後日要否を検討する」と、少し濁した表現にする場合もある。グレーのセルを作り終わるのは、大きなプロジェクトだと1年後2年後のこともあり、黒いセルの開発に着手するのは随分先のことだからだ。

その頃にはビジネス環境が変わっていて、ビジネスベネフィットがLowだと思っていたセルがMediumに昇格していたり、パッケージソフトの理解が進み、Lowと付けた技術的容易性が実はHighだった……ということもあり得る。その時手元にある全ての情報を使って、再度優先度を考え直すのは悪いことではない。

まずはレーティング結果から機械的にフェーズを分ける

レーティング結果がH/H/Hであれば、文句なしに真っ先に作る。逆にL/L/Lであれば作らない。だがH/L/LやM/M/Hのような中途半端なレーティングのセルを作るべきかは悩ましい。

レーティング結果を見ながら1つずつ優先度の議論をすると時間がかかりすぎるし、思い入れがある機能は人それぞれなので、納得しにくい。また全て優先度を決めたあとに、「なんでこれよりこっちの方が優先度高くしたんだっけ？」と判断した理由を思い出すのが難しい。

従って、レーティング結果を使ってある程度機械的に判断する方法がおすすめだ。具体的には以下のような表（デシジョンテーブル）を作る。

図表K-2 ║ デシジョンテーブル

ビジネス・ベネフィット	組織受入態勢	技術的容易性		
		H	M	L
H	H	A	A	A
	M	A	A	B
	L	A	B	B
M	H	B	B	B
	M	B	B	B
	L	B	B	C
L	H	B	C	C
	M	C	C	C
	L	C	C	C

凡例	
A	最優先
B	次に優先
C	将来検討

例えばM/L/Mであれば該当箇所がグレーなので「後から作る」だし、M/L/Lだと黒くなっているので、「当面作らない」となる。いちいちFM、FSに書かれた文言を読むことなしに、レーティング結果だけで機械的に色分けをするためのツールだ。

このデシジョンテーブルはあるプロジェクトで実際に使われたものだが、これを見ると、ビジネスベネフィットがHighの機能は極力開発したい、というプロジェクトとしての意志を感じる。例えばH/M/Mは組織受入態勢や技術的容易性が多少落ちるのだが、白く塗られているので最優先で作ることになっている。

とはいえ予算の制約があり、ビジネス・ベネフィットHの中でも厳選し、技術的容易性か組織受入態勢がLなら優先度を落とした。そのうえで「最優先」をまず実現することを優先し、他は予算が許す限り「次に優先」の要求を実現していく方針とした。制約条件がありつつも、なんとか自分たちが求める機能を作るための議論があとから見えるようだ。

一方で「極力パッケージ機能をそのまま活用する。機能追加しない」というコンセプトのプロジェクトでは、技術的容易性がLのセルは問答無用で全て黒にするケースもある。

重要なのは、どれも重要だからといってすべて白セル（最優先）とはしないことだ。レーティングの際に全てのセルにHをつけるのが無意味なのと同様、デシジョンテーブルを全て白にすると差がつかない。

それを避けるために、各色の割合を先に決めてしまうこともある。経験上、以下の割合をおすすめしたい。

ケース1）基幹システムなど、業務を回すために必要な機能のボリュームが大きい場合

⇒白：グレー：黒＝2：1：1

⇒最初にメインとなる機能をガッチリ作り込み、システムを使いながら後回しにできる機能を追加していく

ケース2）新しいサービスの立ち上げ時など、何が必要な機能か読みにくい場合

⇒白：グレー：黒＝1：2：1

⇒最初に作る機能はごく最小限にし、業務をやりながら追加・改善していく

Column

機械的な判断が現状踏襲を防ぐ

現在使っているシステムを再構築するプロジェクトでは、現状踏襲（今ある機能を無批判に作ってしまうこと）に陥りやすい。いま便利に活用している機能はないと困る！　という思い込みがあるからだ。

だが、それでも「必須なもの」と「あれば便利だが、なくても業務が果たせるもの」の違いはあるはずだ。例えば日付を自動計算してくれるような「自動処理」、入力の誤りを申請時に確認する「自動チェック」、申請後に必要資料を印刷する「自動印刷」。これらは現状のシステムにあると「これがないと仕事が回らない」「だから要求として必須」と思いがちだが、実際はそうではない。

ある会社では、現行システムにある「ポータルのトップページに、誕生日メッセージを掲載する」という機能要求があがった。現行システムは手作りでプログラミングされていたので、当時のエンジニアが遊び心で作ったのだろう。

こういった小粋な機能は、手作りシステムでは簡単に作れるのだが、パッケージソフトに実装されていないことが多く、技術的容易性

はLowになる。
　だが遊び心から始まったこの機能も、再構築するころには「これはうちの会社の文化として大事なんです！　捨てるなんてとんでもない！」に変わっていた。セルごとに個別に議論していくと、こういった機能を削りにくい。
　それに対しFMを作るプロセスでは、全体観を持って議論する。ビジネスベネフィットは「プロジェクトゴールに貢献するのか？」「経営にとって必要なのか？」という観点で決めてある。それに組織受入態勢と技術的容易性というシビアな条件も加味して、機械的に要否を判断する。
　こうすることで、現場の意見に引きずられすぎず、会社に利益をもたらす機能を選択できる。機械的に判断することには、時間短縮以外にもメリットがある。

セル同士の関係と総ボリュームを調整する

　このように機械的にセルに色を付けていくと非常にスピーディに開発順を決めることができる。ただし2つの落とし穴があるので、このタイミングでチェックしてほしい。

落とし穴①：セル同士の関係がちぐはぐ

　例として、「建物情報登録」と「建物情報参照」の2つの機能について考えよう。「登録」の優先度が高く白いセル（第1ステージに開発）となり、「参照」の優先度はやや落ちてグレー（第2ステージに改めて開発）となっている場合は何も問題はない。
　だが、まれにこの順が逆になってしまうことがある（効率よく登録するための操作性を重視して技術的容易性がLowになったり、データを用意できずに組織受入態勢がLowになるなど）。この場合、登録機能を作っていないので情報はカラだが、それを見るための参照機能は第1ステージから完成している、ということになってしまう。
　このように「機能Aがなければ機能Bは作っても意味がない」という状態になっていないか、チェックが必要だ。ある程度システムについての素養がある方がきちんとしたチェックができるので、色分けが終わった段階でITエンジニアにチェックしてもらおう。

落とし穴②：どう見ても予算や納期に収まらない

せっかくシステムを作る以上は「この際だからあれもこれも」となり、白とグレーのセルを足すと、どう考えても予算オーバーになっているケースがある。投資額はこの後の工程でITベンダーの見積でわかるのだが、この時点で明らかにオーバーになりそうなのであれば、見積依頼を出す際にあらかじめ削っておいた方がよい。

予算や納期に収めるために一番簡単な方法は、上記のデシジョンテーブルで白いセルを減らすことだ。もう1つ、優先順位の基準自体を厳しくする方法もある。例えば「年間3人月の効率化ができればHigh」となっていたものを、年間5人月にするだけでビジネスベネフィットがHighのセルは減るはずだ。ただし優先順位基準を見直すと、多くのセルのレーティングからやり直す必要があるので、デシジョンテーブルの書き換えで済むようならばそちらがおすすめだ。

色分けされたFMが完成し、開発ステージが明確に

さて、ようやくFMが完成した。

白いセルは最優先で作る機能。グレーは優先度が落ちるため、白いセルが完成し、システムが稼動してから追加する機能。そして黒いセルはグレ

ーセルが完成した後に再度必要性を検討する機能。

図表K-3 ｜ FM（ステージ分け後）

		1	2	3	4	5	6
A	注文管理	受注情報取り込み	受注情報登録	受注確認書発行	与信依頼	与信結果確認	
		H/M/M	H/M/M	M/M/L	M/L/L	M/L/L	
B	部品管理	部品情報登録	部品情報変更	部品在庫表示	部品在庫情報更新	部品発送依頼	部品情報削除
		H/M/M	H/M/M	M/M/M	M/M/M	M/L/M	M/L/L
C	顧客管理	顧客情報登録	顧客情報変更	顧客情報削除	関連会社一覧表示		
		H/H/M	M/M/M	M/M/M	M/M/L		

《凡例》

受注情報取り込み（白）	優先度「高」（第1ステージにて導入）
発注確認書発行（灰）	優先度「中」（第2ステージにて導入）
与信依頼（黒）	優先度「低」（第3ステージにて導入）

FMを見れば、いつどの機能が手に入るのか？　逆に諦めなければならない機能はどれなのか？　をはっきりと知ることができる。解釈の余地はない。完全に白黒ついた状態だ。

「システムを作らせる技術」がテーマの本書で、かなり詳細にFMの作り方を説明してきたのは、FMとその補足説明であるFSのセットがあれば、システムを作らせる人が作る人に対して「私たちが欲しいシステムはこれなんです」と明確に示せるからだ。

もし完璧に信頼できる「作る人」がパートナーになっているならば、「作らせる人」としてはFM・FSさえ書いて渡せば、あとはその人にお任せすることもできる。やれやれ、お疲れさまでした。

とはいえ、大抵のプロジェクトでは完璧に信頼できる「作る人」は、FMを書き終わった時点ではいない。だから良いパートナーを見つけなければならない。そして見つかった後も、FM・FSに書ききれなかったことを「作る人」に伝え続ける必要がある。

望み通りのシステムを手に入れるまでの道のりはもうしばらく続く。それらを解説する前に、ここまでのFM作成のプロセスを振り返り、このプロセスのどんなところが優れているのか、次章で考えてみよう。

事例　要求の半分を削り、ミニマム導入にこぎつける

当初は保守切れをきっかけに、システム再構築をゴールとして始まったプロジェクト。だが、「現行システムの焼き直しでいいのか？」と経営層から待ったがかかったため、業務効率化に向けて徹底的な見直しを行った。

アフターサービス業務が対象範囲であり、あまりIT化できていなかった領域でもあったため、現行システムにはない、新たな機能がFMに書き込まれていった。

その数は120個。「あったらいいな」という願望から、劇的に業務が速くなる有望な機能も混ざっていた。

そのまますべての要求を実現しては投資額が大規模になるし、保守切れの期限に間に合わない。「ないと将来業務フローが成り立たない機能」「プロジェクトの目的／ゴール達成に大きく寄与する機能」をビジネスベネフィットHighとして、「フェーズ1で導入」か「将来的に導入検討」かを切り分けていった。

結果、第1ステージで開発したのは120個中59個のみとなった。優先順位が高い機能だけを大胆に選んだおかげで、最小限の投資で効

図表K-4 ｜ FMの例

	機能グループ	1	2	3	4	5	6	7	8	9	10
A	受付／作業指示入力	問合せ受付	修理受付	保守受付	作業指示入力	作業費計算	案件ステータス管理	問合せ／作業履歴照会			
		H / M / H	H / H / H	H / H / H	H / H / H	H / M / M	L / H / M	H / M / H			
B	見積	見積作成	見積承認	見積提示							
		M / H / H	M / H / H	M / M / H							
C	人員手配	リソース登録	シミュレーション	負荷調整	スケジュール確定						
		H / M / M	H / M / M	L / H / M	H / M / M						
D	作業準備（タブレット）	基準情報・計画取込	作業予定一覧照会	作業指示確認	作業工程追加						
		M / H / M	H / H / M	H / H / M	H / H / M						
E	作業準備（PC）	基準情報・計画取込	作業予定一覧照会	作業指示確認	作業工程追加						
		L / M / M	M / M / M	M / M / M	M / M / M						
F	現場作業（タブレット）	業務手順書参照	結果記録	記録写真登録	日常点検チェック	作業機器追加	サービス評価入力	他社製品情報登録	ドキュメント参照	過去作業履歴参照	作業結果アップロード
		H / M / M	H / H / M	H / M / M	H / M / M	H / M / M	L / M / M	L / L / M	L / L / M	H / M / M	H / M / M
G	現場作業（PC）	業務手順書参照	結果記録	記録写真登録	日常点検チェック	作業機器追加	サービス評価入力	他社製品情報登録	ドキュメント参照	過去作業履歴参照	作業結果アップロード
		M / M / M	M / M / M	M / M / M	M / M / M	M / M / M	M / M / M	M / M / M	M / M / M	M / M / M	M / M / M

果を最大限に刈り取るシステム導入になった。

何も考えずに要求定義をやっていたら、現状踏襲で新たな価値を生まないシステムになっていたか、投資額が膨らんだ巨大システムのどちらかになっていただろう。きっちりと機能の候補を洗い出し、シビアに絞り込むことで、効果の高いプロジェクトに変えることができた。

Column

FM作成は一直線に進むのか？

ここまでのFMを作る工程を読んだ読者は、FMを作る工程について、手戻りなく一直線に進むように感じたと思う。確かに、このやり方に乗っかれば要求定義という難関を突破できることが、FMという方法論の最大の魅力だろう。1つ1つコンセンサスを積み重ねていき、最後には組織全体で「これを優先して作るべき」と意思決定できる。

とはいえ、全てのプロジェクトでFM作成がスムーズに進むとは限らない。上で説明したように、白・グレー・黒に色分けを終わった時点で開発ボリュームが大きすぎる場合は、優先順位基準から見直すなどの手戻りがどうしても起きてしまう。

実は私たちがFM作成をリードする際は、こういった行ったり来たりを防ぐために、「この優先順位基準だと全部がHighになることはなさそうだな」「このデシジョンテーブルだと、全部が白いセルになって予算オーバーすることはなさそうだな」と、先々を読んで妥当な基準になるようにさじ加減をチェックしている。基準の議論をしている最中に「この基準だと、全部がHighになっちゃいませんか？　もっと厳しくしなくて大丈夫ですか？」と問いかけることも多い。

読者の皆さんもFM作成のプロセスを何回か経験するとそういった調整ができるようになり、全体のプロセスをスムーズに進められるようになるだろう。だが初めてやる時は先読みなどできなくて当然。ある程度の手戻りは覚悟しよう。

多少の手戻りがあったとしても、「まずセルを洗い出す。次に……」

と王道が頭に入っているのは強い。要求定義という難しい工程をブレずに進めることができるだろう。

L章 FMがシステム構築を成功に導く

この章のレッスン

- FMを作るプロセスにも、出来上がったFMそのものにも、以降の工程をスムーズにすすめ、プロジェクトを成功に導く秘訣が組み込まれている
- FMの意義を深く理解することで、大事なポイントを端折ったり、誤ったアレンジをしないようにしよう

システム構築の失敗はFMで防ぐ

本書の冒頭で触れたように、システム構築プロジェクトの成功率は低い。

失敗する原因の多くが、

- ・関係者が「あれもやりたい、これもやりたい」と主張し、収拾がつかなくなる
- ・必要性が薄い機能まで作ってしまい、コストオーバー
- ・いったん作る機能を決めたにもかかわらず、後のフェーズで変更が頻発する

といった、要求定義にまつわるものだ。要求定義がシステム構築プロジェクトで最難関、最重要だと言われるのはこのためだ。

これまで説明してきたFM作成のプロセスは、これらの失敗原因を防ぐために設計されている。なぜFMを作るとプロジェクトを失敗させずにすむのか、改めて考えてみよう。最初にFM作成プロセスに組み込まれた仕掛けについて、次にFMという成果物そのものの効果について。

FM作成プロセスの効果①透明性が納得を生む

通常のシステム構築では、どの機能を作るのか？がなんとなく決まる。担当者の個人的な判断で取捨選択することも多いし、偉い人の要望が反映

図表L-1 ‖ FMがプロジェクトを成功に導く理由

FM作成プロセス	FMの効果
1．透明性が納得を生む	1．Scopeが明確になる
2．関係者を巻き込んで作る	2．やらないことが書いてある
3．網羅性の担保	3．一覧性
4．全社視点、プロジェクトゴール視点	4．作成過程が後から見える
5．ユーザーvsエンジニアの構図を避ける	
6．効果とコストのバランス	
7．組織受入態勢を忘れない	

されることもある。どちらにせよ、関係者の多くは「こんなのよりもっと大事な機能があるだろう……」「なぜコレができないのか？」と不満を持つものだ。

それに対してFMは、どういう手順を踏んで作成されたのかが極めて明確だ。横で見ていただけの人でも、「これ、どっから出てきたの？」「誰が決めたの？」と疑問を持つことはない。

このプロセスの透明性は、検討結果に対する信頼や納得感のもととなる。誰だって「こういう手順で、こんなことまで考慮して決めたんですよ」と説明されたら、結果にケチを付けられない（たとえ自分が欲しいと思っていた機能が後回しになっていたとしても）。

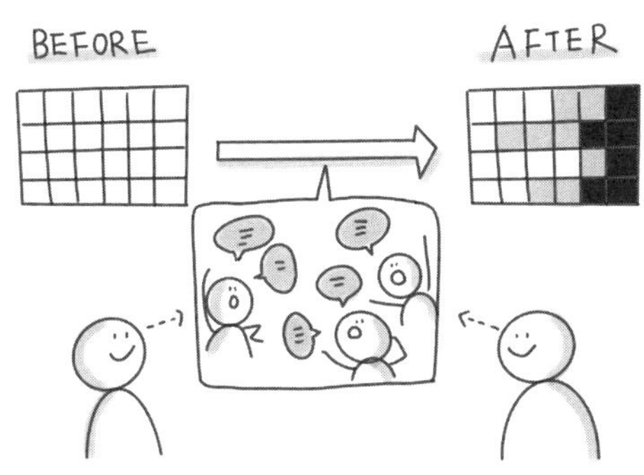

FM作成プロセスの効果②関係者を巻き込んで作る

FM作成では、システムの関係者（作る人、作らせる人の双方）の多くを巻き込むことを重視する。「プロジェクトを成功させるために、意見や要望を聞きたい」と言われて悪い気持ちを持つ人はない。それは現場であろうと、経営層であろうと同じだ。

誰だって、作り終わったものをポンと渡されるよりは、自分が作成に関与したものの方が、愛着を持ってきちんと使おうとする。だから関係者を巻き込むことは、システム稼動後にそのシステムが狙い通りの効果をあげるかに大きく関わる。

通常のプロジェクトであまり関係者を巻き込もうとしないのは、いろんな立場からの意見が出て、収拾がつかなくなるのを恐れるからだ。意見を聞いたものの反映しなかったら怒り出す人もいる。だがFMでは、全社最適の観点からそれらの意見をまとめられるようなプロセスを踏むので、それを恐れる必要がなくなる。

FM作成プロセスの効果③網羅性の担保

「最終的に作らなそうな機能でも、とりあえずリストアップする」という考え方にびっくりした読者もいたかと思う。だが、そうやってとりあえず全ての候補を検討のまな板に載せることで、抜け漏れを防ぐことができる。

FMを作っているとよく顧客メンバーから「こんな機能を書くくらいなら、これは載せなくていいんですか？」と指摘を受ける。もちろん「なるほど、載せるべきですね！　よくぞ指摘してくださいました」となる。

要求定義に不慣れな人からは、よく「何をどこまで話したらよいかわからない」と言われる。だからこそ「こんなものまで載せるのか」という感覚を共有することが、抜け漏れ防止に役立つ。こういうちょっとしたことの積み重ねが、絶対に漏らしてはならない機能を作り忘れることを防ぐのだ。

FM作成プロセスの効果④全社視点、プロジェクトゴール視点

「作りたいから作る」は趣味の世界でしか許されないはずだが、実際にはビジネスの世界でも横行している。FMの優先順位を決める際には、プロジェクトメンバー一人ひとりの好き嫌いは反映されない。同様に「我が営業部としては困るんです！」「これがないと経理部が文句言う」といった、セクショナリズムとも無縁だ。

一般的に「全社最適で考えましょう！」と掛け声だけではそうはならないものだが、FMの場合は自然に全社最適で考えるように仕向けられている。

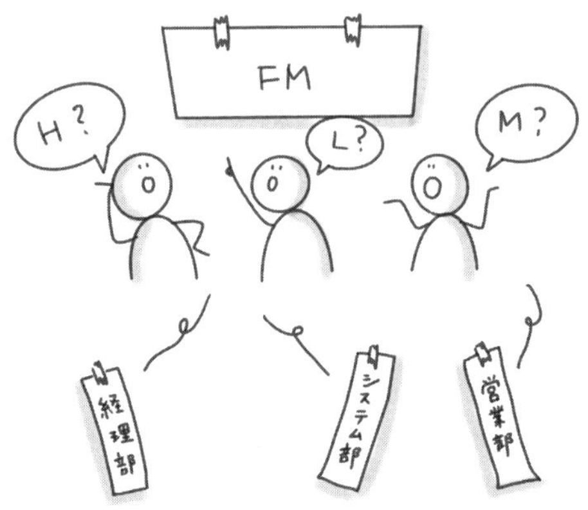

FM作成プロセスの効果⑤ユーザー vsエンジニアの構図を避ける

システム構築プロジェクトでは、

ユーザー「この機能を作ってくれよ。いま、手作業がどれだけ大変だと思ってんだ！」

エンジニア「この予算、この納期だと無理ですよ。もうスケジュールパツパツなのご存じですよね？」

みたいな押し問答がある。この対立の構図、どちらにとっても不幸だと思いませんか？　双方が会社のために真面目に仕事をしているのに。

効果④で書いたように、FMを作るプロセスでは「会社としては何を作るべきか？」を皆で考える。そこにはわがままなユーザーも、頑固なエンジニアもいない。機能Aを作るべきか？　それとも機能Bか？　はたまた両方作る代わりに予算や期限を増やすか？　全て全社最適視点で決めることで、この不幸な対立を防ぐことができる。

FM作成プロセスの効果⑥効果とコストのバランス

プロジェクトで議論していると、コストをあまり考慮せずに理想のシステム作りで頭がいっぱいの人や、逆に少しでも費用がかさみそうなことには反対から入る人など、ややバランスに欠いた姿勢を目にする。誰もが経営者のように効果と品質についてのバランス感覚を持っている訳ではないので、ある程度は仕方ない。

FMの優先順位付けの議論では、機能ごとに効果もコストも考慮することを迫られる。これにより、自然に効果とコストのバランスをとった意思決定をするように導かれるのだ。

FM作成プロセスの効果⑦組織受入態勢を忘れない

一般的にシステム構築のコストというと、プログラミングするのに時間がかかるとか、機能を買うと高くつくなど、「構築するためのコスト」に頭が行きがちだ。だが、作った後のコストもそれに劣らず重要だ。

例えば「使いこなすための教育コスト」が高すぎると、作ったは良いが、使われない機能になってしまう。FMではそれを組織受入態勢として考慮にいれている。（余談だが、住基カードやe-Taxなど、お役所が作るシステムでこうしたことが特に起こりやすいのは、お役人がこの「使いこなすコスト」をゼロ査定しているためではないだろうか？？）

使いこなすコストを優先順位付けの段階で考慮することは、FM独特の考え方で、他の方法論では抜け落ちている。このおかげで、ユーザーからすんなり歓迎される機能を優先的に作ることになる。結果としてその機能は使い倒され、十分な見返りをもたらす。

逆にいくらビジネスベネフィットがHighでも社員や顧客の抵抗感が大きかったり、難しすぎて教育が必要な機能は後回しになり、他の機能が十分使われたあとで「＋αの機能」として登場することになる。

続いて、成果物としてのFMが生む効果について考えていこう。

FMの効果①Scopeが明確になる

物事をハッキリさせることを慣用表現で「白黒つける」と言うが、FMでは文字通り「最初に作るものは白、それ以外はグレーや黒」と機能1つ

1つを白黒で塗り分ける。作るのか。作らないのか。１回目の稼動でこの範囲、２回目はこの範囲……。そこに曖昧さは一切ない。

Scopeフェーズ以降、プロジェクト計画はいつもFMを見ながら立てる。最初の稼動に向けて集中すべき時期に、グレーや黒の機能に脇見していないかチェックするのも、プロジェクトマネージャーの仕事になる。

FMの効果②やらないことが書いてある

実は効果①の一部なのだが、あまりに重要なので分けて説明したい。例えば、予算の都合で機能Ａと機能Ｂのどちらかしか作れない状況を想像してほしい。この時ユーザーに確認する方法は2種類ある。

「Ａを作ります。いいですね？」

「Ａを作りますが、Ｂは諦めてください。いいですね？」

ユーザーがどちらに対してもYesと答えたとして、後から揉めにくいのは後者だ。前者の場合、結構な確率で後からユーザーが「え？　Ｂないの？　なんで？　仕事回んないけど、どうしてくれんの？」と言い出す。私は前者を「脆弱なコンセンサス」と呼んでいる。一応Yesとは言ったものの、堅くないのだ。

だがほとんどのITエンジニア、ITベンダーは、「Ｂは諦めてください」の一言を言えない。言ったら嫌な顔をされたり、反論されるのがわかり切っているから。誰だって会議は早く終わらせたいし、言い争いを避けたい。たとえ後で揉めることになっても。

実はFMで機能をグレーに塗る行為は、「Ｂは後回しになります。いいですよね？」と言うのと同じ効果がある。同様に黒に塗ると、「Ｂは作りませんよ。いいですよね？」と言うのと同じ。

不思議なことだが「諦めてください」と口で言うより、FMを黒く塗る方がずっと心理的負荷が低い。全体最適やコストカットの観点から、ユーザー自身が塗ってくれることもある。**FMはコミュニケーション下手なエンジニアを助ける**ツールでもあるのだ。

もし機能Ｂが黒く塗られているのを見たユーザーが「え？　Ｂが黒なの？　仕事回んないんだけど」と言い始めたら、レーティングが妥当ではないのか、ユーザーが大げさなだけのどちらかだ。改めて諦めてもらうか、予算を増やすのか、冷静に議論すれば良い。後から発覚して大騒ぎになるよりはずっとマシだ。

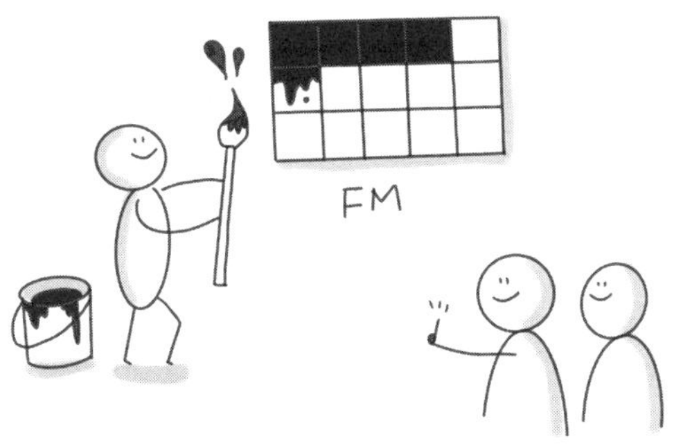

事例　白いセルだけのFMを作ったプロジェクト

20年も前の懺悔になるが、白いセルしかない真っ白なFMを作ってしまったことがある。

そのプロジェクトでは、途中まで方法論に乗っ取りFMを作っていたのだが、いざセルごとの優先順位を決める段になって、当時の上司（プロジェクトマネージャー）と私の主張が対立した。彼の主張はこうだ。

・FMに記載された機能に優先順位をつけるべきではない
・記載された機能は全部作る
・作らない機能があるなら、最初っからFMに書かなければ良い

彼はそのプロジェクトが始まる直前に他社から転職してきたため、FM作成について、表面でしか理解していなかった。もちろん私は本書に書いたような、開発しない機能を明記する意義について懸命に説明した。

だが「せっかく顧客との関係も良好なのに、なんでそんな喧嘩を売るようなことをやるんだ」と、私の主張を彼は全く理解できないようだった。

いま考えても、彼の主張はおかしい。優先順位が低い機能まで開発する費用を負担するのは私たちではなく、顧客である。顧客が無駄なお金を使わないようにリードするために、私たちコンサルタントが雇われているはずなのに……。

顧客にとって耳が痛いことを言わず、顧客のご機嫌を取り繕っても全く意味がない。単なるシステム構築の方法論にとどまらず、「顧客にとって正しいことを言うべき」という価値観（職業哲学）すら、彼とは共有できないようだった。

長い言い合いの末、最後には下っ端メンバーだった私が折れることにした。なんといっても彼が上司だったので最後には従わなければ組織が成り立たない。特に、価値観の溝は議論しても埋まらないもの。それに、その言い合いをしていたのは深夜2時だったのだ。明日も朝からミーティングがあるのに……。

結局顧客には白いセルだけが記載されたFMを見せ、「いいんじゃないですか？」と言ってもらった。そしてそのFMをもとにシステム開発が始まった。

そして半年後、そのプロジェクトは大炎上した。当初予定していた2倍くらいの社員がそのプロジェクトに注ぎ込まれることになった。なぜそんなことになったのか？

開発中に後から後から追加要望があがったからだ。顧客のわがままではなく、どれもごもっとも、という指摘だった。システム稼動日も予算も決まっていたので、慌てて作ることになった機能は全て、死ぬほど残業して作るしかなかった。

FMに白いセルだけを載せるのではなく、グレーのセルや黒いセルも載せ、「これは作りませんよ。いいですね？」と言えていたら、後から要望が押し寄せることはなかったはずだ。

「FMという方法論はよく出来ているなぁ。端折ったり捻じ曲げると、必ず後で落とし穴にハマるなぁ」と心の底から思ったのはその時だった。

FMの効果③一覧性

FMは機能の一覧表だが、縦横に並んでいるので大抵のシステムはA3 1枚に印刷できる。全社基幹系のような、機能が多いシステムの場合でも3、4枚がせいぜいだ。だからひと目で全体が把握できる。

- どのくらいボリュームがあるシステムか？
- システムのこの領域はパッケージA、こちらはパッケージBで実装

できそう

・メンバーAさんが担当する領域はここからここまで。随分広いな……

などなど、ひと目で見られることで、考えたり把握できるようになる。もともとシステムは住宅と違って目に見えないから、考えにくい。他人とコミュニケーションするのはもっと難しい。このことがシステム構築プロジェクトの難易度を上げている。だから、ひと目でおおよそ把握できることの価値はとても高いのだ。

FMの効果④作成過程が後から見える

先に「作成プロセスが透明」のパートでも書いたように、FMは誰がいつ何を決めたか、ガラス張りの状態で作っていく。

さらに、完成したFMを後から見返しても、作成プロセスがおおよそ把握できるようになっている。FMには機能ごとにレーティング結果が小さく書いてある。ビジネスベネフィットがHighであれば、恐らく業務が効率的になることを評価されたんだろうな……。だから最終的に真っ先に作ることにして白く塗られているのだな……。という具合に、想像できるのだ。

プロジェクトで機能の優先順位付けの議論は1、2週間で終わってしまうが、システムは5年10年と使っていくものだ。だから後から見返しても経緯が想像でき、納得しながら使ってもらえることが重要になってくる。

FMは要求定義以降も使い倒す

完成したFMの最大の用途は、システムを作る人（IT部門やITベンダーなど）に開発を依頼することだ。「プロジェクトチームの総意として、今回作ってほしい機能はこれです！」と明確に伝えられる（詳しくはO章やT章を参照してほしい）。

FMはプロジェクトのWhatを示した重要資料なので、用途はそれだけにとどまらない。

設計・開発フェーズ

Scopeフェーズで FMを作ったことで、システム構築の対象範囲は明確

図表L-2 ‖ FMの用途

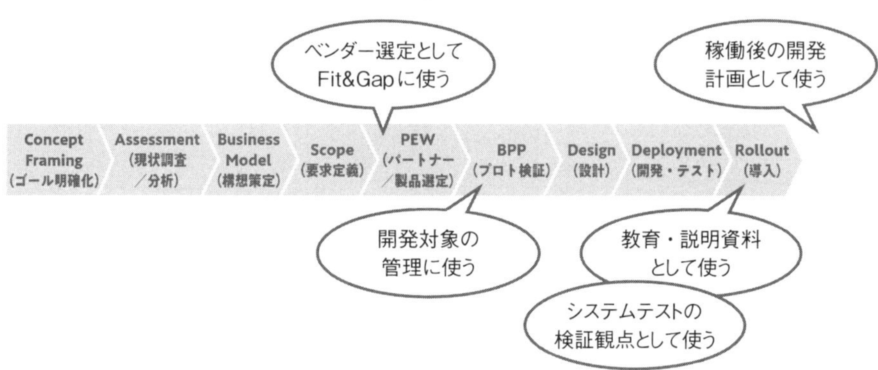

になった。だが、プロジェクトの進展とともに、その範囲は残念ながら変わっていく。例えばアテにしていたパッケージ機能が、いざ設定してみたら使い物にならないことが、しばしば判明する（技術的容易性がHighだと思っていたらLowだった……）。

想定が間違っていたのだから、優先順位付けをやり直す。すると当初白く塗られていた機能が、グレーになるかもしれない。その場合は必ずFMのレーティングとステージ分けを更新しておく。常に最新に保っておくことで、いつでも「僕らが作っているのはここ！」と説明できる。とかく方針がブレがちなプロジェクトでは、これが大切なのだ。

当初は思ってもみなかった機能について、「新たな機能を足したいんだけど」「○○の機能がFMに載ってすらいないのはおかしいのでは？」と横やりがはいる場合もある。そういった場合も、逐一FMに載せ、レーティングし、開発するかしないかを明確にしていく。こうして、要望を野放図に開発するのではなく、いったん受け止めてから、常にFMに照らして合理的に判断する。こうすることで、要求の肥大化を防げるはずだ。

導入フェーズ

システムが完成したら、ユーザーに対して説明会などを開くが、この時にもFMをざっと説明する。

要求定義で出た意見や疑問を、説明会で現場のユーザーからも言われることは多い。「○○の機能が欲しい」「××の機能はなぜないのか？」と。こうした質問には丁寧に回答し、納得してもらう必要がある。それには、結局のところFMをどう作ったのかを説明するのが手っ取り早い。現行FMと新しいシステムのFMを比較しながら説明するときもある。

稼動後

最初の稼動が落ち着いたら、先送りにしてあったグレーの機能に着手しよう。これをやらないと、嘘つきになってしまう。プロジェクトメンバーが現場から恨まれるだけならまだ良いが、「先送りにする≒作らない」と関係者が思い込んでしまうと、もう二度とシステムを段階的に作るプロジェクトをやれなくなってしまう（そういう会社は結構多い）。

ただし1回システム開発を経験したことで、採用したパッケージや業務への理解は以前よりも深くなっているはずだ。だからレーティングや優先順位に変更があるケースは珍しくない。改めて関係者を集め、短時間で検討し直したほうが良いだろう。

事例　現場説明会には必ずFMを印刷して持っていく

私たちにFMを使い倒すことを教えてくれたのは、以前一緒に本（反常識の業務改革ドキュメント）を書いた、古河電工の関さんだった。とにかくユーザーが多いシステムだったので、かなりきめ細かな現場説明会を開いた。現場は全国に散らばっていたので、「キャラバン隊」と称して何回もプロジェクトの意義やシステムの使い方を説明して回った。

その際、関さんはかならず印刷したFMと機能詳細を持っていった。そして壇上に立ち「これがプロジェクトで作った機能一覧です。FMと呼んでいます。ここには378個の機能が掲載されていて、そのうち厳選した233個をまずは作りました。なぜなら……」と、とうとうと説明したのだ。

それを横目で見ていた私は「FMを作ったのは説明会より随分前のことだし、ユーザーである現場の人にとって、システムをどう作ったなんて、興味がないんじゃないのかな？」と思っていた。

だが彼の意図は違うところにあった。

・これだけ網羅的に検討したんだ

・何を作って何を作らないか？　についても、趣味で決めたわけで

なく、合理的な検討をして、シビアに絞り込んだのだ

こういったことを、色分けされたFMやびっしり書き込まれた機能詳細を見せながら力説したのだ。いわばプロジェクトメンバーの本気度を伝えるツールとしてFMを見せたのだ。

説明会をやると、システムに少し詳しい社員や日頃から問題意識を持っている方から「このシステムより、こういう機能のほうが必要だ！」「なぜこの機能がないのか？」などと鋭い質問が飛ぶこともある。何しろ現場の方は「プロジェクトなんて言ったって、現場のことなどあいつら何もわかっちゃいないんだ」と自信満々だから生半可な説得では効かない。

そういう場合もFMを見せながら「いまご指摘があった機能は、FMのコレに当たります。黒く塗られていますね。検討の結果、こういう理由で優先度が低いと決めたのです」のように、丁寧に説明していく。ここまで理路整然と、全社視点で説明されては、いくら日々業務をやっている現場社員といえどもなかなか反論できない。

FMは要求定義ドキュメントというよりも、プロジェクトを推進するためのコミュニケーションツールなんだな、と思うようになったのはその時からだ。

機能以外の要求を定義する

この章のレッスン

- これまで説明してきた機能要求とは別に、非機能要求とアーキテクチャの2つを議論する必要がある
- どちらも専門家であるITエンジニアを中心に検討するが、「作らせる人」が意見を言うべき局面も存在する

機能以外に決めるべき2つのこと

これまで、要求機能をFMに表現することに集中してきた。だが、ITベンダーにシステムを発注するより前に、考えておきたいことがあと2つ残っている。「非機能要求」と「システムアーキテクチャ」と呼ばれている。

いつものように住宅の比喩を使って説明しよう。

・「大きな本棚が欲しい」⇒これまで議論してきた機能

・「冬でも快適に過ごせるように高断熱にはこだわりたい」⇒非機能要求

・「耐震や高断熱のために、コンクリート構造がよい」⇒システムアーキテクチャ

イメージが湧くだろうか？「本棚が欲しい」という具体的な要求に比べて、非機能要求はセキュリティレベルなども含めた「システム全体の性能」みたいなものだ。そしてそれらを長期的に実現するために、どんな構造をどんな工法で作るのかを決めるのが、システムアーキテクチャにあたる（アーキテクチャという言葉はもちろん、建築用語「architecture ≒ 構造、建築様式」からもらった言葉だ）。

施主がイメージしやすい本棚に比べて、高断熱や建築工法は建築家の領域である。それと同じように、システムの世界でも非機能要求とシステムアーキテクチャは基本的に知識を持ったプロがリードすべき世界だ。情報システム部門がしっかりしているならば彼らに任せたいし、そうではない

場合はITベンダーに提案してもらうしかない。

ただし「システムを作らせる人」も、最低限は知っておいたほうが良い。なぜなら、完全おまかせだと泣きを見るケースがあるからだ（住宅建築を依頼する素人でも、最低限は住宅工法について学んだほうが良いのと同じだ）。

・非機能要求やアーキテクチャについて、きちんと説明してくれない悪徳ITベンダーもまれにいる（説明しないだけでなく、きちんと考えていないケースも！）
・非機能要求やアーキテクチャにも多様な選択肢や「どこまで目指します？」という判断が必要で、それは「ビジネス上どうあるべきか？」による（つまりシステムを作らせる人の出番だ）

この章ではまず、非機能要求とシステムアーキテクチャとはなにか、エンジニアではない読者にも理解できる範囲でざっと説明する。そして「システムを作らせる人」がそれらの検討にどのように関わるべきかを示したい。

非機能要求の6つの切り口

非機能要求には様々な定義があり、例えばJUAS（ユーザー企業の団体）による「非機能要求仕様定義ガイドライン」などが有名なので、詳細を知りたい場合はそちらを参照してほしい。私たちも念入りに検討する際は、200項目以上に細分化するケースもある。

本書では6つの大分類だけを紹介しよう。

図表M-1 ｜ 非機能要求の切り口

	カテゴリ	例
1	可用性	システムはいつ使えるか（いつどのくらい止まるか）
2	性能・拡張性	業務量や、レスポンスの速さ。将来の増大率
3	運用・保守性	問題発生に備えた監視、バックアップの対象
4	移行性	移行の対象、方法
5	セキュリティ	アクセス制限やデータの暗号化、不正の監視方法
6	システム環境・エコロジー	設置場所の環境（面積、耐震性、消費エネルギー）

非機能要求①可用性（どれくらい使えるか？）

可用性とは聞き慣れない言葉だが、「システムがいつ使えるか≒いつ、どのくらい止まるか？」という意味だ。ハードウェアは突然壊れるものなので、なにも対策をとらなければ、壊れてから修理するまでの間はシステムは使えない。また、プログラムを入れ替えるために、夜間やお盆休みを狙って意図的に停止させることもよく行う。それをどれだけ許容できるか？というのは重要な要求事項となる。

例えばSUICA/PASMOのような決済システムの場合は、「システムが使えない」という状況は許されない（非常に高い可用性が求められる）。一方で企業内で使う給与計算プログラムの場合は、給料日の数日前以外はほとんど使わないので、夜間や月初に多少止まっても問題ない（低い可用性が許される）。

高い可用性を目指すほど、ハードウェアが壊れた時のバックアップや念入りなテストを行う必要があり、当然コストは高くなる。そこで「作らせる人」は、

・トラブルによる停止はどれくらい（1ヶ月に何分、何時間など）許容できるか？
・夜間や長期休暇など、計画的に停止できるのはいつか

などをエンジニアに伝え、設計に活かしてもらうことになる。

非機能要求②性能/拡張性

プログラムを実行した時にどれくらいの時間がかかるか。また同時に何人のユーザーまで耐えられるか、といったボリュームに関する要求である。

一番わかりやすいのは、「画面でOKボタンを押してから何秒待たされるか？」「月末の締め処理で複雑な計算をするのに何分かかるか？」といった応答時間だろう。これも対策をしなければ、仕事量（データ件数）に応じて遅くなる。

例えば1000人分の給与計算処理は1分ですむが、3万人だと3時間かかることもある。もちろん、高性能のハードウェアを買えば速くなるが、同時に高くなるので悩ましい。そこで「作らせる人」は、

・どれくらいのスピードを求めるのか？
・今どれくらいの規模のビジネスなのか？

・数年以内にどれくらい拡大する可能性があるのか（ビジネス用語で“スケールする”と表現する）

などをエンジニアに伝え、設計に活かしてもらうことになる。

非機能要求③運用/保守性

システムは使って終わりではなく、日々動かすために操作が必要で、これを運用と呼ぶ。そしてビジネスの変化に応じて機能を追加・修正し、長く使うものだ（そうしないと初期投資を回収できない）。そのための改修作業を保守と呼ぶ。これらがしやすいか？がこの項目である。

採用するアーキテクチャや関わるエンジニアの腕によってこれらは大きく変わってくる（つまり、システムの維持コストと寿命が変わる）。大変重要な項目だが、ユーザー目線からは「長く使えるように作ってください」くらいしか要望のしようがないだろう。

非機能要求④移行性

前のシステムからどのデータを持ってくるか？　何は置きっぱなしにするのか？　それによって、業務が継続できるかが決まる。ユーザーとしては当然「データは大事なので全部移行してください」と言いたいところだが、データ移行は機能を作るのに引けを取らないくらいお金がかかる。機能と同様、優先順位付けを行う。

データ移行についてはW章にて詳しく紹介する。

非機能要求⑤セキュリティ

サイトに不正にアクセスされて個人情報が流出したり、巨額の仮想通貨が盗まれたり、ITセキュリティにまつわるニュースは増える一方だ。しかしこの項目も高度に専門的なので、決済システムのようにセキュリティがビジネスの根幹というケースを除いては、プロに任せるほかないだろう。

非機能要求⑥システム環境/エコロジー

ハードウェアがどのような環境に置かれているか（耐震や湿度など）や、二酸化炭素削減に配慮するべきか？などの観点からの項目だ。全社でエコロジーに力を入れている場合はより環境負荷の低い方法を検討する必要があるだろう。そうではない場合は、こちらも基本的にはエンジニアにまかせて良い。

事例　販売管理システム構築プロジェクトでの非機能要求

以下は、あるプロジェクトで非機能要求について議論した結果だ。ベンダー選定の際に、ベンダーへ要望を伝えるための資料でもある。

図表M-2 ┃ 非機能要求例①

可用性

■ 運用時間
- 工場操業と合わせるため、24時間無停止が望ましい
  - ただし、事業所ごと／機能ごとにレベルを分けることは可能なため、要件定義時に詳細を検討する
- 日曜でも出荷しているため、週7日稼働が必要
- 工場操業のスケジュールに合わせ、年末年始／お盆などは計画停止可能

■ 業務継続性
- 可用性の保証範囲は、外部向けオンライン系業務までとする
  - 取引先への影響を最小限に抑えるため

図表M-3 ┃ 非機能要求例②

性能・拡張性

■ 新システムの使用期間
- 10年以上
  - 品証でのデータ保持期間（10年）に合わせ、上記を設定

■ 通常業務量
- ユーザー数　　：X事業所合わせてX00人程度＋外部100社程度
- 同時アクセス数　：上記の10%である30人程度を、同時アクセス数の上限として設定

■ 業務量増大度
- 新システム稼働から10年後までに、新たに1事業所の追加を想定し、1.3~1.5倍程度の増大度を設定

■ オンラインレスポンス
- 処理能力
  - 画面表示 ：3秒以内 【例】契約画面
  - 登録処理 ：3秒以内 【例】契約入力
    ※要件定義時に、画面や処理ごとに求めるレスポンスを検討

この資料を作成したのは、ITベンダーがプロジェクトに参加する前。従って作る人の目線ではなく、作らせる人の目線であくまでビジ

ネスと直結することのみが書かれている。

非機能要求の実現方法についてはエンジニアの方がずっと詳しいので、ITベンダーを決めた後に議論するプロジェクトもある。だが非機能要求はハードウェアの調達や運用・保守体制を検討する際に材料となるので、予算額やベンダー選定に影響する。従って私たちは、この例くらいの粗さで構わないので、このタイミングで議論することにしている。

粗いと言えども、概算見積に必要な最低限の具体性は確保してある。例えば稼働率について、ユーザーの本音としては「使いたいときにいつでも使えること」が要求だろう。だがこれでは、24時間365日使うのか、操業日の定時間内だけでよいのか、判断できない。

従ってこの事例では、もう少し具体的に表現してある。これを読めば、社内システムとしては比較的厳しい可用性が求められることをエンジニアが理解できる。特に24時間動かす必要があるので、夜間処理のためにシステムを停止することはできないし、24時間対応できる保守体制も必要だ。

非機能要求検討における、作らせる人の心構え

非機能要求についてどんなことを決めなければならないか、少しはイメージがついただろうか。エンジニアではない読者にとっては「概要はわかったけれども、中身はさっぱり」という状態だろう。

機能の議論とは違い、1システムのみだけを考えていては不十分な点が特に厄介だ。会社全体のシステム構成をどうしていくか、稼動後の運用・保守をどうするかについては、全社のシステム方針に依存する（企業グループ全体で方針を決めている場合もある）。他のシステムの稼動時期やインフラ構成の制約を受けることもあり、他システムとの関係も考慮しなければならない。

そのため、全体のシステムを俯瞰しているIT部門やそれに類する外部のプロにアドバイスしてもらう必要がある。業務部門主導のシステム構築プロジェクトであったとしても、ここだけはIT部門に積極的に参加してもらうことになる。

その上で、ここから先は業務を担う者、実際に使う者として、これらの意思決定に関わる際の心構えを紹介しよう。

非機能要求での心構え①：ビジネスの文脈を伝えよ!

先にも述べたように、非機能要求やアーキテクチャについて一度意思決定したことは、システムが稼働している間、ずっと引きずることになる(10年20年と利用することもある)。したがって、事業環境や企業の変化、制度変更の想定など、将来起きうることをあらかじめ考慮し、なるべく変化に対応しやすくしておきたい。

もし従業員1000人の想定でシステムを構築し、5年後に数倍の規模になりシステムの処理が遅くて業務が回らない、となっては目も当てられない。そのためには、今後どれだけ利用者が増えるのか、将来的にどんな事業を想定するのかを仮定し、伝えるしかない。

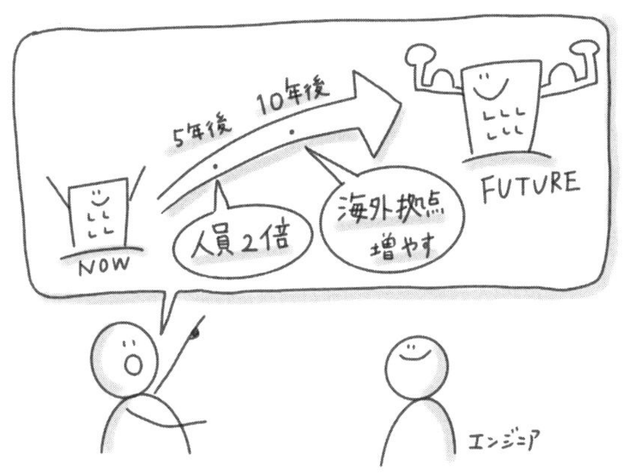

あるシェアードサービスセンターを例に、もう少し具体的に説明しよう。私たちが支援して設立した当初、センターが請け負う業務は本社のみだった。だが数年後には本社だけでなく、関係会社など10数社の業務も請け負うこととなった。

経理業務の場合で言えば、本社だけを請け負っていた時に比べ、扱う仕訳データの件数や種類もずっと増えた。グループ企業なので、決算の締め処理も集中する。もし「数年後には本社以外の業務も請け負う」という構想を知らずに、非機能要求を決めていたら、拡張性の観点で苦労していただろう。

同様に、今作っているシステムを将来海外拠点でも使う可能性があるのであれば、もちろん伝える必要がある。

非機能要求での心構え②：許容できる下限を伝えよ！

システムに限らず、ものを買う時に「できるだけ良いものが欲しい」と思うのは当たり前だ。だが必要以上の要求は、いたずらにコストが高くなる（納期が遅くなることもある）。

さらに、ユーザーから見ると「ちょっとした要求」がコストを跳ね上げることもある。例えば障害が起きてからの復旧までの時間が、1日かけてよいのか、1時間しか許されないか、では、コスト（初期投資額やランニング費用）にかなりの差がつく。

このように、非機能要求は一定のラインを超えると急に費用が膨らむことが多い。これを「コストの崖」と呼んでいる。コストの崖のありか、つまり「これ以上を求めると膨大なコストがかかる分岐点」は、技術の進歩とともに変わるため、システムに詳しい人間でなければわからない。

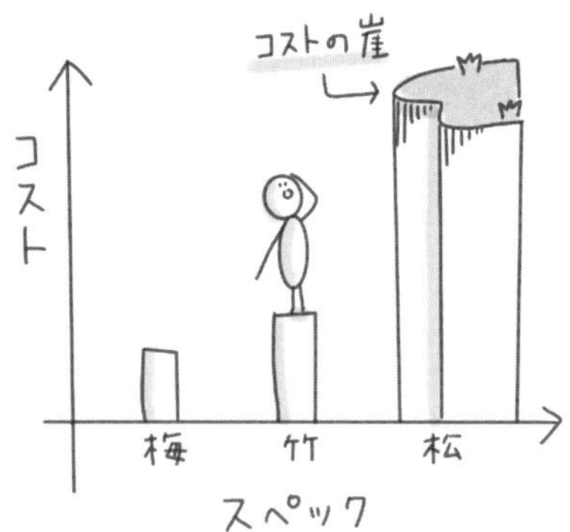

だからこそ、いきなり過剰な望みから入るのでなく、下限から決めていくことが重要だ。ビジネスを振り返って、「1日程度であれば、システムが使えなくても人間がフォローできるが、日をまたぐと途端に辛くなるな……」などと自問自答しながら、下限から決めていこう。

非機能要求での心構え③：トレードオフを判断せよ

非機能要求の1つ「可用性」の議論で「システムの稼働率はどのくらい

を求めるか？」と問われれば、「100%が良いです！」というのが素直な返答だろう。だが、例えば3000万円使えば稼働率が0.01%上がる方法があったとして、採用するべきだろうか？ 0.01%にビジネス上、どれだけの価値があるだろうか。

稼働率と投資額は、典型的なトレードオフ関係（稼働率を上げようとすると投資額が膨らむ。投資額を下げようとすると稼働率が下がるという、天秤みたいな関係）になっている。

こういったトレードオフは、IT部門では決められない。彼らができるのは何と何がどういうトレードオフ関係にあるのかを示すことのみだ。あくまで作らせる人が意思決定し、必要があれば経営者の承諾を取り付ける必要がある。

Column

SaaS時代の非機能要求

SaaS（Software as a Service）はその名の通り、プログラムとして買ってきて自社で運用するのではなく、サービスを提供してもらう形式のソフトウェアだ。

例えばスマホに入っているGoogle Mapは、地図や検索ツールをGoogleから買ってきてスマホに保存してあるのではない。「行きたいお店までの道順を表示する」というサービスをGoogleから提供されている。サービスはインターネット上にあるので、それにスマホを使ってアクセスしているだけだ。

Google Mapのような個人ツールだけでなく、企業が利用するソフトウェアも近年急速にSaaS化が進んだ。新型コロナのパンデミックでおなじみになったZoomのような会議ツールも、企業が契約する典型的なSaaSだ。

システム構築にSaaSを使うと決めた場合、非機能要求で議論することは極端に減る。

例えば可用性は、SaaSの提供ベンダーが目標値（稼働率99.9%など）を示していることが多いし、どちらにせよこちらはほとんど手出しできない。

また、SaaSはユーザーをどんどん拡大していくことを前提としたビジネスなので、拡張性は提供ベンダー側で確保済みだ（そうしないと彼らのビジネスが行き詰まってしまう）。

したがって、「A社のSaaSとB社のSaaSを比べると、セキュリティレベルはA社の方が高い」といった、選定する際の比較材料にはなったとしても、社内で検討を重ねてもあまり活かせない。私たちが全社ITの非機能要求を検討する場合も、SaaSで実現する部分は「ここはMicrosoftの基準に則る」「Salesforceの基準に則る」とだけ書き、そうではない領域の検討に集中する。

世界的にシェアが高いSaaSは、通常のユーザーが求めそうな非機能要求はおおよそ提供している。非機能要求を詳細に検討する能力がない場合は、そういったサービスに乗っかるのも手っ取り早い方法と言える。

システムアーキテクチャの3つのポイント

システムアーキテクチャとはシステムの構造や作り方のことだが、実際のプロジェクトで作らせる人も参加したほうが良い議論は以下3点である。

ポイント①：パッケージか手作りか？

20年ほど前までは、パッケージソフトウェアといえば経理や人事、コールセンターなど、会社ごとに大差がない業務のみをカバーするものだった。だが最近はほとんどすべての業務向けに、良い製品が発売されている。

ゼロから手作りでシステムを作るのは費用がかかるし、そういったことが得意なエンジニアも減り、集めにくくなっている。まずはパッケージソフトを使う前提で調査し、合うものがどうしても見つからないときだけ、手作りを検討すべきだろう（パッケージなどを使わず、手作りでシステムを作ることをスクラッチ開発と呼ぶ）。

以下の例は、ある製造業のシステムアーキテクチャを示している。この会社では商品化から生産管理までスクラッチで開発していたシステムを刷新することとなった。パッケージを採用する前提であったが、既に一部領域ではパッケージソフトを導入していたため、新たに採用予定のパッケージでカバーする機能と、既存のパッケージで実装する機能とを色分けして表現してある。

図表M-4 アーキテクチャ図の例

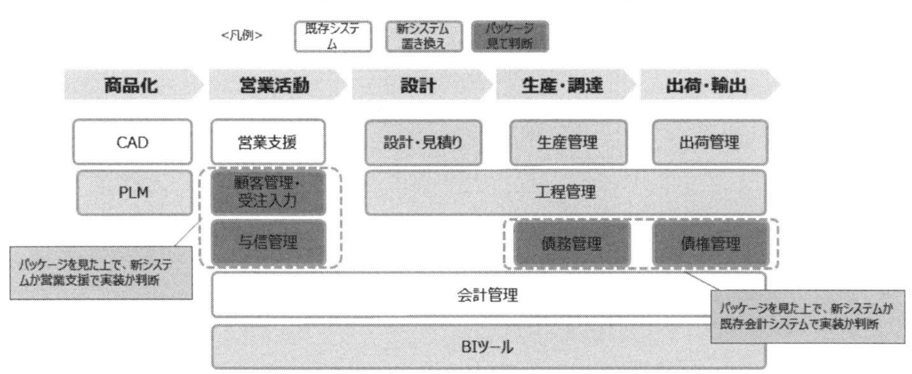

この図を書いた段階ではパッケージソフトの機能を詳細に調査している訳ではないため、「調査した上で決定する」という領域も多くある。十分調査が済んでいない段階でもこういった図を作ることで、その後の調査の見通しやベンダーへの情報提供依頼・提案依頼が進めやすくなる。

ポイント②：オンプレミスかクラウドか？

オンプレミスとはハードやソフトを自社で保有し、管理すること。一方でクラウドはインターネットを経由して他社が提供するシステムを利用することである（SaaSはクラウドの一種）。

直感的にわかりやすいのはハードウェアで、オンプレミスの場合は自社の敷地内に設置し、自社で管理運用することになる。一方でAmazonが提供するAWSのようなクラウドの場合は、Amazonが管理している地球上のどこかにあるハードウェアに、データを預けることになる。

どちらが優れているかについては、この20年ほど議論が続いてきた。一時はセキュリティを理由にクラウドを使わない方針の企業もあったが、2020年現在はかえってクラウドの方が安全と考えるエンジニアが多いため、クラウドの活用が当たり前になっている。銀行等の高度なセキュリティが求められるケースでもクラウドを選択することもある。

非機能要件で挙げた可用性や拡張性もクラウドの方が確保しやすいため、よほど特殊な事情がない限りはクラウドを選択すべきだろう。

ポイント③：複数システム間の連携

企業で使うシステムは1つではない。複数のシステムで機能を分担するし、データを受け渡しながら全体として大きな機能を果たす。例えば販売管理システムで受注や出荷を登録すると、売上仕訳のデータが作成され、会計システムに連携されて売上計上されるような流れだ。

そこで、複数のシステムがどんな役割を果たし、どうつながっているのかについて、全体像を描いて検討することになる。企業全体のシステムアーキテクチャが描けるエンジニアは一流だ（アーキテクトと呼ばれる）。したがって、作らせる人がいきなり描くのはハードルが高い。スキルがある人に図を描いてもらい、それをもとに説明を受ければ全体像をイメージしやすくなるだろう。

図表M-5は典型的なアーキテクチャの図である。左から右に、企業活動の流れ（営業からアフターサービスまで）に沿って、それぞれの業務を支えるシステムを作っていく方針がわかる。そしてシステム同士が矢印で結ばれているのは、データが受け渡されることを示している。

木造かコンクリート製かといった工法で、住宅の性能がある程度決まってしまうのと同じように、ITシステムもこの図に描かれたようなアーキテクチャで、寿命や使い続けるコストなどの非機能要求がかなり決まってしまう。

図表M-5 ｜ システム間の連携図

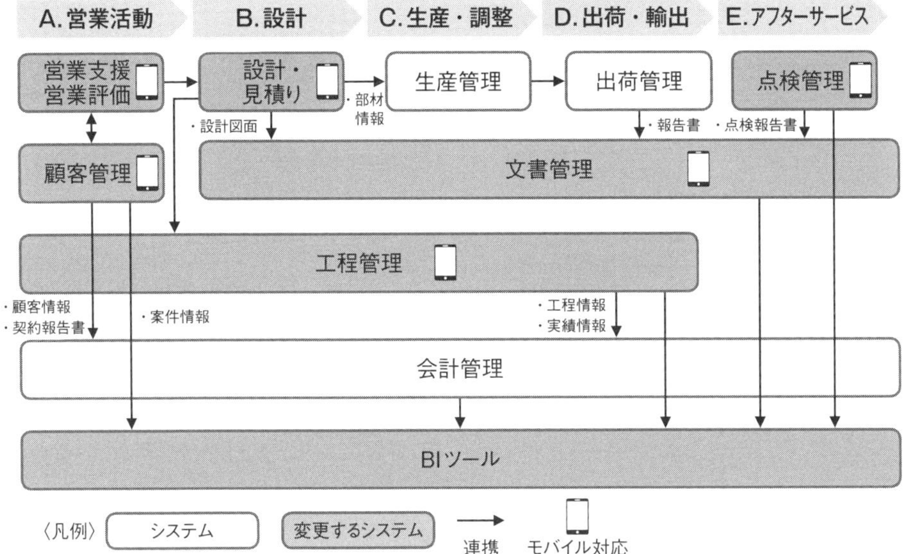

例えば「顧客情報」「商品情報」のような鍵となる情報が様々なシステムに分散されていて、どれが正しいのかよくわからない状態はよくあるが、これもアーキテクチャが整理されていないために起きていることだ。ITの診断をした結果、あまりにアーキテクチャが良くないので土台から作り直さなければならないケースも多い。

アーキテクチャはエンジニアの腕がものをいう検討だし、長年にわたってコストや品質に影響を及ぼすので、(多少高くても) しっかりしたITエンジニアに依頼すべきだ。

PEW（パートナー選定）

Concept Framing（ゴール明確化） → Assessment（現状調査／分析） → Business Model（構想策定） → Scope（要求定義） → **PEW（パートナー／製品選定）** → BPP（プロト検証） → Design（設計） → Deployment（開発・テスト） → Rollout（導入）

リンゴとリンゴを比較しないと、意味ないのでは？

パッケージやベンダーを選ぶ

30年前とは異なり、一からプログラミングしてシステムを作ること（スクラッチ開発と呼ぶ）はほとんどなくなった。汎用パッケージソフト（ソリューションとも呼ばれる）を使ったほうが安く良いものが作れるからだ。

Twitterや楽天市場のような、今まで世の中になかったITサービスを作るプロジェクトを除くと、経理や在庫管理のような基幹業務はもちろん、ナレッジマネジメントや社員コミュニケーション、顧客管理にいたるまで、ありとあらゆる業務向けのパッケージが存在している。

もちろんパッケージなら何でも良いという訳ではない。発売されている中から、自社に合い、妥当な価格のパッケージを選ばなければならない。これをパッケージ選定と呼ぶ。

そして、ベンダー選定もこのタイミングで行う。システムを100%自社で作る企業はいまでは少数派であり、社外のITベンダーに発注することが多い。もちろんどこの会社でも良いという訳ではなく、ソフトウェアエンジニアリングの能力が高く、活用するパッケージに詳しく、値段が妥当なベンダーを選ぶ必要がある。

私たちケンブリッジは、これらパッケージやベンダーを選ぶ工程を英語でPEWと呼んでいる。Partner Evaluation Workshopの略だ。

なお、パッケージとベンダーの選び方には2つのパターンがある。

a）パッケージを選んでから、そのパッケージを得意とするベンダーを選ぶ

b）ベンダーを選ぶ。パッケージはベンダーに提案してもらう

ここではb）を念頭に説明する。近年はパッケージ選定というよりも、プロジェクトをともに歩むパートナー≒ベンダーを選ぶ意味合いが強くなってきたためだ（余談だが、PEWというフェーズ名も以前はPackage Evaluation Workshopの略だったが、Partner Evaluation Workshopに変更した）。

なお、a）のパターンでプロジェクトを進める場合は、本書で説明するステップのうち、まずパッケージ選定に関することだけを行い、次にベンダー選定を改めて実施することになる。

パッケージを活用することのメリット／デメリット

パッケージソフトを使った開発は、住宅で言えばプレハブ工法のようなもの。大工さんが柱を削るところから始めるのに比べて、安く早くできるなど、メリットは多い。

メリット

・費用が安くなる
・期間が短くなる
・不具合が少ない（もちろんゼロにはならない）
・最新の技術を取り入れることができる（AIを使ったリコメンド機能など）
・稼働後の法律改正などに対応しやすい
・同じパッケージを使っている他社と情報交換できる

もちろん良いことばかりではなく、デメリットもある。

デメリット

・パッケージベンダーにずっとライセンス費用を払い続ける必要がある（ベンダーロックインと呼ばれる）
・自社の業務に合わない場合、工夫や我慢が必要
・業務に合わない場合に手作りで機能を追加すると、かえって高く付く
・パッケージがバージョンアップする際に再度テストが必要となったり、契約によってはライセンスを買い直す必要がある

ベンダー選定の13ステップ

ベンダー選定のポイントは「2段階選抜」である。

世の中にパッケージは無数にある。対象とする業務が数多くあるのに加え、大企業向け／中堅向け／零細企業向け、買い切り型／SaaS型、グローバル企業向け／国内限定など、多くの種別がある。ベンダーも同様に無数に存在している。

したがって全てのパッケージやベンダーの情報を集め、話を詳細に聞い

図表-1 ▌2段階選抜

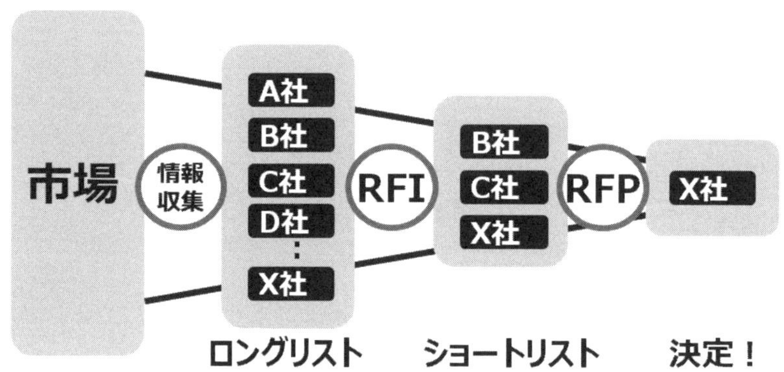

ていては、プロジェクトがいつまでたっても終わらない。そこでまずは「ロングリスト」を作り、そこから公開情報をもとに1次選定で3社程度まで絞り込む。

1次選定を通過したベンダーに対してはぐっと距離を縮め、パッケージ機能やシステム構築方針について詳細なヒアリングをしたり、パッケージのデモを依頼する。概算価格を見積ってもらい、プロジェクト予算におさまるかをチェックする。

機能要求と同様、ベンダー選定においてもプロセスと評価結果を透明にし、プロジェクト関係者（特に構築後にシステムを使うユーザー）を巻き込みながら意思決定することが重要となる。選定に納得しなければ、構築や運用に協力してくれないからだ。

以下がベンダーやパッケージを選ぶ13のステップである。以降、3章にわたって順に説明する。

N章：パートナーの1次選定

①ロングリスト作成
②評価基準設定（1次選定用）
③RFI（Request For Information）
④1次選定

O章：提案を依頼する

⑤複数パートナーの組み合わせ検討
⑥評価基準設定（2次選定用）
⑦RFP（Request For Proposal）
⑧Q&A対応
⑨Fit & Gap
⑩デモ実施

P章：パートナーを決定する

⑪投資額シミュレーション
⑫評価表作成
⑬最終選定

Column

なぜベンダー選定／パッケージ選定は難しい？

私たちは顧客とともに何度もベンダー選定、パッケージ選定をしているが、毎回コアメンバー内で激論になる。このコラムではその難しさをざっと紹介しておこう。これから説明する選定の13ステップは、これらの難しさをなんとか回避するために練られた方法論である。

困難①パッケージ機能だけを見てはダメ

パッケージ選定にあたり、「こんな機能が充実している」「これで業務が楽になるのでは」「画面が見やすい」と、機能の有無を熱心に調べる方が多い。だがベンダーのプロジェクト遂行能力や保守体制、セキュリティ面など、多様な観点で調査する必要がある。

困難②本当のことが見えにくい

ベンダーも商売なので、強みをアピールし、弱みをわざわざ言うことはない。また、多くの情報の中から、「我が社の意思決定にとって大事な情報」を見極めるのが難しい。

これから解説するPEWのステップも、情報をあの手この手で入手し、意思決定しやすいように整理していく過程と言っても良い。

困難③独断ではなく、巻き込みと合意形成が大事

普段の買い物とは違い、付き合うベンダーやパッケージの選定は影響を受ける人が多い。選定に納得がいかないと、システム構築中や稼働してから「なんでこんなの選んだんだ！」と不満が爆発する。

だから今後影響を受ける人をなるべく巻き込んだ上で、皆が納得する決定を目指さなければならない。当然かなり難しい。キーワードは「プロセスの透明性」だ。

困難④必ず予算オーバーする

やりたいことをベンダー数社に提示し、見積もりしてもらうと、ほとんどのケースで当初考えていた予算をオーバーする。もちろん最初に出てきた数字は粗いし、無駄な機能や無駄な作業も含まれているので、精査しながらなんとか縮めていくのだが、苦しい作業となる。

困難⑤ベンダーの売り手市場？

10年、15年ほど前は、大型プロジェクトの提案依頼をすると、全てのベンダーが熱心に提案をしてくれた。だがここ数年は、どのベンダーも忙しいようだ。提案に向けて本気になってもらうための丁寧なコミュニケーションが必要になってきた。いずれ、提案してもらうだけでベンダーにお金を払う時代が来るかもしれない。

N章 パートナーの1次選定

この章のレッスン

- 世の中に無数にあるパッケージやベンダーのなかから、提案依頼をする3社ほどに絞り込む作業を1次選定と呼ぶ。いわば予選にあたる
- 1次選定の対象企業は数も多いため、手に入りやすい情報で自分たちがやりたいことにフィットしているかを判断しなければならない

ステップ①ロングリスト作成

ベンダー選定のステップでまず行うことは、今回対象としているシステムを構築・提供できるベンダーを広く洗い出すことだ。情報源はネット、これまでの付き合い、人脈、業界紙、関連セミナーなど、なんでもよい。

ロングリストを作成する時は、「これはどうせウチの会社には合わないな」などと一切考えず、ひたすらリストアップする。少しでも可能性があ

図表N-1 ロングリストの例

		大企業向けパッケージ（年商500億以上）	中小企業向けパッケージ（年商500億未満）
国内ベンダー	オンプレミス	• 国内 A社 • 国内 B社 • 国内 C社	• 国内 F社 • 国内 G社
	クラウド	• 国内 D社 • 国内 E社	（該当なし）
海外ベンダー	オンプレミス	• 海外 H社 • 海外 I社	• 海外 L社
	クラウド	• 海外 J社 • 海外 K社	• 海外 M社

る会社は対象となる。少なくとも10～20社程度は抽出しておく。

数を出すだけでなく、バリエーションの豊富さも重要だ。この段階では選択肢を広げておくためにも、国内／海外、大規模向け／中規模向け、など複数の観点でベンダーを洗い出そう。

洗い出したベンダーについては、ロングリストとして簡単に情報をまとめておく。これは各製品の特徴を押さえるためでもあり、このあと各ベンダーへのコンタクト状況を管理するためでもある。記載しておく情報としては製品特徴や導入実績、連絡先などだ。

図表N-2 ｜ パッケージ情報のまとめ例

No.	1	2	3
パッケージ種別	統合パッケージ	統合パッケージ	MESのみ
パッケージ名	パッケージ製品A	パッケージ製品 B	パッケージ製品 C
会社名	aaa社	bbb社	ccc社
会社HP	http://www.xxx.com/	http://www.xxx.com/	http://www.xxx.com/
製品特徴	・グローバル対応のWeb型業務システム（多言語、多通貨対応） ・機能仕様、ソースプログラム、DB情報を公開し、開発フレームワークも提供	・製造業のプランニングを統合的に管理 ・中堅製造業向けNo.1のシェア ・中堅企業向けに最適化した機能や、一貫した製造業務管理の実現を支援	・EXCELライクな入力操作、長期・中期・短期計画のマスタを一元化 ・立案した計画データを経営層から現場まで表示
導入実績企業名	製造業D社、旅行会社E社	化学メーカーF社	AV機器メーカーG社、精密機器メーカーH社
動作環境	オンプレミス	クラウド	オンプレミス
導入費用	最低価格　XXX万円～	5クライアントXXX円	※情報なし
連絡先・窓口	TEL：XX-XXXX-XXXX	担当者T氏（080-XXX-XXXX）	HP上で問い合わせ
備考		関連記事：雑誌XXの特集に掲載	

グローバル対応／Web対応や言語対応状況（日本語、英語、中国語に対応しているか？）なども付属情報として記載しておく。

Column

ロングリストになるべくたくさん載せる理由

「自社にはどうせ合わないな」などと思わず、とにかく多くのパッケージをリストアップした方が良い理由は、網羅性を担保したいからだ。リストに載せるだけならば大きな工数はかからない。

ベンダー選定、パッケージ選定のステップが進んでから、プロジェクトのコアメンバー以外から「そういえば、あのベンダー／パッケージは検討したのか？　評判がよいけど？」と横やりが入ることは多い。

ロングリストに様々なベンダーやパッケージが載せてあれば、「それであれば、リストアップして検討しました。その結果、こういう理由で落としたのです」と説明できる。

最悪なのは、最後に経営会議で承認をもらう時に「〇〇というパッケージが良いと経営者仲間から聞いたのだが……」などと言われることだ。最初のリストに載っていないと情報がなく、良し悪しがその場で判断できない。「また調べてから出直します」になってしまう。

以前のプロジェクトではそうならないために、社長から言われた「オレの知り合いでこんなベンダーがあるんだけど」みたいな選択肢も含め、全てをリストアップした。誰もが「いや、今回のプロジェクト、その会社には手に負えないでしょう」と思っていたのだが……。

ステップ②評価基準設定（1次選定用）

FMのセルを取捨選択する際に優先順位の基準を決めたように、ベンダーやパッケージを選ぶ時も基準を決める。それも、実際に提案を受けてから基準を決めるのではなく、まっさらな状態で「自分たちにとって、本当に大事なのはなにか？」を議論し、決めておいたほうが良い。実際にかっこいい製品デモを見せられたり、爽やかな営業さんのプレゼンテーションを聞いてからでは、どうしても印象に引きずられやすいからだ。

1次選定での評価基準

評価基準A）必須条件を満たしているか
評価基準B）概算費用
評価基準C）機能カバー範囲（概要レベル）
評価基準D）企業評価

2次選定での評価基準（〇章参照）

評価基準E）機能の実現性（FMレベル）
評価基準F）非機能要求の実現性
評価基準G）柔軟性、操作性
評価基準H）プロジェクト体制／技術力
評価基準Ｉ）イニシャルコスト・ランニングコスト

1次評価の4つの評価基準

1次評価の段階では得られる情報も限られ、評価対象のベンダー数も多いため、ざっくり選定の網をかける。その際には下記の4つの項目で評価することが多い。

評価基準A）必須条件を満たしているか

「この条件を満たしていない場合は選択しない」という強い制約条件であ

る。英語でノックアウトファクターと呼ぶこともある。いくつか具体例を挙げておこう。

- 厳しいセキュリティ要件を全社的に定めている企業では、それを満たすことが確認できないパッケージは、2次選定には進めなかった
- 今後グローバルへの進出を最重要戦略としている企業では、経理パッケージを選択する際、国産パッケージは全て1次選定で落とした
- データの一元管理をコンセプトに掲げたあるプロジェクトでは、購買・販売・在庫管理の各領域を1つのパッケージでカバーすることを必須とした

評価基準B）概算費用

どんなに素晴らしいパッケージや信頼できるベンダーであっても、投資額が大きすぎる場合は選定できない。投資が大きすぎるというのは、単純にその時の経営状況からキャッシュアウトの上限額が決まっている場合もあるし、プロジェクトで得られる利益と比較して、「その額を投資してもモトが取れない」というケースもある。

もちろんこの時点で確実な投資額は見積もれない。この時点ではベンダーもプロジェクトについての詳細な情報を得ていないので正確な見積は提示できないためだ。だが、桁（1000万か1億か10億か）はわかるものだ。大企業向けパッケージと中小企業向けパッケージでは、プロジェクト総コストが1桁違うことはザラにある。ベンダーも過去の同規模プロジェクトの費用感であれば提示してくれることが多い。

評価基準C）機能カバー範囲（概要レベル）

詳細な機能分析は後のステップでやるのだが、この時点でも、今回の対象範囲をどれだけカバーしているのかをざっと評価する必要がある。販売、購買、在庫管理……など、対象範囲が広いプロジェクトの場合、全てを1ベンダーでカバーしているとは限らない。

「この領域は全く提供できません」と回答してくるベンダーもある。その場合、1次選定で選定外とするか、他社と組み合わせる前提で2次選定に進めるかの判断が必要だ。

組み合わせる場合の考え方は次章「ステップ⑤複数パートナーの組み合わせ検討」にて説明する。

評価基準D）企業評価

Partner Evaluation Workshopという名の通り、ベンダーやパッケージの選定は、今後10年15年と付き合うパートナーを決めることと同義だ。システム稼動後も付き合いは続くため、安定した関係を築きたい。

だが、提供する機能が魅力的なのに企業としては実績が少なかったり、財務的に不安があるケースもある。こういった会社を選択するのはリスクがある。そのため、企業自体の評価もこの時点で加えておく。

なお海外企業が提供するパッケージの場合、日本市場から撤退するリスクや、買収されてそのパッケージへの投資がストップするなど、ドラスティックな変化がありえる。2000年ごろはアメリカのITバブルが崩壊した影響で、こういったことが多くあった。最近のSaaSについてはグローバルでのサービス提供が前提なので、あまり気にしすぎなくてもよいだろう。

以上4つが代表的な評価基準だ。他にもプロジェクトゴールや会社特有の事情（IT部門が脆弱なため、万全のサポート体制が必要など）を考慮して決めてほしい。

ステップ③RFI（Request For Information）

ロングリストで対象のベンダーを洗い出し、1次評価の基準が決まったら、ベンダーに対してRFI（情報提供依頼書）を提示する。

後のステップのRFP（Request For Proposal）程ではないが、RFIに回答するのもベンダーに作業を強いることになる。彼らに本気になってもらうためにも、企業やプロジェクトについての最低限の情報は、こちらから提示する必要がある。

この時点で提供する情報や、求める回答が細かくなりすぎると、ベンダー数も多いためコミュニケーションに時間がかかりすぎるし、ベンダーにとっても負担が大きくなる。そのため適度な「ざっくりさ」が鍵となる。私たちケンブリッジが作成する場合、パワーポイントで15ページ程度にする（最大でも30ページ）。

主なRFIの掲載項目としては以下の5つが挙げられる。

図表N-3 ‖ RFI掲載項目

No.	項目	内容
1	プロジェクト概要	会社概要、プロジェクト概要、システム化範囲
2	現行調査結果	現行業務の概要、現行システム構成、主要課題と改善施策
3	システムへの要求	将来システム構想、システムに期待する主な機能
4	提供依頼情報	会社概要、導入実績・規模、ソリューション概要と優位性、課題・改善施策に対する提案、提供可能サービス・体制、概算見積りと前提条件
5	通則	回答の形式・期日、質問方法・回答期限、選定結果通知と選考後のアプローチ

1. プロジェクト概要

「事業内容」「主要製品」「従業員数」などの会社概要から、プロジェクト発足の背景・目的など情報提供を依頼する前提の情報を掲載する。特に情報提供依頼をするにあたり、「どの業務のシステム化を対象としているのか」は明示しよう。

以下は基幹システム刷新プロジェクトの例だ。ここでは販売・購買・在庫のみを対象とし、生産や買掛・売掛管理は対象外としている。「基幹シ

図表N-4 ‖ 対象範囲の例

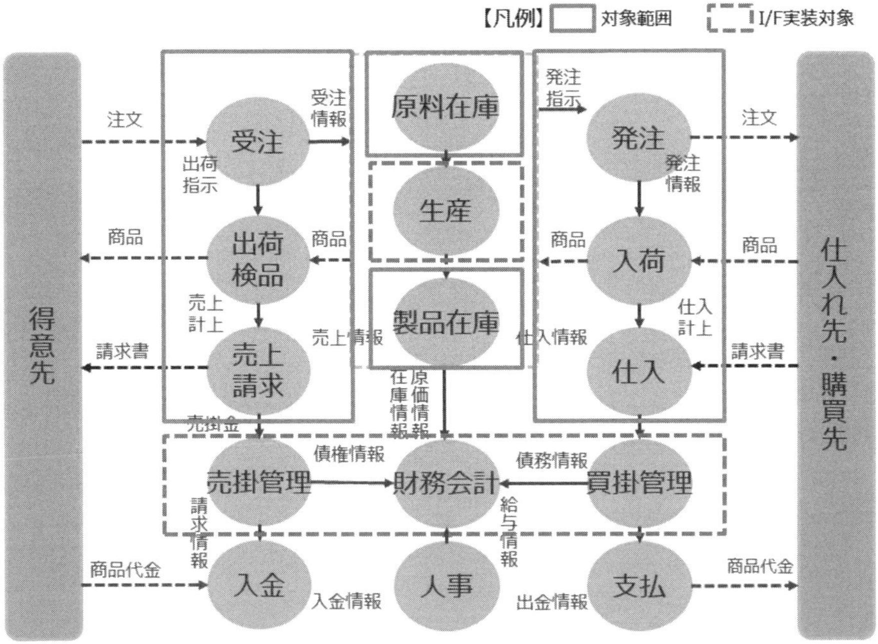

ステム」など名称だけで済ませず、このような形でシステムの対象範囲についてベンダーと認識を合わせよう。

2. 現行調査結果

現行業務の概要や現行システム構成、主要課題と改善施策などを掲載する。記載内容は要求定義の前に行っている調査や施策の検討結果を利用する。

この時点では時間をかけずに回答をしてほしいので、調査結果を全て掲載する必要はない。現行調査の結果浮き彫りになった「このプロジェクトで解決したい課題」「重要施策」が数枚にまとまっていればよい。

3. システムへの要求

将来システム構想やシステムに期待する主な機能、評価項目で挙げた必須条件・制約条件を、粗い表現で構わないので掲載する。

下記は現行調査の結果、各業務領域でシステムに期待することを簡単にまとめたものだが、このような1、2枚程度の資料で十分だ。この時点で

図表N-5 ｜ システム要求の例

業務領域	システム要求
（全体）	・需要予測から生産、販売、出荷までのデータが一気通貫であること ・関連会社が同一システムを、データは個社毎に分けて利用できること
C24・引合い・問合せ	・仕様を選択することで、最適な製品を選定できること
見積	・設計BOM、製造BOM、調達BOMが独立して編集可能、かつシームレスに連携できること ・製造BOMは、工場別にBOMを保持できること
受注	・プロジェクトと受注の紐付けを行い、プロジェクト単位での採算管理を行えること
生産計画	・生産量、販売量（需要予測）、在庫量の数値が一目で分かり、生産予測に活用できること
購買	・原材料、仕入品、副資材など、それぞれ購買範囲により担当者を振り分けられること ・購買先への発注はEDI/Web対応ができること
生産	・設計変更時などBOMや生産工程が変わる際は、版数管理を行い、製作命令への反映を版単位で管理できること ・タブレットをベースに生産実績を収集でき、生産計画のマスタである生産L/Tに実績値をフィードバックできること
出荷・サービス	

は、どんなことをやろうとしているプロジェクトなのかを伝えるのが目的だからだ。

4. 提供依頼情報

1次選定評価基準に沿って、ベンダー側にどんな情報を提示してほしいかを記載する。箇条書きや文書で依頼するよりも、回答フォーマットを準備した方がよい。確実に情報が集まるし、複数ベンダーを横並びに比較・評価しやすくなる。

先ほどと同じ基幹システム刷新プロジェクトでは、以下のような情報提供依頼と回答フォーマットを準備した。

①会社概要：ベンダー側の会社情報と、今後やり取りする担当者の情報

②推奨する組み合わせ：システムの各領域にどんなパッケージを組み合わせるのかを明示してもらう

③製品情報：②で推奨したパッケージについて、機能や拡張性、構築手法や開発言語について記載してもらう

④事例・実績：代表的な導入実績。特に自社と事業規模や対象業務が近い事例を記載してもらう（販売管理システムの提案なのに、生産管理

図表N-6 ║ 推奨の製品・組み合わせ

下記領域ごとに、貴社が推奨する製品／パッケージの組み合わせをご紹介ください。
推奨製品が複数あれば、それぞれの製品をご紹介ください。

販売	在庫/物流	生産	購買	ワークフロー	BI

図表N-7 ║ 製品情報

情報提供依頼の内容	貴社ご回答欄
製品名	
実装機能（機能一覧、および機能概要）	
本件に適合する製品のバージョン	
製品/サービスの競合優位性、差別化のポイント	
製品固有の開発言語の有無	
機能拡張の自由度・難易度について、以下のうち該当するものをお知らせください ①画面や帳票のユーザーインターフェースレベルであれば変更可能 （項目名変更、項目表示位置変更など） ②標準機能カスタマイズにより機能拡張可能 （ある程度機能が部品化されており、組み合わせで機能実装できる） ③アドオンしなければ機能拡張できない ④機能拡張できない	

図表N-8 ‖ 導入実績

情報提供依頼の内容	貴社ご回答欄
企業名（公開可能な場合）	
業種	
システムの対象業務範囲	
ユーザー数	
導入期間 ※ 設計、開発、テストなど、フェーズ単位の期間 ※ 設計から本番稼動開始までの期間もお知らせください	

図表N-9 ‖ 概算費用

情報提供依頼の内容	貴社ご回答欄
貴社に構築・導入を依頼した場合の構築・導入の概算費用・期間	
製品のライセンス形態とライセンス費用	
弊社で保守を行う前提とした場合、バージョンアップ、問い合わせなど、保守における何らかの費用発生の有無と、その内容	

領域での実績をしれっと書いてくるようなベンダーもあるので……）

⑤概算費用：イニシャル・ランニング含めた現段階で見積もれる概算費用

⑥必須条件・制約の実現可否：RFIで示した必須条件や制約条件に対して、実現可否を回答してもらう。それらの裏付けとなる資料があれば、添付してもらう。

5. 通則

回答の形式・期日、質問方法・回答期限、選定結果通知と選考後のすすめ方を記載する。

ステップ④1次選定

ベンダーからのRFI回答が出揃った段階で、評価基準に沿って評価を行い、この時点で3～4社程度に絞り込む。

この段階になると、「RFIでの情報だけでは決められない。もっと多くのベンダーを残して、2次選定で情報を集めてから決めたい」という意見がたいてい出る。

だが2次選定では、深く調査したり、ベンダーとの議論を通じてベストな提案にしてもらう。つまり1社にかける時間が1次選定よりも圧倒的に多く必要だ。5社も6社も2次選定に進んでしまうと、どうしても1社あたりにかける時間が減ってしまう。したがって3社程度に絞ることが多い。

1次選定での主な評価基準をもう一度思い出そう。

・必須条件を満たしているか

・概算費用

・機能カバー範囲（概要レベル）

・企業評価

「必須条件を満たしているか」はノックアウトファクターなので、引っかかるベンダーがあれば落選させる。

残りの基準はできれば点数化し、評価結果を合計して上位数社を選定していく。あるプロジェクトの1次選定結果を表した図表N-10を見てほしい。この時は「必須条件・制約条件の実現有無」「費用感」については、条件を満たさないベンダーを選定対象から除外した。

その上で、「機能カバー範囲」と「企業信頼性」は点数化して比較した。結果、上位4社が他社よりも抜きん出ていたため、この4社を2次選定の対象とした。このように基準を設け数値化することで、納得性高い選定、関わっていない人に説明しやすい選定となる。

図表N-10 ‖ 1次選定結果

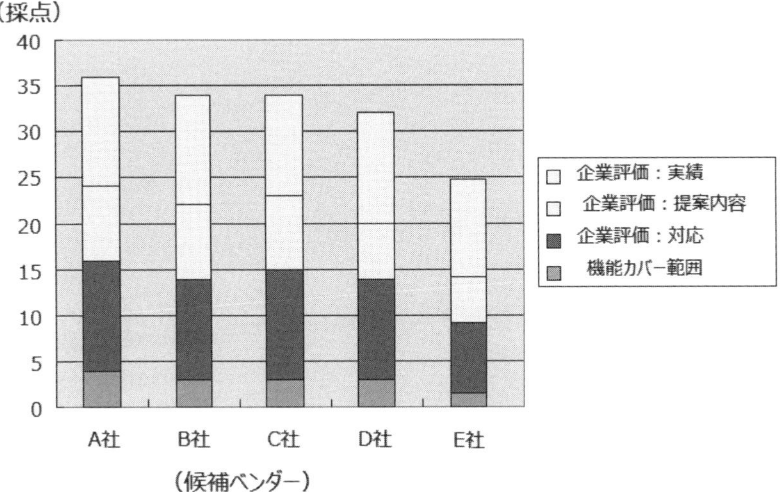

応用 辞退されて慌てないように！

10年ほど前は考えられなかったことだが、近年は1次選定で選んだベンダーに辞退されるケースがある。各社の棲み分けが進み、より得意な案件に注力するようになったのだろう。良いことだ。

だが3社まで絞り込んだベンダーの2社に辞退されたら、比較選定にならないし、価格交渉力もなくなる。結構困った事態だ。

したがって落選したベンダーにそれを通知する前に、選定したベンダーに対しては「2次選定できちんと対応してくれるか？」の確認をとっておこう。

提案を依頼する

この章のレッスン

- RFP（提案依頼書）を作成し、1次選定を通過したベンダーから詳細な提案を受ける
- 後悔しないよう、多面的に検討し、すべての関係者が納得行く決定を心がけよう

ステップ⑤複数パートナーの組み合わせ検討

このステップは実施しないケースもある。少し応用編のような内容なので、事例に沿って説明していこう。

あるプロジェクトでベンダー各社からRFIを受け取った結果、悩ましい構図が見えてきた。プロジェクトの対象業務が広く、1社で全ての領域をカバーできるベンダーが少なかったのだ。

全領域をカバーできるベンダーもあったのだが、弱い領域があった。つまり生産管理が強いベンダーは会計が弱い。会計が強いベンダーは生産管理が弱い、といった状況だ。はっきりと「この領域は提案できません」と言ってくるベンダーもあった。

散々検討した上で、領域ごとに得意なベンダーに担当してもらうことを

図表O-1 ベンダーごとの機能カバー範囲

	販売	在庫 / 物流	生産	購買	ワークフロー	BI
ベンダー A社	パッケージ①					
ベンダー B社	パッケージ②	なし	パッケージ②		なし	
ベンダー C社	パッケージ③		パッケージ④	パッケージ③：アドオン開発あり	パッケージ⑤	パッケージ⑥

対象範囲をカバーしているかだけでなく、
どんな組み合わせを想定しているかも評価する

前提とした選定方法に切り替えた。こういった「いいとこ取り」をベスト・オブ・ブリード（Best of Breed）と呼ぶ。

Best of Breedのメリットは各社の得意領域をうまく組み合わせるので、安くてよいシステムができることだ。

だが大きなデメリットもある。1社に全てを任せるのと違い、ベンダー間の調整が発注者の仕事になることだ。ベンダー同士で仕事の仕方や用語がバラバラなことが多く、プロジェクト管理は複雑になる。特にプロジェクトではそういったつなぎ部分で頻繁にトラブルが起こるので、プロジェクトリスクも大きくなる。

迷った場合は「自社およびベンダーの総合的なシステム構築能力に自信があればBest of Breedを選んでも構わないが、自信がなければすべてを1本のパッケージや1社のベンダーでまかなえる方が安全」という経験則を目安にしてほしい。

このプロジェクトの場合は、顧客の代わりに私たちがプロジェクト管理を行うことで、複数ベンダーのプロジェクトを乗り切ることにした。

2次選定に進んでもらうベンダーには、システムの一部だけを担当してもらう可能性を伝えた。見積を領域ごとに分けて提示してもらうためだ。1社でシステム構築全体を担えないことを嫌うベンダーもあるが、事前に

図表O-2 ｜ 複数ベンダー組み合わせの例

<組み合わせ別評価>

#	評価領域	パターン1		パターン2		パターン3		パターン4	
		評価	ベンダー	評価	ベンダー	評価	ベンダー	評価	ベンダー
1	販売・物流	△	A社	○	B社	○	C社	○	B社
2	人事・勤怠・給与	◎	E社	○	B社	△	C社	○	B社
3	生産管理	○	A社	◎	C社	◎	C社	○	D社
4	MES	◎	A社	◎	A社	◎	A社	○	D社
5	その他	△	A社	○	B社　C社	○	C社	○	D社
リスク		×	・見積り費用上振れの可能性が非常に高い ・社内リソースが不足する提案内容	△	・ベンダー、パッケージが分かれるため、社内側で全体整合を担保する必要がある	△	・SCM領域のベンダー、パッケージが分かれるため、社内側で全体整合を担保する必要がある	×	・D社プロジェクト運営に大きな不安がある ・見積り費用上振れの可能性が非常に高い
メリット		・販売-製造-物流は一気通貫となる		・評価が高い領域の組み合わせ ・将来要件を概ね実現できる		・SCM領域が強い ・これまでの付き合いとしての信頼感がある		・費用がもっとも安い ・将来要件を概ね実現できる	
デメリット		・機能面で足りない部分が多く、システム化できない現行業務が残る		・購買が副資材と原材料で別システムになる		・販売、人事の機能面で足りない部分が多く、システム化できない現行業務が残る		・2.と比較すると機能実現性に劣る	
概算費用（初期）		(単位：千円) XXX		XXX		XXX		XXX	

こちらの事情を説明していたので、大きな反対はなかった。

領域ごとに最適なベンダーを選び、各社とマスタースケジュールについて議論した結果、販売領域、人事領域、生産管理領域と、段階的に導入することにした。プロジェクトは複雑になり管理や調整に苦労はしたものの、4年後には各領域すべてをシステム化することに成功した。

ステップ⑥評価基準設定（2次選定用）

1次選定と同様、2次選定でも選定の基準をあらかじめ決めておく。2次評価はデモを見たり、ベンダーから自社のための提案をしてもらった後なので、「自分たちがやりたいことにフィットしているか？」という観点で評価する。

評価基準E）機能の実現性（FMレベル）

ベンダー選定の時点で、機能要求がFMにまとまっている。ベンダーが提案するパッケージがどの程度機能要求を満たすのかをFMを使ってチェックする。FMで優先順位が高い機能の90%を提供してくれるパッケージの方が、60%しか提供しないパッケージよりも当然評価は高い。

標準機能で提供していない機能は諦めるか、手作りで補完することになる（アドオンと呼ばれる）。アドオンは費用がかさむだけでなく、将来パッケージがバージョンアップする際にベンダーが動作保証してくれない。したがってバージョンアップの度に費用がかかる。将来ほぼ確実に必要な費用なので、簿外債務を抱えるようなものだ。

評価基準F）非機能要求の実現性

これも「機能の実現性」と同様、事前に定義した非機能要求に対しての適合率が評価基準となる。要求を多く満たしていた方が評価が高いのは当然だが、機能要求とは違って「セキュリティが担保できない」など、1項目がノックアウトファクターになるケースもある。

評価基準G）柔軟性、操作性

パッケージの良し悪しは「機能を満たしているか？」だけでは決まらない。長く使うものなので、利便性や操作性も重視したい。特に日本企業では経営よりも現場の作業者の声が強く、「使い勝手の良さ」は重視される(プロジェクトゴールに直結しにくいので、私個人は使い勝手を過度に重視すべきではないと考えているが……)。

また、「カスタマイズしていない機能では微妙にやりたいことが実現できないとき、パッケージを工夫して使うことで実現できるか？」も重要な観点になる。やりたいことを100%満たしているパッケージは通常存在しないからだ。

こういった柔軟性や操作性はパッケージの機能一覧を眺めているだけでは、わからない。デモで確認するしかない。このため、かならずそういった「カスタマイズをやって見せてもらう」というデモシナリオも用意する(後述)。

評価基準H)プロジェクト体制／技術力

いくらパッケージが魅力的でも、導入に関わるエンジニアの技術力が低くてきちんと完成できなければ、なんの意味もない。したがってベンダー側のプロジェクトマネージャーや主任エンジニア、彼らを支える会社のバックアップの厚さなども非常に重要な評価基準となる。デモや製品説明の際に答えづらい質問をしたり、プロジェクトの進め方について議論するなかで相手の実力を見極める必要がある。

なお、付き合うベンダーを選ぶ際、「信頼できるか」「同志となれそうか？」といった肌感覚を重視する場合もある。プロジェクトはきれいごとでは済まない、泥臭い活動だ。ベンダー選定とは、長く付き合うパートナーを選ぶお見合いみたいなもの。「人と人の相性」「会社同士のカルチャーが合うか」は意外と重要だ。

評価基準I)イニシャルコスト・ランニングコスト

システムを導入・構築する人件費や、サーバーやインフラ、ネットワーク費用など、何かとお金がかかる。稼動までにかかるすべての費用をイニシャルコストとして概算する。

さらに、その後運用・保守する上での費用（ランニングコスト）も必要となる。「パッケージ保守ライセンス」といって、使い続ける限り支払いが必要である。

どのベンダーを選択するかにより、キャッシュアウトの仕方はかなり変わってくるので、投資額シミュレーション（P章にて述べる）を行い、ベンダー選定の材料とする。

1次選定の時は「以前5000人の企業に導入した時は3億円でした」程度の情報から類推した概算費用を判断材料とせざるを得なかったが、2次選定の際は少数のベンダーに対して、こちらの作りたいものをきちんと説明しているので、ずっと確からしい見積を提示されるはずだ。

ステップ⑦RFP（Request For Proposal）

いよいよベンダーに対して、詳細な提案を依頼する。1次選定を勝ち抜いたベンダーに対しては、速やかにその旨を伝え、2次選定のスケジュールや進め方を説明する。同じタイミングであらかじめ用意しておいたRFP（Request For Proposal。提案依頼書）を提示する。

RFPに記載すること

1次選定で提示したRFIとは異なり、RFPには「このプロジェクトでなにを成し遂げたいか？」「どんなシステムが必要か？」をより詳細に記載する。なぜなら、家電量販店で既製品であるテレビを買ってくるのとは違い、システムはユーザーとベンダーが共同で作っていくオーダーメイドの商品だからだ。ベンダーに良い提案と、ブレが小さな見積をしてもらうことが鍵となる。

前章で「RFIは15ページ程度が理想」と書いたが、RFPの場合はFMなどを参考資料として添付するため、100～300ページになる。RFPのために新たに作成する資料はほとんどなく、これまで検討してきたことを社外の人にもわかりやすくまとめるだけだが、ページ数が多いので作成にも時間がかかる。

RFPに掲載すべき一般的な項目は以下の7つである。

1.プロジェクト概要

会社概要と、プロジェクト発足の背景・目的など。RFIと同じ内容で構わない。

図表O-3 ‖ RFP掲載項目

No.	項目	内容
1	プロジェクト概要	会社概要、プロジェクト概要、現行システム構成、主要課題と改善施策
2	システム機能要求	ToBe業務プロセス、ToBe機能要求、ToBe非機能要求
3	移行方針	業務移行方針、システム移行方針
4	前提・制約	データ保存期間・ボリューム、システム利用ユーザー数、システム保守・運用
5	提案依頼内容	提案書記述内容
6	見積	回答様式および見積前提条件、見積の提示パターン、見積り内容
7	通則	回答の形式・期日、質問方法・回答期限、選考結果通知と選考後のアプローチ

2. システム機能要求

RFIでは、ざっくりとしたシステムの範囲のみを示したが、RFPではFM・FSを提示して、要望する機能を具体的にベンダーに知らせる。ベンダーはこれを見ながら、想定していたパッケージで対応できるのか、別のパッケージと組み合わせるのか、機能の追加開発が必要かを検討することになる。

3. 移行方針

機能を作るだけでなく、旧システムから新システムへのデータ移行やシステムの切り替え作業もプロジェクトの大切な要素である。これらは発注者側で担当するケースもあるため、ベンダーに依頼する範囲（役割分担）を提示する。データ移行についてはW章で説明する。

4. 前提・制約

ベンダーが提案する上で必要な情報を掲載する。特にイニシャルコスト、ランニングコストを見積もるにあたり、データのボリュームやユーザー数、保守・運用の役割・期待などが重要なインプットとなる。

5. 提案依頼内容

2次選定では、「RFPへの回答書≒ベンダーからの提案」となるため、回答書に記載してほしい情報について明示する。その内容はおおよそ先程説明した2次選定基準と同じである。選定基準によって項目は変わるが、一般的な依頼内容を掲載しておこう。

図表O-4 ‖ 提案依頼内容

No.	提案依頼内容	
1	会社情報	事業/サービス概要や直近の財務状況を含めた会社情報、提案者の部署・役職・連絡先などの情報
2	製品情報（パッケージの場合のみ）	製品名、実装機能一覧、製品／サービスの競合優位性・差別化のポイント、機能拡張の自由度・難易度
3	導入実績	会社名（公開可能な場合）、業種／システムの対象業務範囲、ユーザー数、プロジェクト実施期間、導入製品、初期導入費用
4	プロジェクト管理、開発方法論	進捗管理・コミュニケーション管理・課題リスク管理・品質管理の手法
5	プロジェクトスケジュール	ロードマップを参考とした推奨スケジュール、プロジェクト開始可能時期
6	プロジェクト体制、役割分担	プロジェクト体制・人数、PMの経歴
7	成果物	システム稼働までの想定成果物
8	システム機能要求	製品の組み合わせ／カバー範囲、システム機能要求への実現可否
9	非機能要求	非機能要求への実現可否
10	システム構成	導入ソフトウェア、導入ハードウェア、サーバの構成、運用・保守
11	移行	提示内容に対する進め方・提案
12	保守	システムに関する保守サービスの提案
13	その他	開発・運用コスト低減につながるツール、システム構築・運用手法などのソリューション、提案依頼事項全体に対する懸念事項

6. 見積

「5.提案依頼内容」の一部でもあるが、特に重要なので、見積の前提条件を別途詳しく説明する。RFPに見積前提をきちんと示しておかないと、ベンダーは各社の都合の良い前提をおいて見積を回答してくるため、後で横並びの比較がしにくくなってしまう。

特に重要なのは見積対象の範囲と、見積の粒度（どれくらい細かく金額をだしてもらうか？）なので、いくつかの観点を挙げておこう。

見積の観点①：優先する機能と優先しない機能

FMの「最優先」の機能を全て作った時の費用と、「次に優先」の機能まで作った時の費用は、別々に回答してもらうこと。予算を超えてしまった場合の減額調整のために必要となる。

見積の観点②：業務の範囲

領域ごとに複数のベンダーに分散発注する可能性があるときは、販売／購買／在庫などの業務領域ごとに分けて回答してもらう必要がある。一括の見積しか出さないベンダーや、一部しか提案できないベンダーもあるので、RFPを出す際に各社の見積方針については、書類に書くだけでなく口頭で相談するのが普通。

見積の観点③：ハード・ソフト・人件費

ハードウェアやソフトウェア、そしてそれらを設定する人件費なども、おおよそ分けて出してもらう。見積範囲について特に注意が必要なのは人件費だ。「見積に含まれる作業」と「発注側がやるべきこと」の役割分担はベンダーによってかなり違うため、RFPの回答に詳しく記載してもらう必要がある。

以上を見ればわかるように、見積は細かめに回答してもらったほうが、後でいろいろな検討がしやすくなる。一方でベンダー側にとっては、細かい見積を求められるとそれだけ作業が煩雑になる。今後良い関係を築くためにも、必要でなければ細かすぎる見積を求めるべきではない。

7. 通則

回答の形式・期日、発注者側の連絡窓口、質問方法・回答期限、デモの予定と内容、選定結果通知と選考後の手順を記載する。

RFP提示してからベンダーから回答が戻ってくるまでには、1～2ヶ月は必要となる。スケジュールの都合で無理に回答期間を短くすると、ベンダーは十分検討せずに回答をする（つまり良い提案ではない）か、提案を辞退されることもある。

ステップ⑧Q&A対応

回答の提出前にはベンダーから質問が寄せられる。よくある質問は

- ・システムのボリューム感（利用人数など）の質問
- ・社内用語など用語の確認
- ・改革施策の内容に対する問い合わせ
- ・直接、話を聞きたいなどのアポイント依頼

などだ。

回答の窓口・担当者を決めて、なるべくスピーディに回答する。ベンダーは今後プロジェクトをともにするパートナー候補だ。誠実に接するようにしよう。

2次選定においてはRFPに詳細な情報を記入しているので、それを踏まえたより深い質問となり、回答に骨が折れる場合もある。

・XX情報を管理する機能では、履歴管理は必要か？（要求・機能的な質問）
・開発フェーズでの御社業務担当者の想定関与割合と人数は？（体制や役割分担の質問）

他にも現状業務の確認やRFPへの回答形式、予算上限というような突っ込んだ質問もある。こういった質問が一切ないようなRFPを書こうとすると分厚くなりすぎてしまうので、質問対応にかなりの工数を取られることを、あらかじめ覚悟しておいたほうが良い。

Column

質問や回答は全ベンダーに公開するか？

この段階でよく話題になるのは「あるベンダーからの質問やこちらからの回答を、他のベンダーにも知らせるか？」である。

他のベンダーにも公開した方が、公平な条件で公平な比較ができるため、公開を希望する方が多い。

一方で私自身は、どちらかといえば公開しない派だ。というのは、システム構築プロジェクトにおいて、「ベンダーから適切な回答を投げ、深い議論をし、よりよい構築方法を提示できるか？」は、ベンダーが発揮すべき、重要なスキルだからだ。

つまり、ベンダーからの質問内容はベンダーのやる気や能力を測るヒントになる。RFPを読み込んでいるからこその質問はやる気のバロメーターだし、単純に質問数が多ければ、その会社の本気度がわかる。

そして「XX業界では〇〇という商習慣があるが、FMでは想定していないように見える。意図したものか、想定漏れか」という質問をするベンダーは、今回のプロジェクトでの経験が豊富な確率が高い。

ベンダー選定の段階で質問が上手で熱心なベンダーは、プロジェクトが本格化してからも良いリードを期待できる。一方で「作らせる人」からの情報を口を開けて待っているだけのベンダーは、受注後も受け身の姿勢を続ける。

皆さんはどちらをパートナーにしたいだろうか？

ステップ⑨Fit & Gap

パッケージソフトが自分たちの機能要求とどれくらい乖離があるのか？を明確にするステップだ。当然フィット率が高ければ追加機能を作る費用もかからないし、納期も短くできるので、選定基準の中でも、ベンダーが提案するパッケージのフィット率は大きなウェイトを占める。

機能の実現可否を明確にする

Fit&Gapは具体的には、FMの全てのセルの実現方法を調べ、以下のように分類する。

(a) カスタマイズなしで実現できる（そのまま使える）
(b) 設定すれば実現できる
(c) 追加開発や複雑な設定をすれば実現できる（バージョンアップ保証内）
(d) 追加開発をすれば実現できる（バージョンアップ保証外）
(e) 何らかの制約があり、このパッケージでは実現できない

同じ追加機能でも、パッケージをバージョンアップする際に、引き続き

図表O-5 ｜ Fit&Gapの結果

	機能分類	機能名	優先順位	ベンダー回答欄 実現方式
1	販売計画	取引先別月次契約計画登録	A：最優先	①標準機能
2		取引先別契約計画出力	A：最優先	①標準機能
3		月次契約計画登録・修正	A：最優先	③カスタマイズ（標準）
4		計画修正承認	A：最優先	③カスタマイズ（標準）
5		契約計画照会	A：最優先	①標準機能
6		契約計画出力	A：最優先	①標準機能
7		契約予実分析	B：次に優先	③カスタマイズ（標準）
8		契約計画連携データ作成	B：次に優先	③カスタマイズ（標準）
9	与信管理	与信チェック	C：その次に優先	①標準機能

動作することをベンダーが保証してくれる場合（c）と、動作が保証されない場合（d）を分けておくのがポイントだ。将来かかる費用が大きく異なるためだ。

構築するシステムの特徴によって、この分類方法は微妙に変えることが多い。例えばa）とb）を分けても意味がないと判断すれば、あえて区別しない。

こうして決めた分類方法をベンダーに伝え、RFPに添付したFMの各セルを、ベンダー自身によって分類してもらう（図表O-5）。

この際、発注者が推測で実現方法を決めない方が良い。パッケージの詳細はベンダーでなければわからない。ベンダーもこのタイミングでできもしないのに「標準機能で実現できます！」などと見栄を張ると、後で構築する際に責任を問われるのがわかっているので、誠実に回答してくれる。

総合評価

セルごとの実現方法が明らかになったら、「システム全体としてのフィット率はどの程度か？」を数字で表現する。一番単純な方法は「パッケージで提供されていれば1点、されていなければ0点」として合算していく方法だが、もう少し複雑な計算を行うプロジェクトが多い。

まず先程説明したように、パッケージでの実現方法には、最も望ましい方法から実現できないにいたるまで、いくつかの段階があるので、数値化

図表O-6 ‖ Fit&Gapの評価方法

1機能ごとに算出

機能優先度	比重
1	10
2	5
3	2

実現方法	適合率
①標準機能	100%
②テンプレート	100%
③カスタマイズ（標準）	60%
④カスタマイズ（テンプレート）	60%
⑤アドオン	30%
実現不可	0%

デモや提案書内容を読み、ベンダーがRFPで提示した実現方法が違っていたら修正し、40%評価を下げる。

する。図O-6の右の部分で実現方法ごとに、100%、60%……と適合率を変えているのがそれにあたる。

一方で図の左側は機能の優先順位による重み付けだ。優先順位が低い機能がパッケージで実現できなくてもあまり問題はないが、高い機能が実現できない場合はダメージが大きく、対応策を検討せざるを得ない。したがってそれを加味して、「優先度の比重×適合率」を数値で表現する。「最優先機能」が「標準機能」で実現できるなら10×100%＝10点、「カスタマイズ」なら10×60%＝6点となる。こうして全セルについての点数を算出し、満点を100%として、各ベンダーの合計点をパーセンテージに換算すると全体としてのフィット率を表現できる。

例えば満点が550点の場合
　ベンダーAの採点結果：400点　→　400/550＝フィット率73%
　ベンダーBの採点結果：360点　→　360/550＝フィット率65%

こうして算出したフィット率はベンダー選定の重要な材料になる。そしてシンプルでわかりやすい指標なので、コアメンバー以外の関係者（経営層や将来のユーザーなど）へ説明する際に重宝する。

ステップ⑩デモ実施

デモは機能の実現性を「深く」見る

百聞は一見にしかずというように、パッケージを紙の上だけで評価するより、実物を見てはじめてピンと来ることは多い。

そしてFit&Gapでベンダーから「できます」「機能があります」と回答があったとしても、「一般的な企業では問題なく使っているが、当社でできるとは限らない」「機能があるだけで、当社で使い物になるかわからない」ということが往々にしてある。

そこでベンダーにパッケージのデモを依頼する。デモの目的は自社の業務シナリオに沿ってパッケージを動かしてもらい、対面で質問することで、パッケージの理解を深めることだ。

また、デモはベンダーのスキルを見極める材料にもなる。「プロジェクトマネージャー候補者にデモをやってもらったが、中身を知らなそう」「こちらからの質問に対して、しどろもどろ」「こちらからの要求に対するデモの内容がミスマッチ」など、提案書や単なるプレゼンではわかりにくいスキルがあらわになる。

ベンダーが用意したデモシナリオを使うべからず

デモで重要なことは1つだけと言ってもいい。選定側がデモシナリオをつくり、各ベンダーにはそのシナリオに沿ってデモしてもらうことだ。

私たちが関与していないプロジェクトでも、ベンダー選定の際にデモを依頼することは多いと思うが、たいていは「ベンダーが見せたいものを見せるデモ」になっている。こうすると「見栄えが良いが、自社では使わない機能」を見せられて無駄に好感度が上がったり、全て自動でスムーズに仕事が進むように錯覚してしまう。

ベンダーもその道のプロなので、いい機能はアピールするし、悪いところは隠しておく。つまり、パッケージの良いところだけをつまみ食いして満足してしまうのだ。また、ベンダーにシナリオを任せると、各々が自分たちの見せたい機能のアピール合戦になり、同じ土俵で評価できない。

そのため、あらかじめ提示したシナリオに沿って、各社同じ流れでデモをしてもらう。こうすることで「求めている機能にフィットしているか？」「使い勝手が良いか？」「柔軟に変更できそうか？」といった、Fit&Gapだけでは見えてこなかったパッケージの特性を見極めできる。

そうなると、なるべく幅広く詳細にデモしてほしいのが人情だが、実際には1ベンダーあたり、2～3時間程度しか時間がとれない。デモを準備するのはベンダーにとってかなりの手間になるので、あまり負荷をかける訳にもいかない。

したがってすべての業務をデモシナリオの対象にはできず、しっかり確認したい部分、パッケージごとに差がありそうな部分に絞り込む。

デモシナリオは業務のシミュレーション

デモは単にパッケージの画面を個別に見ていくことではない。業務の流れを体験することにこだわるべきだ。機能をバラバラに確認するよりも、実際にやっている業務に沿っている方が、自社に合う／合わないを判断しやすい。

したがってデモシナリオは将来業務プロセスのなかから、いくつか選ぶ。おすすめなのは、メインシナリオとして業務の骨組みのようなシナリオをまず1つ選定すること。例えば販売管理で言えば「見積⇒受注⇒生産指示⇒出荷」の流れになるし、人事業務で言えば、ある社員が入社してから初めての給与を支払うまでの流れになる。

メインシナリオのデモを見ることで、たいていは「FMで最優先となった重要機能かつパッケージ標準機能」を確認することができる。

図表O-7 ‖ デモの優先度

	パッケージ標準機能	アドオン
重要機能（譲れない機能）	しっかり確認	時間があれば
非重要機能	時間があれば	省略

そしてサブシナリオとして、自社の独自業務、パッケージに乗りにくそうな業務をあえて選択する。例えば「この業界独特の商慣習で、顧客との間にあらかじめこういう取り決めをして……」などという業務だ。

当然メインシナリオとは違ってうまくパッケージにのらないが、そういう場合にどう凌ぐか？を示してもらうことが重要だ。そういう状況で柔軟な対応ができるパッケージと、にっちもさっちも行かないパッケージの見極めができる。

事例　デモシナリオの選定

ここでは製造業における基幹システム刷新での実例を追いながら、どんなシナリオを描くべきかを詳しく説明しよう。システムの対象は生産・在庫・販売・購買・会計と幅広い。そのため通常よりかなり多い、5つのシナリオを準備した。

図表0-8 ｜ 基幹システム刷新のデモシナリオ

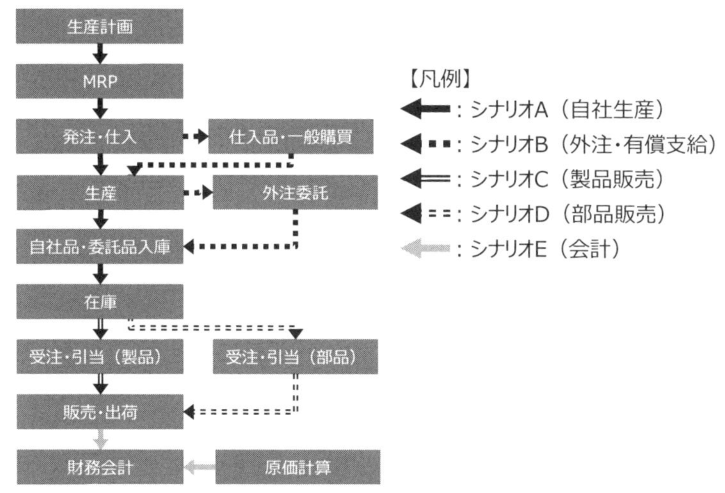

まずは根幹となる自社生産（シナリオA）と、製品の販売（シナリオC）、売上計上含む会計処理（シナリオE）を対象としている。業務の根幹でもあるため、重要な機能も多く、ユーザーとしても新しいシステムの動作を見ておきたい部分でもあった。

根幹の3つに加えて2つシナリオを準備した。1つは「外注委託」、その中でも「有償支給」のケースだ。「有償支給」は作業を下請企業に発注する際に、まず下請け企業が部品を買い取り、完成品を親会社が買い戻すという商取引だ。

この商習慣は特に日本企業に多い。海外パッケージで日本固有の商習慣も標準機能で対応できるのかを確認するために、このシナリオを加えた。機能の有無はRFPの回答でわかるが、どんな画面を使い、どんな手順で実現するのかは、回答書だけではわからない。

もう1つのシナリオは、製品の一部を他社に販売する「部品販売」のシナリオだ。実は「部品販売」はこの会社で最近始めたばかりだった。現在は手作業で対応している。業務自体がまだ手探りだったので、ベンダーに最適な業務ごと提案してもらう意図があった。

このように「こちらが見たい観点」をできるだけシナリオとして盛り込むことで、ベンダーやパッケージが自社に合うかを正しく見極めることができる。

ベンダーの準備期間を確保する

デモで使うシステムは本物の機能を作るわけではなく、あくまで紙芝居ができればよい。とはいえ、ベンダーはそれなりに準備が必要で、負担にもなる。そのため商談規模が大きく、そのベンダーが有力候補であることをきちんと伝えないと、デモを実施してくれないベンダーもある。また複雑なデモを依頼する場合には、デモ実施料としてベンダーにいくらか支払う場合もある。

もちろんスケジュール調整も必要だ。できるだけ早くベンダーにリクエストし、ベンダー側の準備体制を確保してもらう。

デモ当日のコツ①：幅広い関係者に参加してもらう

ここまでで、デモについてシナリオが決まり、ベンダーとの調整も終わった。当日はベンダーにシナリオに沿ったデモを実施してもらい、事前に決めた評価基準に沿って参加者で評価を行う。

デモはベンダー選定前にベンダーやパッケージを見る貴重な機会だ。したがって時間の許す限り、プロジェクトオーナーやIT部門、実際にシステムを使う業務担当者など、幅広く参加してもらう。基本的に参加希望者を断ることはしない。

今後プロジェクトに協力したり、末永く使う人が「自分の目で見て、選んだ」と思えるのは、とても大切なことだ。デモは誰にとってもわかりやすいので、それにはうってつけのイベントになる。

図表O-9 ｜ デモにおける確認ポイントの例

- ■ 重要確認ポイント
  - 受注時
    - 顧客の属性に応じて、受注情報の入力制限を設定できること
      - 特に海外の規制における販売可否を自動的に行うことができること
    - 多様な項目・方法で商品検索を行うことができること
    - 商品ごとの配送方法選択の実現方法／操作手順
    - 商品ごとに特定の注意事項の表示可否／表示方法

各デモシナリオで確認したいポイントを事前に洗い出しておく

デモ当日のコツ②：確認ポイントを決めておく

デモ当日のありがちな失敗は、ベンダーへの質問が多すぎて時間切れとなり、デモシナリオを消化しきれないこと。

実物を見る機会は限られるため、できれば作成したシナリオを優先したい。「ここだけは確認しておきたいポイント」を事前に洗い出しておこう。

当日はこの確認ポイントを優先して、デモの内容を確認していく。その場で他の質問が出てシナリオを消化しきれないのであれば一旦打ち切り、後日まとめて質問・ベンダーから回答をもらうようにする。

デモ当日のコツ③：評価結果の記録を残す

各社のデモを一通り見ると「このパッケージで決まりでしょ！」などと、選定が終わった気になる。

だがデモの印象が人によってバラバラなこともある。参加者の立場によって、デモで気になる点は変わるものだ。業務担当者であれば「実務が回せるか」であり、IT部門であれば機能の拡張性だったりする。

またベンダー選定はデモの印象で決めるのではなく、価格やベンダーの

図表O-10 ‖ デモの評価結果

No.	A社						シナリオ	
	総括		利便性		操作性			
	点数	コメント	点数	コメント	点数	コメント	シナリオA	シナリオB
1	4	シナリオに沿って実施されており、わかりやすかった。	4	標準機能でのカバー範囲は広そうなイメージ。 アドオンやその他の機能面をどう対応できるのかは、提案書やプレゼンで確認する必要あり。	4	わかり易いイメージだった。	シナリオに準じて分かりやすかったのが良い。	経費仕入の各パターンのやり方の説明は良かった。
2	3	デモ準備がよくできていて、聞きやすかった。 グローバル部分も考慮されていた。 生産にくらべると販売は不得意そう。	3	会計は標準機能の範囲が狭そう。	3	コピペ機能等、豊富。 メニュー構成は好感が持てる。	（不参加）	（不参加）
3	3	現行システムに近い印象。 システム全体の統一化は若干低い。 将来性は若干不安。	3	複数システムを合わせているため、一気通貫分析には不安がある。 ただし、効率化は達成できると思われる。	4	入力軽減、コピー機能など操作の簡略化便利機能は充実している印象。	自社品、委託品とも運用が回りそう。 外注委託も可能なので委託生産の管理はしやすい。	仕入品、貯蔵品、経費、海外品を同じ画面で操作できるのは良い。
4	4	デモシナリオに沿ってデモを実施して頂いた、分かりやすかった。 全般的に機能が揃っていて、操作性も高そうだった。 カスタマイズ（アドオン）が口頭で多かった。	4	標準的な機能は揃っていたイメージ。 特殊な案件については、機能が無いものもあった。	4	画面自体の使い勝手は良さそう。	特段悪いところは見当たらなかった。	ロット№をシリアル№として活用する場合、大量入庫した時対応が大変そう。

点数だけでなく、裏付けとなる
コメントも残しておく

能力などの総合評価である。後日比較検討の材料にするために、デモ参加者の評価を整理しておこう。

この図はあるプロジェクトで使ったデモ評価表である。目安としての点数（5点満点で4）と、理由（コピー機能など、操作の簡略化を配慮しているから）がそれぞれ書き添えてある。数字として表明しその裏付けを言語化することで、「なぜそう思った？」「そんなに点数が低いのはなぜ？」とデモ参加者同士で議論が生まれる。

特に立場が違う参加者の間で意見が違う場合は後々やっかいなので、こういった形であえて可視化して、丁寧にすり合わせる時間をとったほうが良い。

Column

他社に聞きにいけ！

これまで2章にわたり「選定に役に立つ情報をいかにベンダーから引き出すか？」について書いてきたが、実はそんなことよりも重要なことがある。

パッケージやベンダーについて「本当のこと」を知りたいならば、実際にそのパッケージを使っているユーザー、そのベンダーと一緒に仕事をしている人々に聞くのが一番いい。

パッケージやベンダーの営業さんは買ってもらうのが仕事なので、質問しても基本的には良いことしか言わない。たまに「OPENに話してますよ」というスタンスを見せるために、弱点を10%くらい混ぜて話す営業もいるが、どちらにせよ、彼らは売るために話している。強いバイアスがかかっていると思うべきだ。

だからユーザーに聞くのが一番正確で、生々しい。

知人のつてを使ってユーザーを探してもいいし、公表されているユーザー情報をもとに、その会社の代表電話に連絡してもよい（つないでくれないこともあるが……）。私たちのようなコンサルタントに紹介してもらうのも手だ。

こういった時に気軽に情報交換できるように、システムユーザー会に常日頃から所属するのが一番よい（オフィシャルなものから、緩やかなネットコミュニティみたいなものまであります）。

どうしてもユーザーが見つからなければ、選定対象のベンダー自身に紹介してもらう方法もある。他社のユーザー候補に快く会ってくれるユーザーがいるのは、顧客満足度が高い証し。だから紹介してくれるだけでも、そのベンダーに対して心証は良くなる。

とにかく手段は選ばず、すでに使っている人と話をするべきだ。そしてベンダーからは聞き出しにくい、弱点を徹底的に教えてもらう。

「検索機能は弱いので、別のSaaSと組み合わせて使っています」

「導入コンサルタントのスキルの差が激しい。ウチも交代してもらいました」

「もうバージョンアップは諦めています……。サポートが切れたら他のパッケージに乗り換えます」

などと、意外と率直に話してくれる。会社は違えども、システム構築という難しい仕事をやっている人の間では、同志感覚みたいなものがあるのだろう。

もちろん弱点のないパッケージやベンダーは存在しない。弱点を聞き出すと少しがっかりするが、選定時点で弱点を把握し、それでも腹をくくって選んだほうが、後悔しなくてすむ。

これは厳しいシステム構築プロジェクトをやりきるためには案外大切なことだ。

P章 パートナーを決定する

この章のレッスン

- RFP、デモなどを通じてベンダーから受け取った多くの情報を横並びに比較できるように整理する
- ベンダー選定は組織での買い物なので、後々にプロジェクトをうまく進めるためにも、合意形成が鍵となる

ステップ⑪投資額シミュレーション

RFPへの回答として見積金額が含まれるので、どのベンダーが安い・高いは一目瞭然だと思うかもしれないが、実際には少しややこしい。システム費用のかかり方はいくつかのパターンがある。

a）買い切り型：

例）初期費用1,000万、ランニング費用毎年100万。

b）買い切り・バージョンアップ型：

例）初期費用1,000万、ランニング費用毎年60万。5年に1回、バージョンアップ対応で500万が別途必要。

c）利用料型：

例）初期費用100万、ランニング費用毎年300万。

この3つの例をパッと見て、どれが一番安いか、すぐにわかるだろうか？　答えは、このシステムを何年使うかによって変わる。例えば企業内で使う基幹システムはうまく作れば15年程度は使い続けられる。一方で、消費者に商品を販売するためのWebサイトは技術やデザインの進歩が早く、3年程度で作り変えることが多い。ビジネス特性を考慮したシステムを廃止するまでの総コストのシミュレーションが必要だ。

図表P-1 ▍投資額シミュレーション

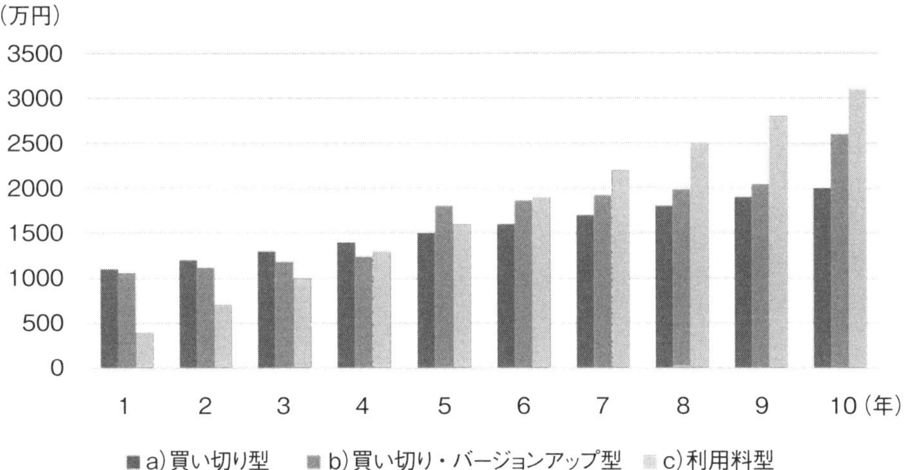

応用 提案金額が予算を大幅に超えてしまった時には

実現したいことはいっぱいある、だが予算は限られている。予算が潤沢なプロジェクトは稀だ。予算との大幅な乖離を防ぐためにFMで優先順位を決め、あらかじめ絞りこんだ要求のみをRFPに盛り込んだはずだが、それでもベンダーからの提案が予算額を大きく超えることがある。

プロジェクトを頓挫させないためには、実現したい要求とかかる費用をなんとか近づけるしかない。その方法を見てみよう。

①まずは値引き交渉

価格には交渉の余地がある。「提案内容を精査して御社が一番良いと判断しているのですが、高くて手が出ません。なんとかなりませんか……」といったトーンでベンダーと交渉を進める。

②見積の精緻化

RFPに回答したタイミングではベンダーも大まかな見積しかできず、リスク回避のために大きめの金額にしている可能性もある。ベンダーはこれから二人三脚でプロジェクトを進めていくパートナーだ。情報をより開示して詳細を詰めていくことで、精緻な見積になり価格が下がる場合もある(もちろん逆もあるのだが)。

③自社作業を増やし、ベンダー工数を削減する

自社で担当する作業を増やすことで、社外へ支払いを減らすことができる。社内の人材を確保する必要があるので、費用を本質的に減らす訳ではないが、経営状況によっては、「キャッシュアウトは極力小さく。その代わり人は投入できる」という時もある。

ベンダー提案のうち、自社のIT部門が担いやすい領域としては、インフラ構築や他システムとのインターフェース開発、データ移行、稼動後の運用・保守など。例えばインターフェース開発は他システムとの調整など、むしろ自社のIT部門の方がスムーズに進められる。旧システムの知識が鍵となるデータ移行も同様だ。

業務担当者が担いやすい部分としては、教育タスクだ。各所への説明会やeラーニングの作成など。また帳票（データ検索）などは、近年は使いやすいツールが増えたため、ベンダーのエンジニアに任せるよりも、ユーザー自身が作ったほうが手っ取り早い。もちろん発注金額を減らすことができる。

④やりたいことを諦める

RFPには元々優先順位が高い機能しか盛り込んでいないので、さらに絞ることはできないように感じる。だが「予算を大幅に超えてしまっている」という現実を突きつけられた以上、さらにシビアな絞り込みを行うことになる。

もちろん「これ以上削ったらプロジェクトをやる意味がない」というラインを踏み越えない範囲での議論になるが、経験上、追い込まれれば案外削れるものだ。

⑤それでもだめなら予算の追加を要請

これらを十分検討した上で、投資額の圧縮が難しければ、経営陣と予算増額の交渉をするしかない。増えてしまった金額でも、会社にとって投資の価値があると、改めて主張するのだ。

これまでの工程で課題認識やゴール・実現したい姿が明確になっていれば、必要性の説明に使える。施策が具体化され、システムの将来像も見えてきているので、「成功する勝算がある」ことを説明できるはずだ。経営視点で話すことで、「確かに高額だが、それでも会社のためにこのプロジェクトはやり遂げるべき」とわかってもらえることも多い。

事例　費用を抑えるためにベンダーへの依頼を絞り込んだ

あるプロジェクトではRFPの回答を受領した結果、ベンダーからの費用回答が当初予算の1.5倍になった。バックオフィス業務を対象としたシステム刷新であったため、派手に「このシステムを作れば大きな効果が出ます！」とぶち上げる訳にはいかない。

このままいけば経営の承認を得られないので、どう費用を予算に近づけていくかの検討が始まった。

まずはベンダーに依頼せずに、自社でできることはないか。ユーザー教育や業務マニュアル作成は当初はベンダーに依頼する想定であったが、自社内でもできる。並行稼動についても、ベンダーに手取り足取り支援してもらいたかったが、自社で実施することにした。

業務領域と対象会社の絞り込みも検討した。当初は本社とグループ会社20社以上が全て新システムに合流する想定だったが、一部諦める議論をした。本社や大きめのグループ会社で効果が大きいことを確認したあとに、別途投資を計画する方がリスクが少ない。

また出張管理など、世間一般との差が大きな領域がいくつかあり、見積金額が跳ね上がっていた。本当にその領域を今回刷新するのか(旧システムでしばらくしのげないのか)、選択肢を整理していった。

FMでのセル単位での取捨選択とは違い、この段階では細々した「いる・いらない」を議論しても埒が明かない。せっかく見積があるのだから、なくしたら金額的なインパクトが大きい領域について、集中的に議論した方が削減しやすいため、旅費を始めとして、領域ごと諦める議論をした。

図表P-2 ｜ システム刷新範囲の選択肢

	当初予定	案A	案B	案C
本体	新	新	旧①	旧①
グループ会社	新	旧②	旧①（追加）	旧②／新

（注）新：新システム、旧①：旧システム（本体）、旧②：旧システム（グループ会社）

それ以外にもベンダーに各見積根拠を出してもらい、追加で出せる情報は提示し、費用項目を1つずつ精緻化することに努めていった。すると追加開発をしなくて済む機能など、様々なことが整理できていった。

予算を超える見積がきても、まずは受け止め、各要素を検証・見直ししていくことで当初予算範囲内にギリギリおさめることができた。

ステップ⑫評価表の作成

回答を横並びに評価する

RFPへの回答は1次選定と同様、回答フォーマットを添付し、各ベンダーに記入してもらうとよい。そうしないと1次選定以上に、各社バラバラのフォーマット（パワーポイントやExcelが入り乱れる）が提出されることになる。

またフォーマットを指定することは、見積の漏れを防止する意味もあ

図表P-3 ｜ システム導入費用

ベンダーから回答を得たい
単位で項目を記載

項目	明細	見積工数（人月）	見積金額（千円）	説明
プロジェクト管理				
システム開発 ※工程に関しましては、貴社のご提案内容に合わせて明細を変更してください	要件定義			
	設計／開発・単体テスト／結合テスト			
	総合テスト／システムテスト			
データ移行	データ移行要件定義／データ移行ツール設計・開発／データ移行作業／本番移行			
教育	利用ユーザー教育／情報システム部教育			
本番切替支援	ユーザー受入テスト／運用テスト支援／本番移行支援			
プロジェクト管理、システム開発、データ移行、本番切替支援　小計		0	¥0	
ハードウェア	サーバー／ストレージ／ネットワーク／バックアップ装置　など			
ソフトウェア（パッケージ）	本体			
その他周辺機器 ※明細については提案内容に応じて変更ください	本体			
	キッティング			
	（その他にかかる費用があれば記入）			
サービス、ソフトウェア、ライセンス費用　小計		0	¥0	

る。データ移行や教育などの作業は発注者とベンダーの双方がやる場合があり、曖昧になりがちだ。金額だけ見て「ベンダーA社の方は随分高いな……」と思っても、ベンダーB社はデータ移行の作業を全てユーザーにやってもらう前提になっていた、というケースはとても多い。ベンダー選定において「同じもの同士を比較すること（apple to apple）」はかなり難しいのだ。

情報を十分集めたとしても、ベンダー選定は悩ましい。例えば「提案してきたパッケージが魅力的だが、価格が3億円のベンダーA」と「2億で済むが、使い勝手が悪そうなパッケージを担ぐベンダーB」のどちらを選ぶか。「パッケージは良いのだが会社として少し心配なベンダーC」と「プロジェクト実施能力が高そうだが、パッケージが今ひとつなベンダーD」の選択も悩ましい。

この悩ましさは、価格、パッケージのフィット率、ベンダーの信頼性などの、異なる基準を比較することが原因だ。そして各関係者が重視する項目はバラバラなことが多いのも、話を難しくしている。

その悩ましさを少しでも軽減するために、評価表が助けになる。下記図は、あるプロジェクトで実際に行ったベンダーの最終評価結果だ。

FMに対する機能実現性や非機能要求、企業・製品信用度、導入アプローチを評価項目に挙げている。導入アプローチとは、今後のシステム構築プロジェクトをしっかりリードする提案をしてくれたか？　の評価である。

またこのプロジェクトでは、デモにおける評価を別項目として切り出し

図表P-4 ‖ ベンダーの評価結果

■：1位 □：最下位

評価項目		配点	A社	B社	C社	D社
提案内容	機能の実現性	50	43.8	37.7	41.5	43.1
	非機能要求	10	8.6	7.5	8.9	7.4
	企業・製品信用度	10	7.5	4.0	6.5	6.0
	導入アプローチ	15	8.6	4.7	11.2	9.8
デモ		15	9.1	8.5	12.4	10.3
最終評点		100	**77.6**	**62.4**	**80.5**	**76.6**

である（デモを項目として独立させず、デモでわかったことを「機能の実現性」「企業信用度」などの各項目を採点する時の材料にするケースもある）。

RFP回答書やデモ、プレゼンテーション、ベンダーのエンジニアへの印象など、これまでベンダー選定のプロセスで集めてきた全ての情報が、この表に集約されているのがわかるだろうか。

この際重要なのは、評価項目ごとの配点だ。評価項目の全てが同じ重要度ではないため、項目ごとに差をつけている。このプロジェクトでは、「機能の実現生（フィット率）は企業の信用度よりも重要」だと考え、5倍の配点をすることにした。

この際、コストだけは配点から除外しておくこと。仮にコストを配点の一部としてしまうと、コストの配点次第で評価が歪んでしまうからだ。

たとえば100点のうちコストが20点という配分にすると、「極端にコストをかけて機能をリッチにした提案」はコストが0点、それ以外が満点で合計80点になってしまう。でも実際には、コストを度外視した提案は費用対効果が悪く、プロジェクトとしては選択できない。コストの配点次第で評価が歪む、というのはこういう状況を指している。従って、2次選定はコスト以外の総合評価とコストのバランス（どちらが費用対効果が良いか？）で決めることになる。

事例　各項目をなるべく機械的に採点した

ベンダーBの「企業と製品の信頼性」は5点満点中4.5点、といった採点は、機械的に決めにくい。信頼性は数値化にはあまりなじまないからだ。

だからスマートすぎる方法で決めるのではなく、あえて「企業の信頼性については、各社何点だと思いますか？」と、時間をかけて議論することが多い。そうする中でプロジェクト関係者同士がプロジェクトの今後をどう見ているのか？何を懸念しているのか？などの本質的なことが、徐々に明らかになったりする。

とはいえ議論に時間を割けないケースや、スマートな方法が好まれる状況もあり、機械的に採点することもある。かなり機械的にやった事例を紹介しよう。

＜企業・製品信用度の採点例＞

信用度をさらに1）専門技術者数、2）導入実績、3）パッケージの将来性、4）セキュリティ、5）保守性の5つに分割し、5つの観点の平均値を採点結果として用いた。なお、5）保守性については悩ましいが、この時は「各種マスタを発注者側で参照・編集できるか？」を重視した。

結局のところ、ベンダーの提案を受けて「良い／悪い」を評価するので属人的な面は残るが、複数の観点を組み合わせることでなるべく印象だけで採点しないようにした。

図表P-5 ▍企業・製品信用度の評価結果

評価した根拠を残しておく

企業・製品信用度の評価結果

No.	評価項目	A社	B社	C社
1	専門技術者数	2点（グループ全体で、XXX名を超える認定コンサルタント在籍）	2点（特定領域の技術者XXX名）	2点（自社製品、全国で約XXX名）
2	導入実績	2点（XXX件を超える導入実績、XX件超のバージョンアップ実績あり）	1点（業界XX社に導入実績あり）	2点（ERP累計導入社数No.1）
3	パッケージの将来性・拡張性	2点（年2回程度の頻度で機能拡張）	1点（会計、ワークフロー以外はバージョンアップ未定）	0点（新プロダクトのため、次期バージョンアップ未定）
4	セキュリティ要件・内部統制対応	2点（会計・税務・システム監査用の帳票を標準機能として提供）	1点（ID・ユーザー管理、パスワード管理、不正使用の防止措置などIT統制対応済み）	1点（個人認証、アクセス制御、ロギング、承認制御機能あり）
5	各種マスタ有無、保守性	1点（都道府県および金融機関のマスタを保持）	1点（マスタは、画面より登録・修正）	2点（都道府県、市区町村、郵便番号は無償提供）

図表P-6 ▍評価の根拠（信用度）

【項目別評価】

企業・製品信用度

専門技術者数

導入実績

パッケージの将来性、拡張性

セキュリティ要件、内部統制

各種マスタ有無、保守性

【採点基準】

点数の100%：ほぼ要件を満たしている

点数の50%：一部要件を満たしている

点数の0%：要件を満たしていない

<導入アプローチの採点例>

導入アプローチとは、「今後のプロジェクトの進め方についての提案の良し悪し」である。この事例では、a）マネジメント手法、b）スケジュール、c）体制・役割、d）運用・保守サービスの４つの観点を用いた。そして信頼度と同様に平均値を採点結果として用いた。

図表P-7 評価の根拠（アプローチ）

【導入アプローチの採点項目と重み付け】

評価項目	概要
マネジメント手法	導入手法などのマネジメント手法
スケジュール	スケジュールの妥当性を評価、プロジェクトが提示した計画に対しステージ分けする場合は評価を下げる
体制・役割	ベンダー側の体制に加え、業務部門メンバーの作業負荷も評価する
運用・保守サービス	運用・保守サービスがリッチな場合は評価が上がる

【導入アプローチの評価基準】

点数	評価基準
5	リスクなくプロジェクトを進められそう
4	ほぼリスクなくプロジェクトを進められそう
3	可もなく、不可もなく
2	選定した際に不安が残る
1	選定した際に非常に不安が残る
0	論外。選定するリスクが高すぎる
–	評価対象外

<非機能要求の採点例>

RFPに記載した非機能要求をどれくらい実現できそうか？を絶対評価で採点した。

図表P-8 評価の根拠（非機能）

【評価項目】

No.	評価項目	概要
1	前提・制約	稼動時間、業務ボリュームなど
2	準拠性	『cobit4』、『ITIL』への準拠
3	可用性	稼働率、災害対策などの要件
4	性能	容量、処理能力、回線使用率など
5	拡張性	拡張柔軟性に関する要件
6	セキュリティ	アクセス制御、暗号化、改ざん検知など
7	運用性	システム管理、監視、バックアップ要件など
8	保守性	定期・緊急、リモート保守作業要件
9	アーキテクチャ	業務アプリ、帳票、文字コード要件
10	環境	検証、開発環境などの要件
11	その他	テスト、移行に関する要件

【評価基準】

評点	評価基準
5	要件を十分満たしている
4	一部要件を満たしていない
3	半分程度要件を満たしていない
1	ほとんど要件を満たしていない
0	要件を満たしていない

■ 対応可否判断がつかない箇所は、ワーストケースを想定して、「要件を満たしていない」と判断

ステップ⑬最終選定

完成した評価表をベースにベンダーを選ぶ。ただし大きな額の投資になるので、プロジェクトコアメンバーが選べば終わり、とはならない。図表P-9のように会社としての意思決定プロセスを踏む必要があるだろう。

コアメンバー内の意思決定

採点表が完成した後に、プロジェクトのコアメンバーが集まってベンダー決定会議を行う。これまでのステップで集めた全ての情報を埋め込んだ評価表が完成したので、基本的には最高得点のベンダーを選ぶことになる。

だが最高得点のベンダーにすんなり決まらず、決定会議を3回くらい開いたこともある。採点表の結果がコアメンバーの直感と合わないケースがあり、揉めるからだ。

単にその人の意中のベンダーにならなかったためにゴネているだけならば無視しても良いのだが、「事前に合意した配点に従ってB社を選ぶべき」と強引に決めすぎても禍根を残すことになる。人間はあまり合理的ではないので、ベンダー選定のような大事な意思決定においてこういった「納得のいかなさ」が残ると、プロジェクトへの参加意欲を損なう人が多い。

従ってこういった時には「なぜ納得がいかないのか？」「採点表の得点が一番高いB社を選択すると、何が起こるのか？」などを少し時間をかけて議論した方が良い。万一コアメンバー全員が納得していない時は、各項目の配点を決める際に重要な要素を見逃していた可能性もあるので、そこまで立ち返って議論することになる。

図表P-9 ベンダー正式決定へのステップ

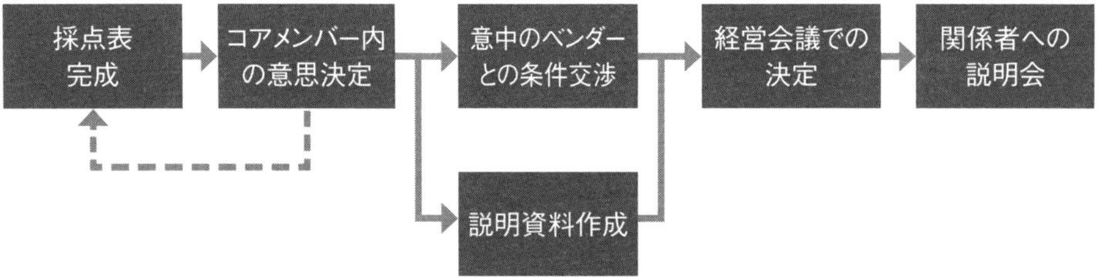

意中のベンダーとの交渉

コアメンバー内でベンダーを1社に絞り込めたら、それをベンダーに伝える前に、条件交渉を行うべきだ。このタイミングは「ベンダーは選定されたことを知らないが、発注側はすでに1社に絞り込んでいる」という状況で、交渉を有利に進めやすいチャンスなのだ。

例えば「もう少し価格が安くならないか？」「参加予定の上級エンジニアを当プロジェクトの専任にしてもらえないか？」など、ベンダーからの提案に対して、発注側としての要望をぶつけ、より良いプロジェクトになるように議論をしよう。

事例　中学生が運転するベンツに乗りますか？

ベンダーを決定するための議論が紛糾したことがある。というのも、ベンダーＡ社が提案したパッケージがとても魅力的だった半面、ベンダーから参加予定のプロジェクトマネージャーやエンジニアが頼りなかったからだ。

パッケージの魅力とベンダーの信頼性が両方ベストな組み合わせがあればよいのだが、実際にはこういうことは多い。

この議論の最中に、プロジェクトマネージャーのスキルが高いベンダーＢ社を推していた方の発言が面白かった。

「Ａ社のパッケージは確かに魅力的。見栄えも今風でかっこいいし、機能も私たちがやりたいことにあっている。でもこれって車に例えれば、中学生が運転するベンツですよ？　目的地に付く前に多分事故を起こすでしょう。それよりは、ちゃんとした人が運転するカローラ、つまりＢ社を選びませんか？」

結果的にはベンダーＡ社にありのままを話し、ベテランのプロジェクトマネージャーに交代してもらった。常にこういう要望を聞き入れてくれる訳ではないが、これまでのベンダーさんとのコミュニケーションを通じて「今後のビジネスのために、なんとしても受注したい！」と思ってくれていたのが幸いした。会社をあげて検討し、ベテランを割り当ててくれたのだ。

説明資料の作成

今後多くの社員の仕事に影響がある意思決定なので、プロジェクト関係者に説明したり、選定経緯を後で振り返ることができるように、きちんと資料を残そう。経営会議などで、説明する際の資料にもなる。このために新たに情報を集める必要はなく、これまでの経緯を誰が見ても理解できるようにまとめておくだけで良い。

経営会議での決定

大きな額の投資なので、経営会議などでベンダー選定および投資自体の承認を得る必要がある。これまでの経緯をあまり知らない役員が議論に参加することが多い。そのためベンダー選定の前提（プロジェクトゴールや業務をどう変えるかなど）を端折らずに説明することが、スムーズに承認を得る秘訣だろう。

なおこの際、選定したベンダーやパッケージのメリットだけでなく、デメリットやリスクもきちんと説明した方が良い。例えば「総合的には優れているが、プロジェクトマネージメント力が不足している懸念がある」など。

「負の面もわかった上で、この選択がベストだと判断した」と伝えることで、後々問題が発生した時に、後ろ盾になってもらいやすい。

関係者への説明会

経営会議での決定を受け、将来のユーザーなど幅広い関係者へ、経緯を説明する場を設けたほうが良い。特に現状調査やデモなど、ベンダー選定に参加してくれた方々には、結果だけでなく、検討のプロセスも説明した上で、納得してもらうことが大切だ。なお経営会議と同様、デメリットやリスクも伝えること。

ベンダー選定はScopeフェーズ段階から始まっている

以上がベンダー選定の13ステップだ。読んでいただいたように、かなりの長丁場となる。投資額が小さい場合はもっとカジュアルにやるし、SaaSのように初期投資額が小さい場合は選定をやらずに「まずは使ってみよう」という精神で良い。

図表P-10 ┃ ベンダー選定のステップと期間

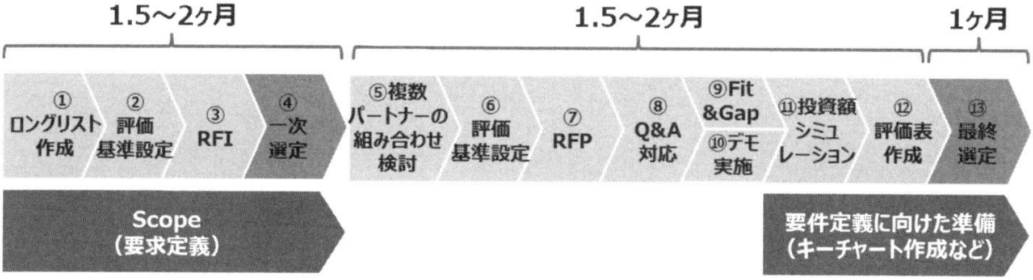

一方で、一回決めたら後戻りしにくいシステム、投資額が2、3億を超えるシステムでは端折らずに愚直にやるべきだ。ここで時間をかけても、よい選定ができればモトが取れる。

ステップ①から⑬まで全てやると、だいたい全体で2～4ヶ月程度はかかる。以前は1ヶ月で全てのステップをこなしていたのだが、前述のように近年はベンダーが多忙なため、提案依頼をしてからベンダーが見積を作成するまでの期間を十分取らなければ、良い提案をしてくれない。

ベンダー選定にこれだけの期間がかかるとなると、Scopeフェーズが終わってからベンダーと初めてコンタクトをとるのでは遅い。プロジェクトはスケジュールが厳しいことが多いし、ベンダーが提案を練っている期間、発注者側のコアメンバーが手持ち無沙汰になってしまうのもバカバカしい。

そこで「ステップ④1次選定」まではScopeフェーズ中に行う。1次選定はFMやFSが完成していなくても実施できるようになっているのはそのためだ。

Scopeフェーズ中にベンダーとコンタクトを取ることのメリットは、期間短縮以外にもう1つある。ベンダーからパッケージの基本コンセプトや機能概要について教えてもらったことを要求定義のインプットにできることだ。

FMにリストアップした機能の漏れが見つかったり、パッケージで到底実現できない機能についての議論に時間を使いすぎることも防げる。機能一覧ももらっていれば、FMの優先順位付けで「技術的容易性」の切り分けに活かすこともできる。

Column

SaaSの選定で何が大事になるか？

企業においても、2010年くらいからSaaS（Software as a Service）と呼ばれる形態のシステムを活用することが多くなった。

これまでのパッケージが「買ってきて、自分好みにカスタマイズして使う」というイメージなのに比べ、SaaSは「インターネットを通じて提供されるサービスを使わせてもらう」といった利用形態となる。これにともない、システム構築にあたってSaaS型のソリューションを選ぶ時、これまでのパッケージ選定とやり方が変わる点がある。

まず、導入の手間があまりかからないSaaSの場合は「迷ったら使ってみる」が鉄則となる。SaaSは初期費用があまりかからず、使うたびに年額や月額で費用を支払う課金形態になっている。従って導入の手間がかからないならば、この章で説明している丁寧な選定プロセスをやるよりは、まずは使ってみよう。

小規模・少額の課金で使いながら自社に合うかを検討し、効果が見込めるならば全社に拡げる作戦がよい。そもそもこういうタイプのSaaSベンダーは、PEWのプロセスに付き合ってくれない会社も多い。

一方でSaaSであっても導入の手間がかかるケースもある（最初に自社用の設定が必要だったり、他のSaaSと連携しなければならないなど）。この場合は「使ってみて、合わなければやめる」がやりにくく、やはりPEWをしっかりやる必要がある。その際、SaaSならではの注意点もある。

まず、「SaaSベンダーの思想を理解した上で、共感できるか？」が重要になる。思想とは、例えば「会社のパソコンだけでなく、スマホなど、あらゆる機器から安全に会社のファイルを参照できるようにする」のような、そのサービスが一番達成したい世界観みたいなものだ。

SaaSはサービスなので、導入した後も（勝手に）仕様が変わる。世界中で一斉に。ユーザーはそれに追随するしかない。だから選定の段階での細かい使い勝手を検証しても、1ヶ月後には変わっているかもしれない。だがサービスの根幹をなす思想は滅多なことでは変わらない。それが自社のニーズに合えば、サービスの変化を進化と感じて、歓迎できるはずだ。

もう1点重視すべきは、Fit&Gapの結果をデモできちんと裏取りをすること。

SaaSは通常のパッケージに比べ、追加開発がしにくい。SaaSベンダーは世界中のユーザーに同じサービスを提供する前提だから、自社だけが使う機能をSaaSに追加することは通常できない。お金を出せばいい、というものではない。

だから導入を決める前に、どこまでできるかの見極めが重要になる。重要機能は通常より詳しくFM・FSを記載し、ベンダーにも実現可否の回答を求める。デモシナリオも通常より多くなる傾向がある。

あるプロジェクトでは、BtoCビジネスでSaaSを利用しようと検討を進めていた。個人客との緻密なコミュニケーションにこだわっていたため、LINEなどのSNSとの連携が重要な確認ポイントとなった。

当然FM・FSに連携機能について記載したが、資料のやり取りだけでは実現性や操作性は確認できなかったため、ベンダーに依頼して細かいデモを複数回実施した。

Column

イケてる会社は内製化に向かう？

私がシステム構築に関わるようになって四半世紀が経つが、この間ずっと、システム構築をアウトソースする割合は高くなっていった。

システムインテグレーター（SIer）と呼ばれる業者にシステム構築を丸投げするようになった企業が増えた。今まで自社で手作りしていたシステムを、パッケージソフトに置き換えるのも、一種のアウトソースと言える。よりドラスティックなケースでは、IT部門をまるごとアウトソースする企業も現れた。

だが2018年ごろから、風向きが変わったようだ。ITを使った変革に積極的な企業ほど、システム構築や運用を人任せにせず、内製するようになってきたのだ。そういう企業の典型的なアクションは以下の通りだ。

・数社を渡り歩いた経験豊富なCIO（IT担当役員）をヘッドハンティング

・CIOのツテで腕のよいエンジニアを多数採用する

・ITをテコにした大胆な変革プロジェクトを推進する

経営トップ（CEO）としては、ITを活用して会社自体を変革する必要を痛感しているのだが、既存システムの保守だけをしてきたこれまでのIT部門には、リーダーシップを期待できない。だから外からの風を入れて無理やりにでも変えるしかない、という判断だろう。

そして腕のよいエンジニアさえ集めれば、「ITの力でビジネスモデルを大胆に変えるような変革（DXと呼ばれている）」は、外から雇ったベンダーに丸投げするよりは、社内の人間が主体になった方が成功させやすい。

ビジネスとITをいっぺんに変えるには、「作る人」と「作らせる人」が同一人物だったり、同じプロジェクトで机を並べる、同志の関係にあったほうがいいに決まっている。

もし内製化を志向する企業にあなたが勤めているならば、この章を読むときには「ベンダー選定」部分を無視して「パッケージ選定」部分のみを参考にしてほしい。いくら内製化といっても、SaaSを始めとしたパッケージを使わないシステム構築は現在ではありえないので、パッケージ選定については十分参考になるだろう。

逆にもし、現時点で外部のITベンダーへの丸投げが常態化している企業に勤めているならば、まずは「作らせる技術」をしっかり習得してほしい。「作らせる人」がこの本に書かれたことを愚直にやると、外部ベンダーと協力してプロジェクトを遂行する際にも魂を込めることができるだろうから。

稼動までの計画を立てる

この章のレッスン

- ベンダーからの提案を受け、システム稼動までの全体スケジュールを立案する
- 全体スケジュールにはシステム構築以外の様々な要素を加味する必要があり、ITベンダーにお任せにはできない

ベンダーから提案されたスケジュールを鵜呑みにするな!

図表Q-1 ｜ プロジェクト全体スケジュール

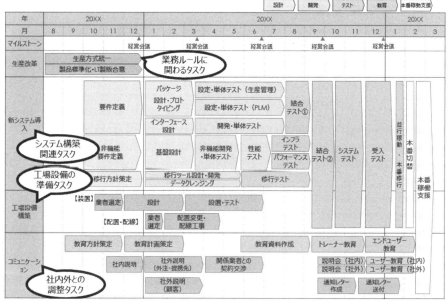

設計
開発
テスト
教育
本番稼動支援

年
20XX
20XX
20XX
月
8 9 10 11 12 1 2 3 4 5 6 7 8 9 10 11 12 1 2 3
マイルストーン
経営会議
経営会議
経営会議
経営会議
経営会議
生産改革
生産方式統一
製品標準化・LT製販合意
業務ルールに関わるタスク
新システム導入
要件定義
パッケージ設計・プロトタイピング
設定・単体テスト（生産管理）
設定・単体テスト（PLM）
インターフェース設計
開発・単体テスト
結合テスト①
非機能要件定義
基盤設計
非機能開発・単体テスト
性能テスト
インフラテスト
パフォーマンステスト
結合テスト②
システムテスト
受入テスト
並行稼動・本番移行
本番切替
本番稼働支援
移行方針策定
移行ツール設計・開発
データクレンジング
移行テスト
システム構築関連タスク
工場設備の準備タスク
工場設備構築
【装置】
業者選定
設計
設置・テスト
【配置・配線】
業者選定
配置変更・配線工事
コミュニケーション
教育方針策定
教育計画策定
教育資料作成
トレーナー教育
エンドユーザー教育
社内説明
社外説明（外注・提携先）
関係業者との契約交渉
説明会（社内）
説明会（社外）
ユーザー教育（社内）
ユーザー教育（社外）
社外説明（顧客）
通知レター作成
通知レター送付
社内外との調整タスク

上記の全体スケジュールは実際のプロジェクトで作成したものだ。大まかな流れとしてはシステム構築の作業を中心に、ベンダーとの契約、設

計、開発、テスト、本番稼動と、左から右へタスクが並ぶ。

図の中段には、ITシステムとは別に、工場設備に関するスケジュールが並んでいる。このプロジェクトではシステムを作るだけでなく、バーコード印字や製品への刻印機などの工場設備を整えることで、モノの流れをスムーズにする施策を推進していた。だからシステムと設備、両方の歩調をあわせる必要があった。

この例のように、システム構築以外の作業も全体スケジュールに載せて管理するのが通例だ。プロジェクトの目的はシステムを作ることではなく、業務が良くなり、成果をあげることなのだから。

図の下段には、社内外との調整や教育などのタスクが並んでいる。工場現場での働き方から顧客に渡す製品に至るまで、広範囲に影響が及ぶ変革だったからだ。プロジェクトの進展に応じて、方針を説明したり、変更点を教育したり、コミュニケーションが鍵となると考えていた。

通常、ベンダーからの提案にはスケジュール案が含まれているが、それをそのまま「プロジェクト全体のスケジュール」に採用する訳にはいかない（残念なことだが）。ITベンダーが関心があるのは通常、彼らが責任を持っているシステムを作る部分だけだ。したがってベンダーが描くスケジュールは、「設計・開発・テストに何ヶ月かけるか」に終始している。

ところが上記で説明したように、プロジェクトでは純粋なシステム構築以外にやること、考えるべきことが意外と多い。またシステム構築の計画

図表Q-2 ‖ 様々なプロジェクト計画

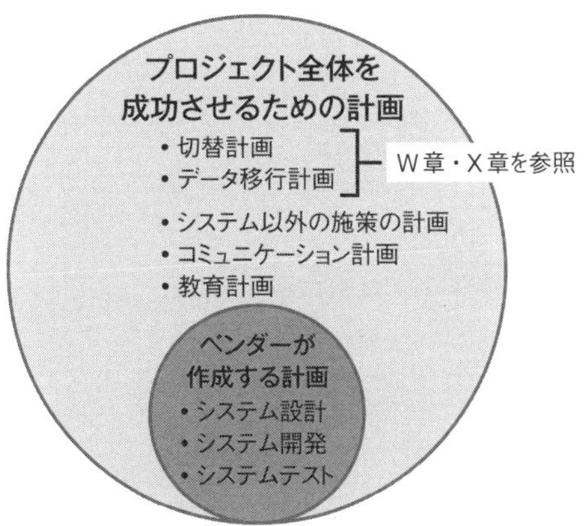

に限っても、プロジェクト外のイベントとの関係など、ITベンダーだけでは考慮しきれないことも多く、チェックが必要だ。だからベンダーが提案してくれる計画を鵜呑みにするだけでは、プロジェクト全体を成功に導く上で十分とは言えない。

この章のテーマは、プロジェクトの全体スケジュールの作り方だ。まずはベンダーが提案してくるシステム開発についてのスケジュールを、発注者側で精査する方法について。次に発注者側がやる作業の中で特に重要な、プロジェクト外とのコミュニケーションを計画する方法について。

なお発注者側の作業計画のうち、ユーザー教育についてはV章で、データ移行計画についてはW章で、切替計画（以前の業務とシステムから、変革後の業務とシステムにどう切り替えるか？）についてはX章で扱う。

システム構築スケジュールを精査する6つの観点

ベンダーやIT部門が作成したシステム構築のスケジュールに対して、「システムを作らせる人」がチェックすべき観点を6つ紹介する。

この観点は前章までで説明してきたベンダー選定において「このベンダーはプロジェクトをしっかり進める能力がありそうか？」を見極める際にも役に立つ。そして選定後も、スケジュールについて議論する際にこの観点から質問をぶつければ、スケジュールを磨くことができる。

システム構築スケジュールを精査する６つの観点

観点①MUSTな期限が守られているか
観点②業務繁忙期とシステム構築のピークは重なっていないか
観点③工程ごとのゴールが明確か
観点④成果物をチェックするマイルストーンはあるか
観点⑤各領域の整合が取れているか
観点⑥各フェーズの期間バランスが適切か

観点①MUSTな期限が守られているか

プロジェクトゴールに期限が明示されている場合は、その期限が守れるスケジュールになっているかを、真っ先に確認する。

・中期経営計画上、3年後にプロジェクト効果を刈り取りたい
・外国投資家が株主になり、2年のうちに大幅なコスト削減を実現する
・法律改正に当たり、社内制度や業務を見直す必要がある

など、プロジェクトゴールを達成するために期限が重要になるプロジェクトは多い。

・20XX年にシステムサポートの保守切れになる
・3年後には今のシステムを知り尽くした担当者が退職してしまう

というシステムの事情で決まる期限もあるだろう。

私たちが顧客と議論するとたいていは「すべての期限を守る必要がある」と言われるが、きちんと議論していくと、本当に動かせないMUSTな期限と、調整すれば動かせる期限が混在している。例えば法改正対応は期限を変えられないが、システムのサポート切れはITベンダーとの交渉でずらせることも多い。

議論した上でなおMUSTな締切がある場合は、ベンダーからの計画がそれに間に合うようになっているか、まず確認しよう。

観点②業務繁忙期とシステム構築のピークは重なっていないか

プロジェクトで一番融通が利きにくい制約は、実はお金ではなく業務担当者の時間だ。実際に業務をやっている人しか判断できないこと、検証できないことはたくさんあり、できる人が社内に1人しかいないことは多い。

そういった人は通常業務との兼務でプロジェクトに参加しているため、業務が忙しい時期とシステム構築で忙しい時間が重なっていないかチェックが必要だ。重なっている場合は、その方がボトルネックとなってプロジェクトが停滞し、スケジュール維持が難しくなる。

業務の繁忙はベンダーではわからないことがほとんどで、当人に直接聞くのが確実だ。一般的には、経理では決算、在庫物流では棚卸し、人事では採用や年末調整など、年間サイクルや四半期サイクルになっているはずだ。

一方のシステム構築では、上流の要求の洗い出し（FM作成のあたり）と、下流の教育や稼動の前後に業務担当者の負荷はあがる。特に稼動時期

はシステム構築の山場。よほど準備万端で臨まないかぎりは、業務担当者に最も負荷がかかる。業務とシステム構築プロジェクトの両方に追われないよう、業務の閑散期を踏まえたスケジュールにしよう。

観点③工程ごとのゴールが明確か

システム構築は設計・開発・テストの流れで進んでいくが、「設計」「開発」「テスト」などの工程に、システム業界の統一定義はない。同様に、インフラ、インターフェース、教育など、プロジェクトの領域を示す言葉も定義はバラバラだ。

特にテストの考え方はベンダー各社による違いが大きい。ベンダーが請負責任を持つテストと、共同で実施すべきテスト、発注者側がすべきテストがあるが、会社によってテストの呼び方や定義はバラバラ。「システムテスト」と呼ぶテストが、他社では結合テストだったり、受入テストだったり、性能テストを意味することもある。

ベンダーが1社しかいない場合は、効率を重視して、発注者も私たちケンブリッジも彼らの定義に乗っかることにしている。一方で複数のベンダーが参加する場合は、統一のために全社でケンブリッジの定義に乗っかってもらう（ケンブリッジの定義をこの章の最後にまとめたので、参考にしてほしい）。

どちらにせよ、ベンダーからスケジュールの提案を受けたら、工程単位ですり合わせが必要だ。ただし「何をやるのか」という定義は抽象的な話になりやすく、それを話しただけでは、いざその工程になった時にポテンヒットが生まれやすい。「あちらがやると思っていました」「次の工程でいいと思ってました」という具合だ。

だから後々揉めないためにも、必ず「どこまでやったら、次の工程に進めるのか？」という、工程ごとのゴールを関係者全員で確認し、文書に残そう。各工程で作成する成果物を明確にするのが一番確実だ。

観点④成果物をチェックするマイルストーンはあるか

ITベンダーがみな約束どおりに仕事してくれれば発注者としては楽なのだが、現実はそうではない。前述した行き違いだけでなく、営業が「作ります」「実績があります」と言って受注したものの、スキル不足で構築できないベンダーも数多く見てきた。

契約義務違反なので当然返金等の交渉をするのだが、全額返金されないことが多いし、返金されたとしても予定通りにシステムが完成しない痛手は被る。発注者としてはこういった事態は極力避けなければならない。「できます」と言って作り始めたものの、システム稼動日の直前になってギブアップされるのが一番怖いシナリオだ。その段階まで来てしまっては、プロジェクトを立て直すためにできることはほとんどないからだ。

だから各工程の途中で、作りかけの成果物を見せてもらう日をあらかじめ決めておく。これをマイルストーンと呼んでいる。例えば設計書を100枚作る予定があるならば、スケジュール上、「10枚は書き終わっているはず」というタイミングにマイルストーンを設け、その時までにできている成果物を、ざっとで良いので、すべて目を通す。

もちろん工程として完了していないので、作りかけだったり一部しかできていないのは当然だ。だがマイルストーンチェックをしていると、それでは説明のつかない事態にしばしば遭遇する。「そもそも全く進捗していない」「出来上がったはずの仕様書10枚の品質がボロボロ」などだ。こういう状態を早く見つけ、早く手を打つしかない。

なお、マイルストーンを設けてチェックさせてほしいとベンダーに持ちかけると、半分くらいのベンダーが様々な理由をつけて嫌がる。「まだ社内レビューを通していないので」「途中で見せると全体の効率が落ちる」などなど。

そういった言い訳をされたらなおさら、なんとしてでもマイルストーンレビューを強行すること。実力があるベンダーは途中で見せることを厭わない。「まだ誤字脱字はありますが、肝心なデータ操作については書けているはずです」などと、注釈付きで見せてくれる。実力が怪しいベンダーだからこそ、嫌がるのだ。

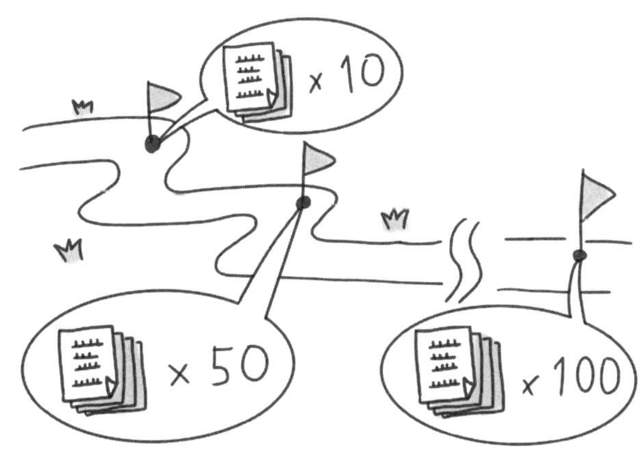

観点⑤各領域の整合が取れているか

大きなプロジェクトでは、チームごとに担当を分けて作業を進める。例えば「販売チームと購買チーム」のような業務領域に分ける場合もあれば、「アプリケーションチーム、インフラチーム、データ移行チーム」のようにシステムの階層ごとに分ける場合もある。

チームごとに詳細スケジュールを作り、合体させて全体スケジュールにすることが多いが、元々別に作っていたために、合体させると矛盾をはらんだスケジュールになっているケースもある。

例えば販売領域の開発が終わっていないのならば、販売領域と生産領域の連携テストはできない。両方の開発が終わっていても、インフラやデータの準備ができていなければ、やはりテストはできない。

特に各領域が合流する地点（結合テストなど）での整合をとっておく必

要がある。各チームが担当した作業の合流がうまくいかないと、待ちの期間が発生し、ムダな時間・費用をかけてしまうことになる。最悪の場合は前の工程の作業をやり直すハメにもなるので、計画段階で極力そういった行き違いは防いでおきたい。

観点⑥各フェーズの期間バランスが適切か

ベンダーが見積もった設計・開発・テストの期間が適切か見極めることは難しい。だが一般的な比率・傾向から、設計・開発・テストの期間が妥当かはチェックできる。

スクラッチ開発（パッケージ等を使わずにゼロから手作りする開発手法）においては設計：開発：テストが1：1：1になるのが一般的だ。パッケージ開発では、スクラッチ開発に比べてテストの割合がさらに大きくなる。これらを考慮しながらベンダーから提示された計画を見て、あまりに乖離が大きい場合はその理由をベンダーに確認しよう。

見積が訂正されるケースはあまり多くないが、そういったやり取りを通じて、発注者側との認識のギャップが明らかになることが多い。不明確・不明瞭な回答であれば、再見積を依頼するか、余裕のあるスケジュールにしておこう。

Column

ベンダーの体制が整わずにプロジェクト開始が遅れてしまう

近年IT人材が不足している。ベンダーに提案を依頼した際に「人がいない」「メンバーが揃えられない」という声をよく聞く。

選定したベンダーといざプロジェクトの具体的なスケジュールを詰める段になって「人がいないので半年くらいプロジェクト開始を待ってもらえないか」と依頼されることもある。

これまではどちらかと言うと、業務担当者などの社内関係者に参画してもらうことに苦労していたが、潮流が変わってきている。本当に重要なプロジェクトであれば、社内のメンバーは異動などでなんとかなる。だがベンダーは別会社なので、こちらから働きかけても調整できることはわずかだ。

望むタイミングでメンバーを揃えてもらうよう、できるだけ前からベンダーへ体制確保の声がけをするか、ベンダーの人員確保の期間を、あらかじめ計画に組み込んでおくしかない。

プロジェクトの期限が変えられない、ベンダーの人員確保の期間を待てない場合、最悪プロジェクトが立ち上がらない。こういう場合は他の条件で最適なベンダーではなく、今すぐプロジェクトを始められるベンダーと組むしかない。エンジニア個人も、会社としてのベンダーも、優秀で売れっ子だからこそ、忙しい。だからスケジュールを優先してベンダーを選定するのは極力避けたい事態なのだが。

プロジェクト外とのコミュニケーションをおろそかにしない!

プロジェクトの全体スケジュールを考える際に、ITベンダーはあまり考慮しないので作らせる人が主体的に検討すべき作業はいくつかあるが、筆頭はプロジェクト外とのコミュニケーションだ。なぜならコミュニケーションで失敗する変革プロジェクトが多いから。

以下のデータはDX（デジタルトランスフォーメーション）プロジェクトを阻害する要因ランキングだ（引用元：ケンブリッジが2021年1月に発表したDX白書。355社472名が回答したアンケートより作成。URL http://pages.ctp.co.jp/dxwp2020_download.html）。

DXというと、AIなどの最新技術を駆使してビジネスを抜本的に変革するイメージが強いが、意外にも「技術的な壁がプロジェクトの阻害要因である」と回答した人は少ない。それよりも上位を占めるのは「現場の抵抗」「部門間の対話不足」「経営陣とのすれ違い」など、プロジェクト外とのコミュニケーションに起因することだ（余談だが、「ゴールやコンセプトが不明確」が阻害要因の1位になっているのは、本書の冒頭で強調した「Whyを明確に！」を裏付けている）。

DXに限らず業務改革やシステム構築では、必要性を理解してもらい、協力してもらうことが必須だ。そのためのコミュニケーションが不足すれば、プロジェクトは深刻な危機に直面する。逆に言えば、コミュニケーションを強化するだけでプロジェクトの成功率はぐっと上がる。

成功に向けてこれほど重要なのにもかかわらず、いざプロジェクトとなると、目の前の仕事（システムを設計したり、バグの修正をしたり……）

図表Q-3 ║ DXの阻害要因

阻害要因	回答数
ゴールやコンセプトが不明確、全社意識のなさ、IT先行	44
現場からの「変えたくない」という抵抗	42
部門間の信頼や対話の不足	39
推進チームの脆弱さ（人数、立場）	37
経営者の不理解（新しい取組みであってもROIを示せ、など）	21
予算不足	16
成果や手ごたえの判断基準をうまく決められない	14
ITリテラシーの不足	14
既存業務との並立で手が回らない	13
リーダーシップや熱量の不足	10
管理職の不理解	9
DXのわかりづらさ	8
技術的な壁（セキュリティ、データ不整備など）	8
システム部門の消極さ	4

に追われて、外部とのコミュニケーションはおろそかになってしまう。

もう一つ見過ごされているのは、変革のコミュニケーションは段階を踏んで何度も行う必要があることだ。そもそも人間は変化を嫌うので、変化の必要性を理解し、体験し、効果を実感していく段階を経ながら、徐々に肯定派になっていくものだ（図表Q-4参照）。

つまり大きな変革をともなうプロジェクトの場合は、趣旨を1回説明しただけでは全く不足している。進展に応じて、違った切り口でコミュニケーションを重ねる必要がある。私たちがコミュニケーションの重要性について顧客に説明すると「もう部長会議で説明しました」「社長から号令かかってますから」という反応があるが、そんなレベルでは圧倒的に足りないのだ。

特にシステムの稼動前後は想定外のことが起こり、関係者に迷惑をかけることも多い。その時「被害者として文句を言う側に回るか？」「自分ごととして主体的に問題解決に協力してくれるか？」はこういったコミュニケーションの積み上げによって分かれる。

図表Q-4 ▌変革需要曲線

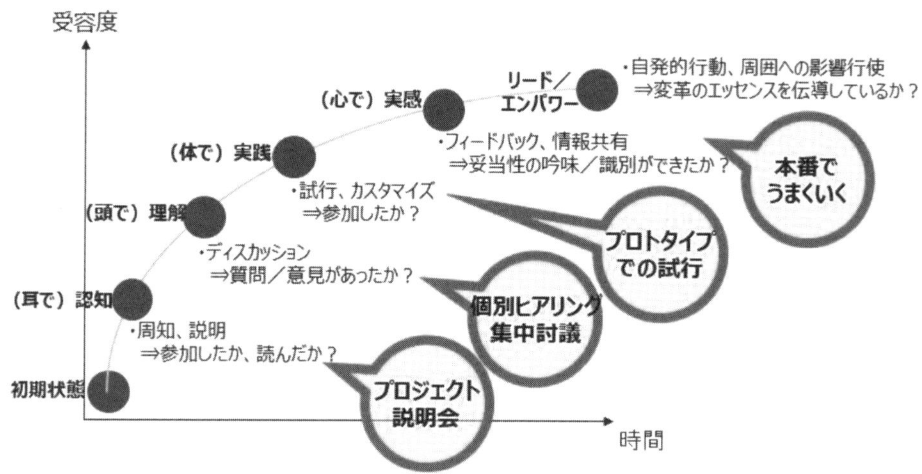

先に例示した全体スケジュール（図表Q-1）でも、下段にわざわざ「コミュニケーション」のパートを作っていたのを思い出してほしい。このプロジェクトでは、まず要求定義中に「今後何が起きるか」「皆さんにお願いしたいこと」を説明し、意見も集めた。その上でテストをしているころに説明会で詳しく新しい業務やシステムについてトレーニングし、さらに受入テストにも協力してもらった。

単に出来上がったものを押し付けるのではなく、少しの時間であったとしても「一緒に作る側」に巻き込んでしまうことで、「自分たちの新しい業務」「自分たちのシステム」と思ってもらう効果も狙っていた。

生産改革の一環で社外との契約条件を変更したため、システム開発と並行して、社外との契約交渉も行う必要がある。さらには実際にシステムが稼動する際にはレターを送付し、改めて変更内容を通知した。自社だけでなく、影響を与えるすべての人々に目配りする必要がある。

コミュニケーション計画をあらかじめ作り、粛々と実行

突発的・場当たり的ではなく、コミュニケーションを計画として組み込んでおくことの重要性は理解してもらえたかと思う。だがプロジェクトの

進展に伴って「誰に」「いつ」「なにを」伝えるのか、その結果なにを協力してもらうのか、抜け漏れなく実行するのは結構骨が折れる。大きなプロジェクトではコミュニケーション対象が20グループ以上、1000人以上になることもあるからだ。

このため、全体スケジュールとは別に、コミュニケーション計画表を作成する。縦軸をコミュニケーションの対象、横軸をプロジェクトのフェーズや年月としたシンプルな表である。

図表Q-5 ECサイト再構築におけるコミュニケーション計画

対象		20XX/1～	20XX/5～	20XX/9～
親会社	マーケティング部	■ 20XX/3 システム変更による影響、テスト実施時期、依頼事項を伝達		
	経理部		■ 20XX/8 各社へ提出する請求書のフォーマットが変更となることを伝達	
当　社	一般顧客		■ 20XX/7 サイトの変更と決済方法の追加をアナウンス	■ 20XX/ 既存サイトの閉鎖をアナウンス
	販売員		■ 20XX/5～ 従業員サイトにて変更となる点をアナウンス ・ページのリニューアル ・ログイン方法の変更 ・決済方法の追加　など	
	親会社取引先		■ 20XX/8 請求書のフォーマットが変更となることを伝達	

コミュニケーション対象には、社内ユーザーだけではなく、関係部門や社外の取引先なども含める。例えば振り込みを依頼する銀行やアウトソーシング先などがある。やり取りするデータのフォーマットを変える場合もあるし、システムが変わるのでテストに協力してもらう必要もある。取引先との契約変更や役所への届出が必要なケースもあり、システム稼動直前に慌てないよう、早めに計画し、相談をしはじめるべきだ。

こういったことをすべてこの表に書き込んでおく。一度この表が完成してしまえば、あとはタイミングが来たら粛々と実行していけば、抜け漏れはなくなるはずだ。

参考 テスト工程の定義

本章で書いたように、ITベンダーによってテストの呼び方や定義は様々だ。読者の参考にしてもらうため、私たちケンブリッジの定義を書いておくこととする。

定義が違ったとしても、システムをまともに動かすために以下のような一連のテストが必要なことには変わりがないので、ベンダーから提案されたスケジュールと見比べながら、抜け漏れがないかどうか、チェックしてほしい。

エンジニア向けの解説ではないので、「システムを作らせる人」がエンジニアと会話するのに必要な最低限の説明とした。

【単体テスト】

Unit Test、略してUTとも呼ばれる。

プログラム1本ずつ行うテスト。単体テストが甘く、プログラム1本1本にバグが多く含まれていると、結合してシステムにした時も当然うまく動かない。自動車を製造する時に部品1つ1つの品質にこだわらないと、組み立て後の自動車が安全に走れないのと同じだ。

【結合テスト①（内部結合テスト）】

Integration Test①、略してIT①とも呼ばれる。

私たちはシステム内部のプログラム同士がうまく結合できているかを示すテスト（内部結合テスト）と、構築中のシステムと周辺のシステムの結合のテスト（外部結合テスト）を別に行うため、それぞれをIT①、IT②と呼び分けている。

内部結合テストはプログラム間（画面と画面の連携など）を確認する。なおパッケージソフトを活用する場合、内部結合はパッケージが保証しているため、IT①はごく軽い動作確認で済ませる場合もある。

【結合テスト②（外部結合テスト）】

Integration Test②、略してIT②とも呼ばれる。

周辺システムとの結合を確認する。例えば販売システムから「売上伝票」を経理システムに連携するのならば、その接続テストがIT②

図表Q-6 ベンダー主体のテスト

凡例 □ テスト範囲 ●-●

テスト名称	概要	テスト範囲イメージ
単体テスト	プログラム単位の正しさを確認する。	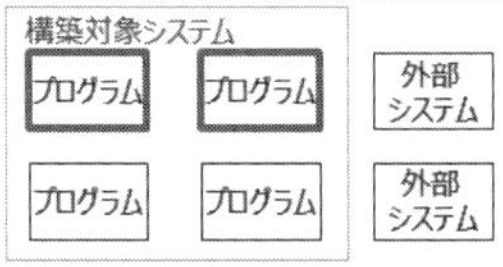 構築対象システム（プログラム、プログラム、プログラム、プログラム）、外部システム、外部システム
結合テスト①（内部結合テスト）	システム内部の各プログラム間連携の正しさを確認する。	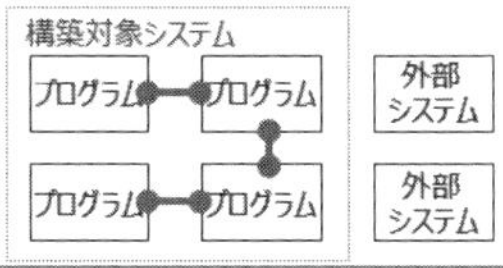 構築対象システム（プログラム、プログラム、プログラム、プログラム）、外部システム、外部システム
結合テスト②（外部結合テスト）	構築中のシステムと周辺のシステムの連携の正しさを確認する。	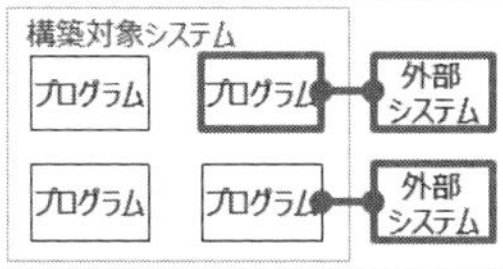 構築対象システム（プログラム、プログラム、プログラム、プログラム）、外部システム、外部システム
性能テスト、運用テスト	非機能要求で定義した要求の正しさを確認する。	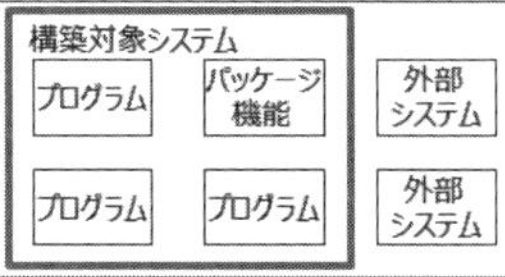 構築対象システム（プログラム、パッケージ機能、プログラム、プログラム）、外部システム、外部システム

図表Q-7 ベンダーと発注者が共同で行うことが多いテスト

テスト名称	概要	テスト範囲イメージ
システムテスト	業務シナリオベースで、様々なデータバリエーションを用いてシステムが正しく動くことを確認する。	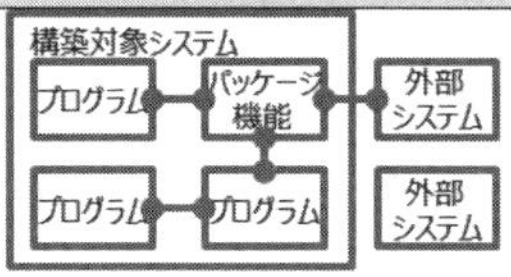 構築対象システム（プログラム、パッケージ機能、プログラム、プログラム）、外部システム、外部システム

図表Q-8 発注者側主体となることが多いテスト

テスト名称	概要	テスト範囲イメージ
ユーザー受入テスト	ベンダーが作ったシステムが、依頼したとおりに完成しているかを確認する。	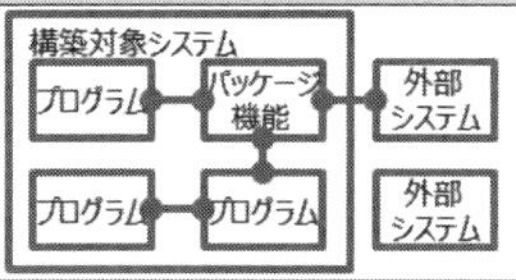 構築対象システム（プログラム、パッケージ機能、プログラム、プログラム）、外部システム、外部システム

である。

周辺システムはプロジェクトとは別の組織が管理しているので、テストへの協力依頼が必要だ。事前に、いつ頃どういうテストをやるかの説明と準備依頼をしておく。

【性能テスト、運用テスト】

非機能要求の章で、「システムがストレスなく応答するか？」「障害が発生しても、バックアップしてあったデータから復旧できるか？」など、機能以外でシステムが満たすべき要求を説明した。それらが実現できたかをチェックするためのテストである。

システムを作らせる人は通常、これらのテストに主体的には関わらない。ただしIT部門などに依頼して、エンジニアがこれらのテストをきちんと実行したかの確認はすべきだろう。

【システムテスト】

System Test、略してSTとも呼ばれる。「総合テスト」と呼ぶベンダーも多い。

システムがほぼ完成した段階で行う、通しテストがSTだ。私たちは「想定する業務が新システムを使ってうまくできるか？」という業務目線を大切にしてSTを行う。

そのため、テストシナリオは業務担当者と議論したり、業務担当者にシナリオの作成を依頼する。「受注し、生産システムに連携したあとで、顧客から急なキャンセルが入った場合に対応できるか？」といった、ややこしいシナリオをわざわざ作るのがポイントだ。

また、業務上ありえるバリエーションの確認も重要なポイントなので、「複数の事業部の商品が組み合わさった受注」「海外出向中の社員の人事評価」など、ノーマルではないバリエーションも洗い出して、実際の業務さながらにテストをする。

【ユーザー受入テスト】

User Acceptance Test、略してUATとも呼ばれる。

ベンダーが作ったシステムが、依頼したとおりに完成しているかを発注者がチェックするためのテストだ。

　とはいえ、システムテストとしてベンダーが網羅的にテストしている（はず）なので、形式的な位置づけで行うプロジェクトも多い。そのため、私たちがテスト計画を作る際は、システムテストにユーザーが参加することで、UATを兼ねる場合も多い。

プロジェクトの投資決裁を得る

この章のレッスン

- 会社である以上、システム投資の決裁を得る、という関門は避けられない
- 「決して小さくない額の投資に正当性があるのか？」について、会社をあげて意思決定しなければならない

ベンダー評価も終わり、実行に向けた計画も定まり、ようやく描いていた将来像に向けて一歩を踏み出す段階にきた。だがシステム構築は巨額な投資なので、会社の了承を得なければならない。

システムの規模にもよるが、投資額が数千万から億以上になる場合、経営会議や取締役会など、会社の最高意思決定機関での承認・決裁が必要だ。

経営層の承認・投資決裁をスムーズに通すために、この段階で大きく2つの作業を行う。1つはシステム構築に関わる費用をできる限り精緻にし、費用対効果分析をブラッシュアップすること。もう1つは経営層の意思決定に必要な情報を、わかりやすく整理し直すことだ。

費用対効果分析は数回にわたって行う

システムに限らず企業で投資判断をする際には「投資が何年後に回収できるか？」を示した、費用対効果と呼ばれる分析を行う。要は「それをやって儲かるのか」「やるだけの価値があるのか」のシミュレーションだ。費用対効果を表すものとして、私たちは図表R-1を描く。

効果と費用を上記グラフのように毎年積み上げ、「折れ線グラフが0を上回る＝黒字転換」を果たせれば、費用をかけるだけの効果があることを示す。この時期が早ければ早いほど、折れ線グラフの0を上回る数字が大きければ大きいほど、費用対効果が大きいと言える。

本書ではこれまで触れてこなかったが、このような費用対効果分析はプ

図表R-1 ‖ 投資対効果シミュレーション

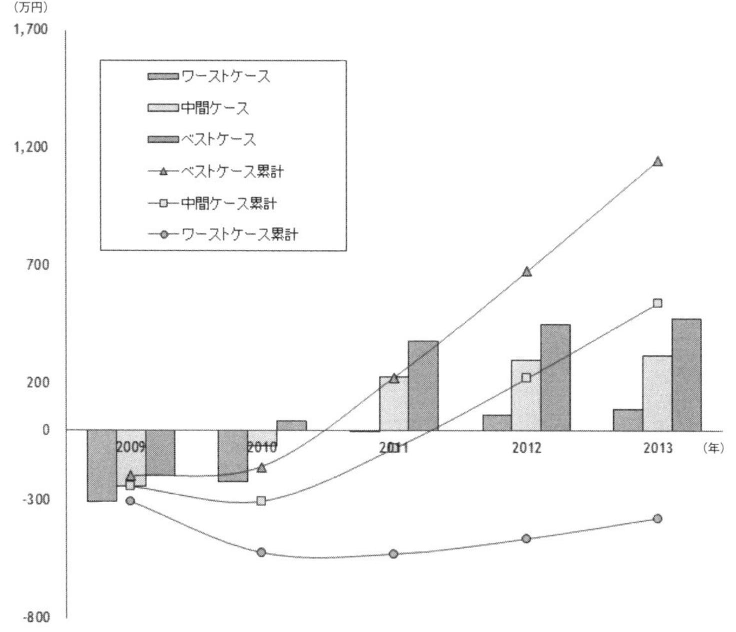

ロジェクトが進行するのに伴い、数回行うことにしている。

1回目：施策を検討し、プロジェクト計画が固まった時点（E章）

2回目：要求定義やベンダー選定が終わり、会社として投資の最終決定をする段階（当章）。

3回目：システムが稼動し、業務が安定した頃（X章）。

1回目は「システムにおおよそ○○億の投資をする」という大方針を承認してもらうために行う。もちろんこの時点で金額は概算でしかないので、正式な投資決裁ではなく、方向性の承認という位置づけだ。これまで本書で書いてきた要求定義やベンダー選定を行うにも社内人件費やコンサルタントを雇う資金が必要なため、それらの決裁の意味もある。拙著『業務改革の教科書』では、この段階での費用対効果（特に分析モデルの作り方）について説明した。実際の作業手順については本書よりも詳しく書いたので、合わせて参照してほしい。

本章では、2回目に行う費用対効果分析について説明する。すでに1回はシミュレーションしているので、それを精緻化する作業となる。

3回目はプロジェクトの振り返りのために行う。費用対効果分析はあく

図表R-2 ▌費用対効果の予測のブレは小さくなる

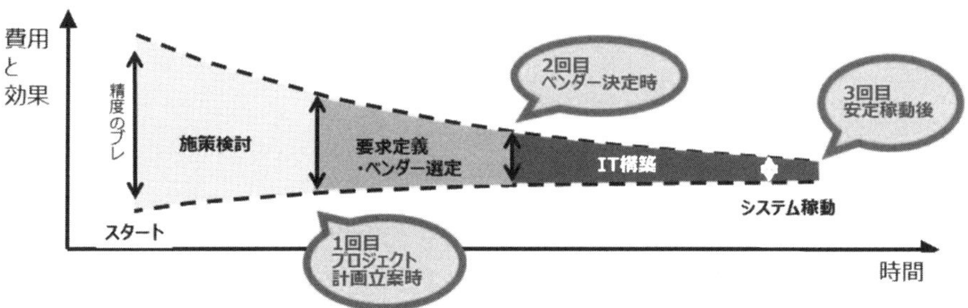

まで予測でしかないので、「プロジェクトをやってみた結果、本当に効果をあげたのか？」という答え合わせが必要だ。想定通りの効果が出ていなければ、想定通りにシステムを使ってもらえていないなどの課題があるはずなので、改善活動を続けるべきだ。場合によっては楽観的すぎる予測を反省しなければならない。

費用対効果分析をブラッシュアップする

1回目の段階では決まっていないことが多く、効果も費用も粗い仮定を置かざるを得なかったことだろう。例えば費用については「うーん、わからんが他社事例を踏まえると2億！」みたいなノリだ。ある程度システム構築の経験があったとしても、半分になる時も、2倍になる時もある……という程度の予測精度でしかない。そもそもプロジェクトによっては、その段階ではお金について一切検討しないケースもある。

だが要求定義もベンダー選定も完了しているタイミングで行う今回は、ずいぶん予想が立てやすいはずだ。

まず効果について。この段階では「どんなシステムを作るか」が固まっているので、「1回目の段階で、想定していた効果が本当に得られそうか？」が見えてくる。例えば「販売システムをタブレットから使えるようにして、これまでFAXで注文していたお客さんが現場からすぐに入力できるようにしよう。これによる売上アップは毎年○○円が見込めるぞ……」と皮算用をしていたとしよう。

だが検討の結果、かなりの費用がかかる（技術的容易性が低い）、お客さんにタブレットから発注してもらうのは無理そう（組織受入態勢が低い）などの理由で、優先順位が低く、当面はその機能を諦めることにした。こうなると残念ながら、費用対効果で見込んでいた「毎年○○円の売上アップ」も諦めるしかない。

費用についても、この時点ではベンダーから見積金額も提示されている。1回目の時よりは、ずっと確からしい金額になっているはずだ。ベンダーと協議した結果、システム稼動時期が想定よりも遅くなる場合は、効果を刈り取るタイミングが遅れ、費用対効果分析に影響する。

もちろんネガティブなことだけでなく、「想定より安く済みそうだ」「SaaSを活用することで、初期費用を安く抑えられそうだ」といった、ポジティブな影響もある。これらを淡々と分析のモデルに反映させていこう。

Column

最後まで不確実性が残るのがプロジェクト

図表R-2のグラフは「不確実性コーン」と呼ばれている。プロジェクト開始当初は費用も効果もブレ幅が大きいが、プロジェクトが進むにつれてブレが小さくなっていくことを示している。

不確実性は徐々に減るのだが、完了するまではゼロにならない。

ベンダーが「1億でシステムを作ります」と言っていたのに、「想定よりも要件が膨らんだので、もう5000万追加でください」と言ってくるケースもあるし、自社が作業することになっていたデータ移行が思ったよりも大変で、人を雇うハメになった……など、費用が予定以上に膨らむリスクはまだ、多く潜んでいる。

要求をFM／FSにきちんと文書化したり、ITベンダーにパッケージで対応できないことを明示してもらうなど、これまで説明してきたことを地道にやれば、もちろんその可能性は小さくなる。例えばベンダーが理不尽な増額を言ってきたとしても反論できる。

だが人間が完璧でない以上、それでもなお不確実性はゼロにはならない。これに対処するためには、金額のバッファを持つしかない。私たちはこの段階で見積った投資金額の15%程度をバッファとしてプロジェクト予算に含めることを顧客に推奨している。

なにか想定外のことが起きたときに、毎回経営会議に投資額の増額をお願いするのは現実的ではない。それができないからと、無理やり予算内に収めようとせっかくよりすぐった機能を予算不足で諦めてしまったら、プロジェクトの効果を思ったように挙げられなくなってしまう。プロジェクトマネージャーとしても、不測の事態で使える予算がないと、トラブルのときに対処のしようがない。

「当初見積った金額内に収めること」よりも「当初見積を少しオーバーしたとしても、プロジェクトゴールをきちんと達成すること」の方が大事な局面はたくさんある（もちろん、予算遵守の方を重視すべき時もある。経営状況やプロジェクトゴールの価値による）。

ただ残念なことに、大型プロジェクトでも金額バッファを予算に盛り込めない会社がとても多い。「いやー、そんなの、ウチの経営会議で通る訳ないです……」「バッファを明示したら、その分安くやれ、と言われるだけです」というぼやきを何度も聞いた。将来のリスクについて対処する方法をなぜ放棄するのだろうか……。

そういう会社に限って毎回15%どころではない予算超過を起こしたり、とにかく予算内に作ることだけが目的化して、ユーザーから「これ、何のために作ったの？」と言われるようなシステムを作っている。

不確実性から逃れられないのがプロジェクト。それに対処するために金額バッファをこのタイミングで必ず予算に含めよう。

ベンダーの見積範囲外が落とし穴

この段階での投資額見積は、ベンダーからの提案金額という根拠があるので、かなり確からしい値になる、と先に書いた。ただし「ベンダーからの提案金額＝プロジェクトの投資額」ではないので、注意が必要だ。

ベンダーからの提案書を詳細に検討するとわかるのだが、システム構築に関わるコストをベンダーがすべて見積対象にしているわけではない。ベンダーがやってくれない作業は案外多いのだ。

発注者が「それは、ベンダーがやってくれると思ってました」と言い、ベンダーが「提案書には書いていません」と主張する。双方のポテンヒットのようなこういった作業は、契約締結後に見つかっても、最終的には発注者側がマンパワーかお金を出してなんとかするしかない。提案書に書いてないこと、つまりベンダーが約束していないことを無理やりやらせることはできないし、裁判に持ち込んでもあまり勝機はない。

まずは下記の費用の一覧表を使い、1つ1つの項目がベンダーの見積に含まれているかチェックしよう。こういった表をベンダーにも見せながら、ベンダーの見積にどこまで含まれているか、または発注者側で実施すべき作業はなにか、指摘するのもよい。

図表R-3 ｜ システム構築にかかる費用項目

費用種別	費用項目	説明
イニシャル	社内人件費	プロジェクトにかかる社内人件費を試算
	システム開発 SW費用、SE費用、HW費用、 環境初期費用、追加サービス費用	・フェーズ毎に試算する（例：要件定義、設計・開発、テスト・・・） ・新システムだけでなく、移行・連携ツールも考慮必要 ・移行はどこまでをベンダーがやるのかの前提を決めて試算する
	既存システム改修	既存システムの改修費用
	教育・展開費用	教育や外部業者・ツールの導入費用
	その他業務委託	コンサル、デザイン会社、および販促費用など
	予備費（バッファ）	全体の20%程度が相場
ランニング	社内人件費	運用担当者の人件費
	ソフトウェアラインセンス	年間ライセンス料
	ソフトウェア保守	ソフトウェア費用の15%程度
	ハードウェア保守	ハードウェア費用の20%程度
	運用環境利用料	クラウド環境利用料、データセンター利用料、等
	システム改修費	新システムの定期改修費用

ベンダー見積もりに
入っているもの／入っていないものは
明確か？

通常ベンダーの見積対象は、上記の表の「システム開発」の部分を中心としている。従っていわゆる「プログラムを作る」に関しては対象外になることはほとんどない。

だがテスト（特にシステムテストやユーザー受入テストなど後工程のテスト）は見積対象外（別途お見積り）になっているケースがある。一見見積対象で金額が積まれていたとしても、「テスト実施自体はベンダーで行うが、テストシナリオやテストデータはお客様の方でご用意ください」と小さく書いてあり、金額を抑えていることもある。

またデータ移行（旧システムから引っ越すデータの修正作業。W章参照）やインターフェースプログラム、インフラの設定作業などもグレーゾーンで、細かく聞いていくと、発注者側の作業の方がずっと大変だったりする。

このあたりの「どこまで見積に入っているのか？」については、ある程度ITプロジェクトの知見がないと、正しくチェックできない。IT部門のような社内のプロに依頼するか、大きな契約の場合は社外コンサルタントから意見を聞くべきだ。

その他、既存システムの改修やユーザー教育（マニュアル作成など）なども、通常はベンダーの見積に含まれない。社内で人手を確保するか、別の業者に見積を依頼する必要がある。

事例　社内の体制確保と人件費見積

費用対効果分析を正しく行うために忘れてはならないのが「社内人件費」だ。これは業務担当者が行う作業（例えば旧システムから引っ越すデータの修正作業や、ユーザーテスト）を金額換算したものだ。

社外にキャッシュアウトしないものの、プロジェクトに必要な費用であるため、「投資に見合った効果が得られるか？」を検討するための分析である費用対効果には含める。

あるプロジェクトでは、システム構築でパッケージを採用し、社内のIT部門が開発することになった。すべての作業を社外ベンダーに委託するのに比べ、投資額（キャッシュアウトする金額）はかなり安く抑えられた。

だがもちろん、社内のマンパワーもタダではない。IT部門がこのプロジェクトに関わっている間は、人件費がかかり、他の開発にも着手できない。

他のプロジェクトに着手できないのがこのプロジェクトのせいだと後から知った経営者が、「開発に内部人員を割いているなんて聞いていない」「なぜこちらを優先しないのか」と言い出し、問題となった。

費用対効果分析において、社外へのキャッシュアウトだけでなく、必要な人員を明示し、社内人件費をきちんと明示しておくことは、経営層が「キャッシュアウトだけでなく、企業全体としてかかっているコスト」を正しく把握するためでもある。

決裁資料はとにかくわかりやすさを重視せよ

この投資決裁の段階までに、プロジェクトのコアメンバーであるあなたは、今回のシステム構築についてありとあらゆる観点から検討してきたことだろう。一方で、投資を決裁する経営幹部にとって、このシステムの話は初耳か、たまに登場する多くのテーマの1つにすぎない。残念ながら。

ひどいときには「2ヶ月に1回は話を聞いてきたが、細かいことは覚えていない」「小難しいITの話ばかりで、情シス部長に任せればいいと思ってる」程度の認識だったりする。その割に投資金額が大きいので、いざ決裁の段階になるとすんなりとは賛成してくれない。困ったものだ。

だから「これまで何度も説明したので、結論だけで十分だろう」は禁物だ。これまで3回くらい説明していても、改めて決裁の段階になると「そもそも、なんでこんなプロジェクトやっているの？」などと言われてしまう。

かといってこれまで検討してきたことのすべてを決裁資料に詰め込んで長々とプレゼンしても、「ややこしくてわからんが、やたらと高い買い物ということは理解した」となりがちだ。意思決定に必要な情報をわかりやすく整理し直し、とにかくわかりやすく伝えるしかない。

投資決裁を仰ぐ際に、改めて説明すべき情報は以下になる。

①現時点で何がまずいか　→現状調査の結果（D章）

②だからこうなりたい（ビジョン・将来像）　→将来のあるべき姿（E章）

③ビジョン実現のために、こんなシステムが必要になる　→FMにまとめた内容（K章）

④選定したベンダーやパッケージと、その理由　→選定結果（P章）

⑤必要なリソース（費用、時間、体制）　→（Q章など）

⑥全体として、投資する価値があること　→（本章）

この本に書いたことをこれまで愚直にやってきていれば、どれも既に検討ずみで、決裁のためにゼロから資料を作る必要はないはずだ。ただし、これまでに作ってきた資料を単に合体させただけだと、数百ページを超えてしまう。

情報量を削ってもわかりやすく伝えるためには、資料やプレゼンテーションがある程度ストーリーになっている方が良い。上記の①〜⑥は、プロジェクトでやってきたことを順に列挙しているが、プロジェクト外の人にとっても、「なぜこの投資が必要なのか？」を理解しやすいストーリーになっているはずだ。A章で「Why⇒How⇒Whatの順で話すと理解しやすい」という原則（ゴールデン・サークル）について書いたが、その原則に従っているからだ。

Column

黒字にならないシステム構築をどう訴求するか？

経営層に対して「費用対効果分析を用いて、何年で投資を回収できるか示すことが重要」と書いたが、現実としては投資を数年で回収できるプロジェクトは近年減ってきている。

これは年々システム構築にかかる費用が肥大化している面もあるが、システムが事業のインフラとしてすでに当たり前の存在になっているため、「今まで膨大な時間をかけた手作業をシステム化して、大幅な効率化！」というケースが減ってきた面もある。

ガートナー社は以下のように、IT投資を3つに分類することを提唱している。

大半のシステムは最下層の「事業継続投資」に該当する。事業を継続する上で必要な、いわばオフィスや机椅子のようなものであり、な

図表R-4 ｜ IT投資の3階層

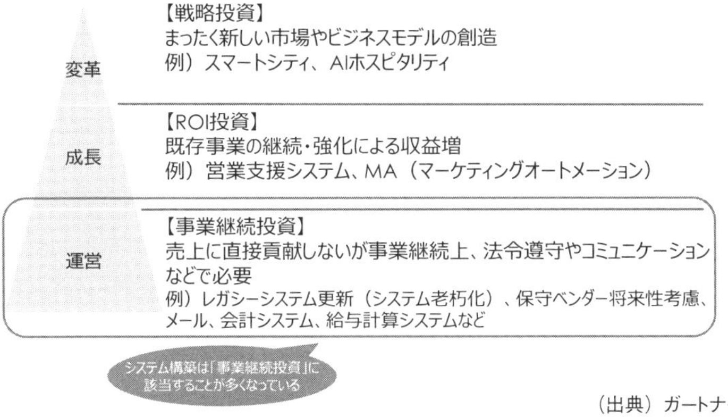

変革	【戦略投資】 まったく新しい市場やビジネスモデルの創造 例）スマートシティ、AIホスピタリティ
成長	【ROI投資】 既存事業の継続・強化による収益増 例）営業支援システム、MA（マーケティングオートメーション）
運営	【事業継続投資】 売上に直接貢献しないが事業継続上、法令遵守やコミュニケーションなどで必要 例）レガシーシステム更新（システム老朽化）、保守ベンダー将来性考慮、メール、会計システム、給与計算システムなど

システム構築は「事業継続投資」に該当することが多くなっている

（出典）ガートナー

いと仕事にならない。だがこれ自体が利益を生むとは見なされない。

一番わかりやすい例が経理システムで、システムを刷新したからといって、新たに効率化ができる訳ではない。「ペーパーレスにより年間コピー用紙を〇〇枚削減！」という定量効果を計算しても、たかがしれている。残念ながらこういった効果を積み上げても「投資したら利益がこんなに上がります！」という説明はできない。

だが、現実問題として経理システムが老朽化したら再構築に投資しなければならない。今の時代、経理システムなしで決算をすることは事実上不可能だからだ。

このように投資対効果が黒字化しない場合に、投資決裁を通すための策を紹介しておこう。

①ビジョン・理念に訴える

会社のビジョンや、経営者が謳う理念に訴えるのが1つのやり方だ。例えば、ある流通業では、地域マネーの導入を検討していた。地域マネーとはある地域限定で流通させる、私設貨幣のことだ。

貨幣を運営するためにはセキュリティ等の考慮が必要で、当然システム投資額は膨大な金額になる。地域マネーにメリットがあったとしても、それは地域活性化のような効果であって、投資する私企業にとっての費用対効果は黒字にならない。

このプロジェクトでは、会社がビジョンとして掲げていた「地域協創」への貢献を訴えた。「地域に根づく企業として、ともに力を合わせ地域を盛り上げていくためには必要な投資だ」と位置づけることで、費用対効果を超えた価値があることを理解してもらった。

②他社劣後を訴える

最先端の取り組み・システムでない場合、他社を引き合いに出すことも有効だ。競争が激しい中で、他社に劣る状況を避けたいのは経営者心理だろう。

経理システムは費用対効果を示しにくい、と先に説明したが、その代わりに説明として使われたのが「決算が他社に比べて遅い。決算早期化が市場の要請であり、経営の意思決定を早める土台である」というロジックだった。システムに投資することで人員削減はできないので、スピードアップを強調する作戦だ。

「他社はここまで実現できている」という言葉を経営幹部は聞き流せない。本来プロジェクトとしてやりたかったことを本筋としつつ、説明の方便としては使い勝手が良い。

③事業継続の土台であることを理解いただく

小手先の説明を諦め、システムが「事業継続投資」に該当することを説明する方法が一番王道の方法だ。だが、経営層のITリテラシーが低い場合は、なかなか理解いただけないケースも多い。

これら3つとも、費用対効果分析では「定性効果」と呼ばれるものだ（金額で表現できる定量効果以外の効果）。儲かるか儲からないか、という定量効果による判断にくらべて、定性効果による判断は経営者の見識やビジョンが問われる。定量効果だけで黒字にならないことが予想できたら、早い段階から時間をかけて理解いただく必要がある。

事例　予算感や必要性は早めに握れ

基幹システム刷新を目的としたあるプロジェクトを始めるにあたり、社長から「会社の根幹になるシステムだ。予算に上限はない」との言葉をもらっていた。

要求定義を進めていくなかで、なかなか厄介なプロジェクトだということが見えてきた。特殊な業務や要求が多く、どのパッケージも機能的に不十分でアドオン開発が多く、投資額が膨らむことが見えてきたのだ。

案の定ベンダーからの見積結果を見ると、その会社の単年経常利益の1/10程度という大きな額だった。単なるシステム再構築ではなく、業務改革も併せて行うプロジェクト計画にしていたので、7年で回収できる費用対効果のシミュレーションを作り、投資決裁に臨んだ。

だが金額を前にすると、それまで前向きだった社長も「本当にそれだけの費用をかけてやるのか」と懐疑的になってしまった。「予算に上限はない」と言っていたものの、実際に現実的な金額を見ると、額の大きさに驚いたのだろう。IT投資についてあまりご存じでなく、相場観を持っていなかったようだ。

幸いなことに、このプロジェクトでは要求定義前からプロジェクトの経緯・必要性をきちんと議論し、経営幹部に何度も説明し続けていた。ときには「このプロジェクトが10年、15年先の当社に与える影響」という青臭い話も交えながら。その効果もあり、最終的には決裁をいただきプロジェクトを前に進めることができた。

いくら費用対効果が黒字転換することを示しても、金額が大きくなると経営者といえども決心は揺らぐ。プロジェクトのWhyに本当に納得してもらえていないと、時間をかけて進めてきたプロジェクトも無に帰しかねない。

BPP

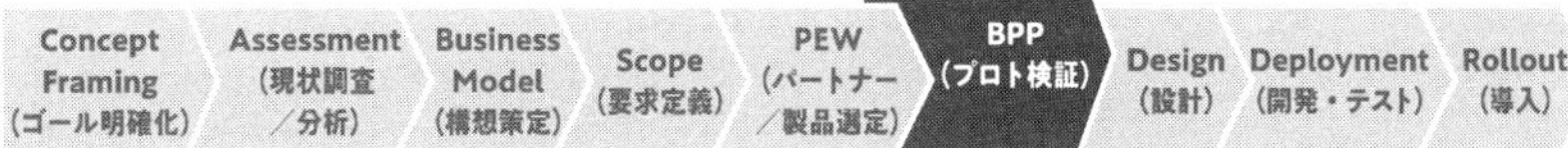

起きてから家を出るまでの動線をシミュレーションしてみよう！

課題を先出しする

この章のレッスン

- システム構築では、後の工程で課題が見つかった方が、修正に手間がかかる
- したがって、なるべく早いタイミングで課題を見つけるための仕掛けが必要

本格的に作る前に、試すことの大事さ

本格的に構築フェーズが始まるにあたり、システムを作らせる人と作る人が共同でまず行う工程が、Business Process Prototyping（通称BPP）だ。プロトタイプを使って業務が流れるかをチェックし、課題をたくさん出すために通し稽古をする。

単なるプロトタイプではなく、わざわざBusiness Processと言っているのは、システムの画面だけでなく業務のやりかた自体を検証するからだ。

業務改革プロジェクトとして、業務手順や役割分担、ルールを見直す場合、この「業務を検証する」が鍵となる。これまで「こうすれば効率が良くなるのでは？」「顧客満足度が上がるのでは？」などと机上で議論してきたものの、本当にそうなるのかは、実際に業務をガラリと変えるまではわからないからだ。

だが実際に業務を変えてから問題が発覚するのは、かなりリスクが高い。もとに戻す際に混乱するし、顧客に迷惑を掛ける場合もある。だからシステムを実際に構築する前に通し稽古をおこない、改善点があるなら早く見つけて早く手を打つ。つまりBPPの目的を一言で言うなら「課題の先出し」である。

家で言えば、建築家が作った模型を見ながら、自分が生活している様子を想像するのに近い。「この部屋は思ったより狭いな。テーブルの配置を考え直さないと」「ドアのイメージが合わなそう。変更できないか？」など、模型からわかることは多い。システム構築で似たようなことをする工程が、BPPだ。

システム構築の場合は模型の代わりに、システムの画面を用意する。本物を用意できれば一番良いが、通し稽古ができればよいので、Excelで作った画面イメージで代用する場合もある。

この章ではBPPのやり方を、実例をもとに詳細に紹介していこう。

Column

プロトタイピングをやらないとなにが起こるか

もしBPPをやらないと、業務担当者が新しい業務やシステムに触れるのは、ユーザー受入テスト（Q章参照）の時だ。このテストはシステムが完成した、稼動の直前に行う。つまりもう完成してしまった後だ。

スケジュールに追われてきちんとユーザー受入テストをしないケースもあり、そうなるとぶっつけ本番となる。

なのに、できあがったシステムを使ってみてはじめて気づく課題は案外多い。

- ・管理したい情報が入力できない
- ・要求通りにシステムができていない
- ・業務ルールを変えたが、コンプライアンス上の問題があることに気づいた
- ・新しい業務の担当者が曖昧だった
- ・FMを書いた当時はとても重要に思えた機能が、実は業務に合わなそう

などなど。人間なので、思い込みや勘違いもするだろう。

一般に、プロジェクト初期の工程で埋め込まれたバグに気づくのは、テストの後半だと言われている。

図表S-1はV字モデルと呼ばれる図で、システム開発は要求定義から開発へと進み、その後は折り返して単体テストからユーザー受入テストと進められる。この図のポイントは、左側の工程（例えば要件定義）で決めたことの成否は、対応する右側の工程（例えばシステムテスト）まで検証できないことだ。

図表S-1 V字モデル

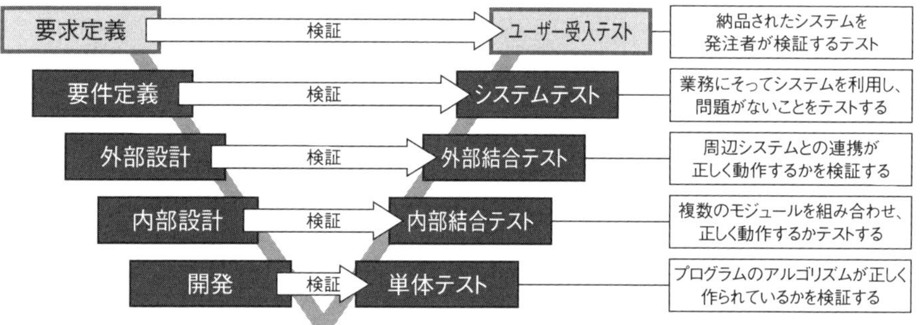

もう少し具体的に言えば、

・システム構築の中盤である開発（プログラミングのこと）でのバグは、直後に行う単体テストで気づける

・だが業務担当者が要求定義を間違えると、途中の段階ではエンジニアは誤りに気づけず、最終工程のユーザー受入テストで初めて気づく

ということだ。最初に決めた構築の土台が、最後にひっくり返ってしまう、という悲劇がしばしば起こる。

最後の段階で気づいたとしても、その修正には大きなコストがかかる。システムを作らせる人が想像する以上に。直すのはたった1箇所かもしれないが、その修正が新たな問題を引き起こす可能性がある。そのため、単体テストや関係しそうな機能との結合テストをもう一度やり直す必要がある。

つまり効率よくシステムを開発するためには、上流で埋め込まれたバグ（勘違いや想定ミス）を、極力早いタイミングで見つけ出すことが死活的に重要となる。

これはソフトウェアエンジニアリングの宿命なのだが、本章で議論しているBPPは、その宿命に抵抗するための方法である。

・想定どおりに業務が回るか？

・FMに書いた機能要求が、エンジニアに正しく伝わっているか？

などをなるべく早いタイミングでチェックし、誤りが発見されたら、早く潰す。それが最も効率的なのだ。先に「BPPの目的は課題を先出しすること」と書いたのは、そういう意味だ。

極論を言えば、システムを作る前に新業務や新システムが明確にイメージでき、致命的な課題がないと断言できるなら、BPPは必要ない。だが現実としては、それはありえない。

その点では家を作るほうがまだマシだ。建築家に完成予定図や模型を作ってもらえば、素人でも生活をイメージしやすい。だがシステムはそもそも目に見えないし非常に複雑なので、家よりもずっとイメージしづらい。

構築前にどれだけ設計書を書いても、システムのプロではない業務担当者は運用時のイメージを掴みきれないし、自分の望む通りの機能なのかも判断しきれない。プロトタイプを作って通し稽古をすることで、少しでも将来の業務やシステムを思い描く助けにすることしかできないのだ。

以上で「BPPをやらないと何が起こるか」についての説明は十分だと思うが、最後に「BPPをやることで何をやらずに済むか？」についても軽く触れておこう。

読者の皆さんはI章で「FSには、すべての要求を完璧に書く必要はない」と書いたのを覚えているだろうか？　あの時点で完璧なFSを書こうとすると（作らないかもしれない機能に対して）膨大な時間がかかるし、どんなにかけても完璧にはならないと。

FSが完璧ではないことを後のフェーズで補填する作戦が、U章で説明するキーチャートやこのBPPである。FSでエンジニアに要求が十分伝わっていなかったとしても、キーチャートで緻密に表現できるし、BPPで業務の流れや画面を見ることで訂正できる。

FSに血道を上げて時間を使いすぎるくらいなら、後の工程でしっかり時間を使ったほうが、プロジェクト全体の効率は高くなる。

BPP（プロトタイピング）の7つのステップ

BPP（プロトタイピング）は、7つのステップに分解できる。なお、多くの人がイメージしやすいので、人事業務（組織改編や課長の任命など）の事例を中心に説明することにしよう。

プロトタイプの7つのステップ

ステップ①：対象シナリオ選定
ステップ②：シナリオの準備
ステップ③：確認ポイントの明確化
ステップ④：プロトタイプを用意する
ステップ⑤：データ準備
ステップ⑥：プロトタイプセッション当日
ステップ⑦：課題を潰す

ステップ①対象シナリオの選定

まずはBPPで検証する業務を選ぶ。

すべての業務を検証すると思っていた読者もいるかと思うが、実際に検証できるのは1/3程度だ。プロトタイピングは結構手間がかかる作業だし、要求の正しさや網羅性を担保するためにはプロトタイピングよりも他の手段（例えばキーチャートのレビューなど）の方が、効率がよいケースもある。

したがって検証効果が高い業務を選ぶことになるが、通常は以下のような業務を対象とする。

BPP対象業務1：王道の業務

「商談⇒受注⇒生産指示……」のような、企業活動の幹となる、一番ノーマルな業務の流れ。「要求した通りの機能が提供されないと業務・ビジネスが成り立たない領域」という言い方もできる。この業務で使う機能が不足している時は、回避方法や機能追加を真っ先に考えなければならない。つまりプロジェクトへの影響が大きいため、検証の優先度も高い。

ただし王道の業務といっても、例えば給与計算のように会社ごとの差が小さな業務ではパッケージも柔軟性がなく、買った以上はパッケージのお作法に従うほかない。したがってBPPで議論しても時間の無駄である。

BPP対象業務2：現在と大きく変わる業務

業務改革のために、プロセスや役割分担を大幅に変えた領域だ。例えば今までなかった業務を始めるケースや、仕事の大部分をアウトソースするケースなど。

単純に「業務がうまく回るのか？」「業務を支えるためのシステムは提供されるのか？」を確認する意味もあるし、変えることによる効果（効率化など）が期待通りに得られるのかを検証する意味もある。

課題を先取りするためにBPPをやるのだから、このような領域があればまっさきにシナリオに選ぶ。

BPP対象業務3：要求の通りにシステム機能を提供できなそうな業務

パッケージソフトが前提としている業務と、自社の業務に大きなギャップがありそうな領域だ。どれほど良さそうなソリューションを選んだとしても、ベンダー選定の時に「不適合」と判定されたり、デモの時に「ここは厳しそうだ」という感触がある機能があるものだ。ベンダーに「どのあたりが不安ですか？」とストレートに聞くのも良い。

以下は人事評価システムを構築する際に作成した、BPPの対象シナリオを検討するための資料だ。ここでは評価の実施準備から、本人へ評価結果をフィードバックするまでの一連の流れすべてを対象にした。これまで

図表S-2 BPP対象シナリオ

対象範囲

【業務プロセス】

業務プロセス		①考課シート準備	②対象者抽出	③評価者設定	④評価ツール選択	⑤目標入力	⑥評価入力		⑦FB	⑧結果保管	⑨実施状況照会
							画面	Excel			
業績目標評価	システム		※前回コピーは追加開発	※前回コピーは追加開発		※前年度コピーは追加開発	※前年度コピーは追加開発				
	紙										

【実施段階】

目標／評価	目標			評価				
段階	⑤－1 目標提出	⑤－2 目標承認	⑤－3 目標面談登録	⑥－1 自己評価登録	⑥－2 一次評価登録	⑥－3 評価合意登録	⑥－4 二次評価依頼	⑥－5 二次評価
登録者	本人	一次評価者	本人	本人	一次評価者	本人	一次評価者	二次評価者

紙でやっていた業務を全体的にシステムに切り替えたため、「薄くてもいいから、業務全般をなるべくカバーしたい」というニーズが強かったからだ。その代わりイレギュラーケースには眼をつぶり、後日設計書をレビューするだけにした。

ステップ②シナリオの準備

シナリオ選定では「受注業務のあたり」と粗く決めるだけだが、実際に通し稽古をやるためには、シナリオを事前に作る必要がある。

業務改革をゴールとしたプロジェクトでは、現在の業務プロセスを変える検討をしてきたはずなので、FMを書くよりも前に、将来業務フローを書いていることだろう。その場合は、新たにシナリオを作るのではなく、それを流用すれば良い（下図）。

もしパッケージが想定する業務フローにそのまま乗っかるようなプロジェクトの場合は、それを簡単に書き起こしておく。ただしそれに時間をか

図表S-3 ｜ BPPシナリオ

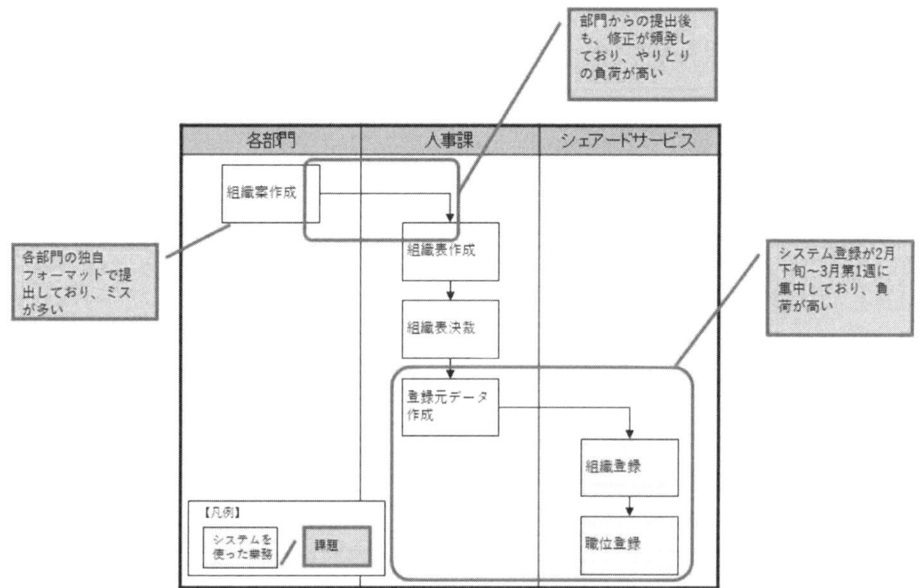

ける意味はないので、ホワイトボードのなぐり書きで済ませる場合もある。

ステップ③確認ポイントの明確化

漫然とプロトタイピングをするだけだと、目新しいシステムの画面に惑わされて「なんか良さそう」と思ってしまいがちだ。きちんと課題を出すためには、実際にプロトタイプセッションをやる前に、確認したいことを明確にし、業務フローに書き込んでおくと良い（下図）。

この作業は、これまでの検討での蓄積がものをいう。FMを書いている時やベンダー選定の時などに、「これって大丈夫だろうか？」「この業務はうまく回るだろうか？」といった懸念を業務担当者がたくさん口にしていたはずだ。それらを丹念に記録しておけば、BPPでの確認ポイントを洗い出す作業はすぐ終わる。

確認したいことがはっきりすることで、プロトタイプとして準備すべき機能も決まるし、プロトタイプセッション中に有益な議論もできる。

図表S-4 ‖ BPP確認ポイント

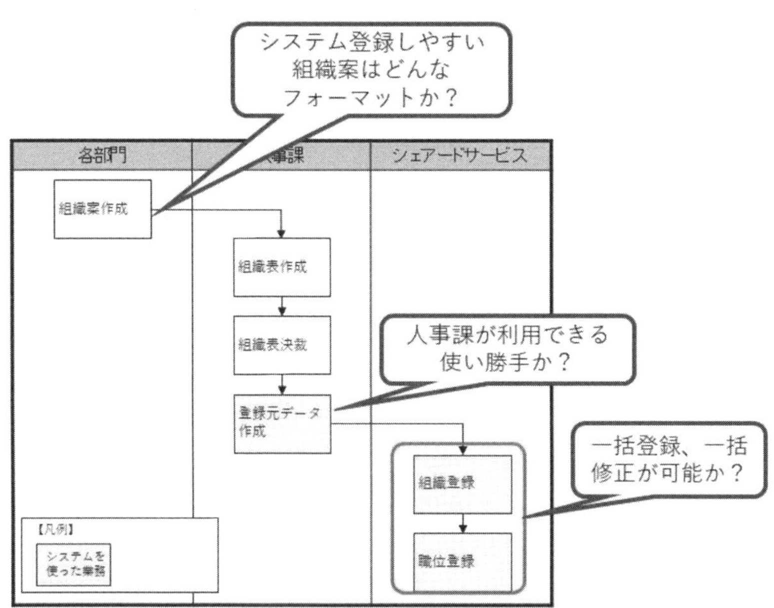

Column

BPPセッションは何回やるべきか？

結論としては、プロトタイプセッションは同じシナリオを2回やるのがおすすめだ。

1回目のセッションは、「シナリオを最初から最後までなんとか流すことはできたが、課題が50個くらい出た。それらを解決できるのかも不安だし、解決したとしても、結局どんなプロセスになるのか、まだイメージできない」という結果になることが多い。

特に業務を抜本的に変えるプロジェクトの場合は、業務担当者も「なるほど、こう変わっちゃうのか」を初めて体感する。変化を受け入れるにはすこし時間がかかるので、1回目のセッション直後は混乱している。

そこで1回目で出た課題を検討し、画面イメージも修正した上で、2回目のセッションに臨む。今回はセッション参加者も慣れているし、前回問題となった箇所が解決されているので、ずっとスムーズにシナリオが流れる。「課題は数個出たものの、これで業務が回りそうだ」と確認できるので、和やかにセッションを終えることになる。

ただし1回目と2回目の間で、業務的な課題、システム的な課題を潰しまくらなければならない。期間も1ヶ月程度は必要だろう。

特にパッケージソフトを使ったプロジェクトの場合は、機能上の制約があり「問題があるなら、画面を変えましょう」とはいかないことが多い。パッケージの別の機能を使えないか？　業務ルールを少しだけ変えればうまくパッケージで対応できるのでは？　などと、難しい判断が迫られる。

ステップ④プロトタイプを用意する

検証するシナリオと確認ポイントが決まっていれば、BPPに登場するシステム画面が決まり、準備できる。まれにユーザー側が用意するが、たいていはITベンダーに作成してもらうことになる。

どれだけ凝ったプロトタイプを用意するかは、プロジェクトによってまちまちだ。Excelやパワーポイントで描いた画面イメージを使って紙芝居風にやることもあるし、パッケージソフトを仮組みして、本物の画面を使う場合もある。「時間をかけずに、まずはサクッと確認しようぜ」と、A3用紙にマジックで手書きした画面イメージを使ったこともある。

選定したパッケージソフトの特性によって、画面イメージを用意するための工数はかなり違う。ITベンダーに準備の負荷をかけすぎないように、どんな画面イメージでBPPを行うか相談しよう。

特別な設定なしにすぐに使えるパッケージソフトの場合は、まずはそれを使って1回目のプロトタイプセッションをやることが多い。パッケージではなく手作りでシステム構築する場合は、画面イメージを用意するのが大変なので、まずはExcelなどで作った画面を使う。

ここでの発注者側の心構えとしては、完璧を求めないことだ。BPPの目的はあくまで課題の先出し。完成品のレビューとは違う。BPPに使用する画面イメージはあくまで仮組みなのだ。まずはシナリオ全体を確認できればよいと割り切ろう。計算や集計、チェックロジックなど、詳細機能は当然完成していなくても問題ない。

逆にそういった細部を作り込むことを優先して検証が遅くなると、課題の先出しとしてのBPPの意味がなくなってしまう。

応 用　本物を使うか？紙芝居か？を決める3つの作戦

「ステップ④プロトタイプを用意する」で説明したように、BPPで使うプロトタイプ（システムの画面イメージ）は、どんなものでも構わない。業務が成り立つか？　を確認したり、機能のイメージが大きくずれていないかを確認することが主旨なので、まずはシナリオが流せればいいからだ。

とはいっても、もちろん本物に近い画面でやるにこしたことはない。画面の使い勝手などの課題も、早く気づいて早く直したほうが効率はよいし、本物の方が実際の業務をイメージしやすい。

・なるべく早くプロトタイプセッションを開催したい
・なるべく本物に近い画面イメージでプロトタイプセッションをやりたい

この2つのバランスを取るために、以下のいずれかの作戦をとる。

作戦A：パッケージを使わないシステム開発

手作りでシステムを作る場合は、本物の画面を作るのに時間がかかる。そのため、プロトタイプセッションを早く実施するために、Excelやパワーポイントでお絵かきした画面イメージを使って、まず

図表S-5 ‖ 画面イメージの使い分け

	作戦A	作戦B	作戦C
画面のラフスケッチ	プロトタイプセッション 1回目		
カスタマイズしていない画面	↓	プロトタイプセッション 1回目	プロトタイプセッション 1回目
セットアップ済みの画面	プロトタイプセッション 2回目	プロトタイプセッション 2回目	

は1回目のセッションを開催する。新規事業開発や誰も使ったことがないアプリを作る場合は、手書きを使うこともある。

この段題で大幅な修正を迫られるケースもあるが、時間をかけてちゃんとした画面を作っている訳ではないので無駄な時間もほとんどなく、何の問題もない。

議論の末に作りたいシステムのイメージが固まった後、きちんとしたシステム画面を作り、第2回のセッションを行う。ただし、この段階でも計算ロジックなどは作っていない。あくまで「外見だけは本物」というプロトタイプを使用する。

作戦B：ノーマル画面でまずはセッションをやる

カスタマイズしていないノーマル画面であれば、すぐに用意できるパッケージソフトは多い。まずはこのノーマル画面を使ってプロトタイプセッションをやる。何しろITベンダーと契約したらすぐにBPPができるし、PEWフェーズで選定したパッケージをいち早く勉強できるメリットも大きい。

2回目にやるときは「外見はほぼ完成形」という画面を使い、おさらいも兼ねて同じシナリオを進めていく。

作戦Bの変形パターンとしては、関係会社で導入したシステムを使って1回目を行ったことがある。別の会社なので業務の複雑さなどはかなり違うのだが、同じパッケージを導入することにしていたので、実際の画面やシステムの動きを見ることに意味があったのだ。

「なるほど、だいたいこんな感じになるんだな」と、プロジェクトメンバー内で共通認識ができて、その後の議論がかなりスムーズになった。2回目のプロトタイプセッションをやった時も、より突っ込んだ議論ができた。

作戦C：どうしても1回しかセッションができない時

前述のようにプロトタイプセッションは同じシナリオで2回やるのがおすすめだが、スケジュールの都合でどうしても1回しかできない時もある。

この場合は、カスタマイズしていない画面で実施するのがよいだろう。セットアップ済みの画面でやったのでは、実施時期が遅すぎる。

結果として手戻りが大きくなり、非効率だ。
　そして2回目のセッションの代わりに、ユーザーが設計書をレビューする。シナリオ通りに画面を見ていくのに比べて、ユーザーに想像力を要求するが、プロトタイプセッションを全くやらないよりはずっとマシだ。

ステップ⑤データの準備

　シナリオを作るのと同時に、前提となる対象ユーザーや入力値などの想定データもこの時点で具体化しておく。例えば入社手続きを確認するなら「入社するのは正社員か定期従業員か？」という具合だ。

　具体化する際のポイントの1つ目は、できるだけ現実に近い対象者やデータを想定すること。「ダミーデータAAA」よりも「業務推進室室長 濱本佳史」の方が現実に即して考えやすいためだ。実際のデータ（本物の社員や、本物の取引データなど）を使うのが一番よい。

　もう1つは、上記の確認ポイントに沿ったデータにすること。例えば定期従業員の採用プロセスが正社員と大きく異なる場合、両方の社員登録が問題なく行えるかを確認した方が良い。その場合は当然、両方のデータを用意しなければならない。

　あるプロジェクトで人事評価（考課）のシステムを構築した際は、シナリオをよりリアルに想像できるよう、BPP参加者である人事部門の組織、

図表S-6 ┃ 前提となる組織イメージ

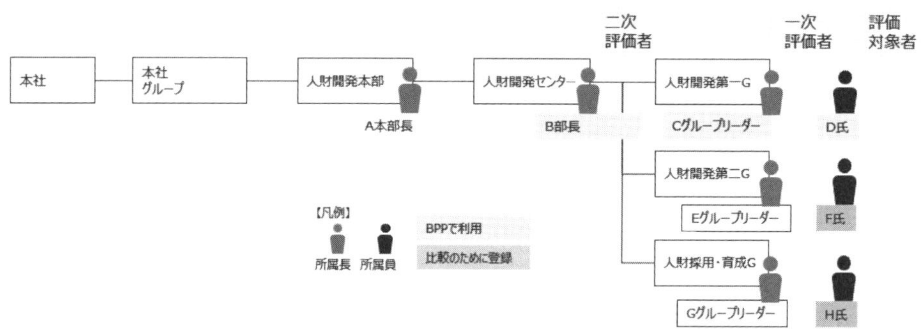

役職を用いた。そして「この組織がシナリオの前提となります。D氏（実際には実名）の評価をやってみましょう。1次評価者はCリーダー、2次評価者はB部長になりますね」と説明してから、セッションを始めた。こういった前提の整理を丁寧にやらないと、「いま、どういう状況をシミュレーションしているんだっけ？？」と混乱し、検証が滞ってしまう。

ステップ⑥プロトタイプセッション当日

シナリオの流れにそって、準備したプロトタイプの画面・動きを確認していく。この際重要なのは、「いま、シナリオ上のどこか？」を意識しつつ画面を見ることだ。そうすることで業務プロセスに潜む問題に気づきやすくなる。だからこの写真のように、シナリオと画面の両方を投影しながら進める（プロジェクターを2台用意すること！）。

検証していく上での注意点は、課題を発見した時に解決策の議論を始めないことだ。まずはシナリオを流し、課題を出し切ることを優先する。そのために、気になった点や課題は一旦書き出しておく。

図表S-7 ▍プロトタイプセッションの様子

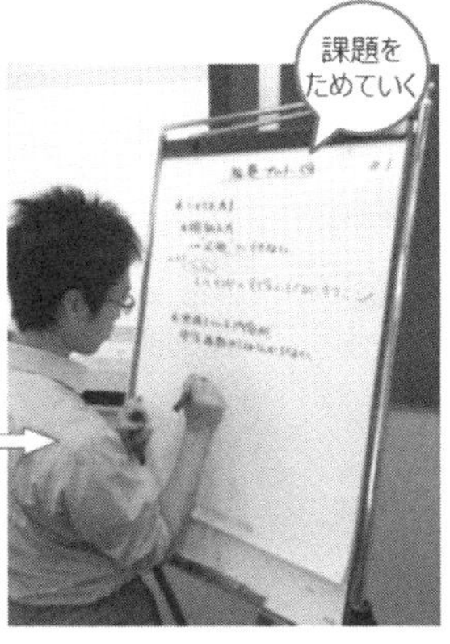

セッションをスムーズにすすめるため、役割をきちんとあらかじめ決めておいた方が良い。

レビュア

検証対象の業務に一番詳しい人。今後その業務を担当する人。業務やシステムに懸念があれば表明してもらう。良さそうな場合に「これなら業務ができそうです！」と判断するのも重要な仕事。

ファシリテーター

全体の進行と、シナリオの説明。事前にリストアップした確認ポイントを読み上げる。

スクライバー

参加者から出た懸念や、後で議論すべきテーマなどを記録していく。

システム操作者

シナリオに沿ってプロトタイプを操作する人。

応用 BPPに参加する「作らせる人」の心構え

BPPをうまく進め、課題を洗い出しやすくするための心構えを紹介しよう。

A）機能単体より、プロセス全体の確認を優先する

機能をバラバラにレビューするだけならば、BPPという面倒な工程を踏む必要はなく、設計書を１画面ずつレビューしていけばよい。わざわざBPPをやる以上、シナリオの流れにそってプロトタイプの画面・動きを確認しよう。

「どこまでシナリオがすすんだか？」「前に入力したデータは、いまどう使われているか？」「このときにシステムは何をしてくれるのか？」など、時系列を意識して、必死にシミュレーションする。

そうすると「あれ？　この時点ではまだ価格は決まっていないのでは？」「今の業務だと、入社手続きより前に社員番号は決まらないはずだけど……」などと、業務やシステムの矛盾を発見できる。

B）見た目より、やりたいことができるか？　に着目

プロトタイプの画面を見ていると、操作性や表示される文言などの細かいものばかり気になってしまうユーザーは多い。「このメッセージでは誤解を招いてしまう」「このボタンは下でなく上にできないか」。

これを始めるときりがないし、前述したような、致命的な矛盾を見逃してしまう。それよりは、FMやFSを書いた時の要求が実現できそうか？やりたい業務ができそうか？に着目しよう。細かいことに目がいかないよう、確認ポイントやFM・FSを手元に準備しておくと良い。

修正してほしい点を忘れないように口にするのは良いが、あくまで深入りせずに「課題として記録だけはしておいてくださいね」という程度にする。

C) 動かないことにいちいち目くじらを立てない

この時点で見られるのは、あくまでプロトタイプだ。完成版ではない。そのためバグやエラーで動かなくなっても気にせず、そこは飛ばしてシナリオを先に進めよう。

BPP中に「またエラーが出たぞ！」「こんな状態で大丈夫か！？」と動揺するユーザーは多いのだが、エンジニアにしてみればまだ仮組みでしかないのだから、この程度のことは当たり前だ。

チェックロジックや帳票などの直接業務に関わらない機能は、プロトタイプとして作らない。検証したいことではないからだ。「こういう機能が実装される想定です」と口頭説明に留める。その程度の完成度なのだ。

そんなことよりも、業務が全体として効率化できそうか？　良質な顧客体験を届けられそうか？という本質をチェックすることに集中しよう。

D) 課題が見つかったら喜ぶ！

良いプロトタイプセッションを2時間やると、課題を30個近く発見できる。予定通りにいかないことがわかったのだから、暗い気持ちになってしまう。

だが、課題を先出しするためにわざわざBPPをやっていることを思い出そう。課題が見つかったということは、よいBPPができていることを意味するし、プロジェクトの工程が進んでから見つかるよりはずっとマシだ。

だから「いやー、たくさん課題が見つかって、充実したBPPでしたね！」と（半ば苦笑しながらではあるが）、皆で喜ぶようにしよう。

ステップ⑦課題を潰す

プロトタイプセッション後に、見つかった課題の対策を討議していく。BPPを通して発見される課題のうち、以下のような課題は議論の必要がない。

・画面に入力項目が足りない

・操作がわかりにくい

議論というよりは淡々と記録し、システム設計者に伝えれば良い。設計者はそれを受け取り、より良い設計を目指すだろう。パッケージの制約などで改善できない場合もあるが、そういう場合は諦めるしかなく、どちらにせよ議論しても無駄だ。

一方で

・当初想定した業務の流れどおりにならない

・業務のバリエーションやイレギュラーで対処しきれないものがある

・システムが変わることで操作が変わり、ミスや不備が増えそう

・やりたい業務はできるが、手間がかかりすぎる

こういった課題は、ベンダーを含めて解決策を決めていく。設計に反映したり、当初想定していた将来の業務イメージを見直す場合もある。教育計画を練り直す場合もある。手段は様々だし、決してITエンジニアだけが苦労を背負う必要もない。

また、回避方法が複数あって机上の議論では判断がつかない場合、複数案のプロトタイプを作成し、次のBPPで検証してもよい。

Column

システム課題の対応はベンダーのスキル次第

システムの変更が必要な課題に対処できるかどうかは、ベンダーの力量によるところが大きい。スキルが低い担当者だと「無理です」「パッケージの仕様なので変えられません」を繰り返す。

同じ状況でも経験豊富なエンジニアだと、「別な方法でパッケージを組み直せば対応できると思います」「むしろ、業務をこう変えられませんか？」「ちょっと保守が大変になるけど、機能要求は満たせる」

などと有意義な提案をしてくれる。

システムを作らせる人としては、なんとしてでも経験豊富な担当者をプロジェクトに参加してもらう交渉が必要となる。そしてBPPの重要性を説明し、その担当者にガッチリ参加してもらう段取りを付けておこう。

事例　画面を見るだけでは、「課題の先出し」にならない

ユーザー受入テスト（ユーザーが望んだ通りのシステムになっているかを、稼動直前にチェックするテスト）の段階まで来ていながら問題が多発し、炎上しているプロジェクトの支援に入ったことがある。

ITベンダーのプロジェクトマネージャーに、この章で説明したBPPに相当する工程をやったのかを聞いてみた。すると彼の回答は「プロトタイプを作成し、ユーザーがレビューした。特にメイン業務は、全般的に流れを確認してもらった」だった。

だが、ユーザーがシステムへの不満点をリストアップした資料を見ると「ユーザーの運用イメージとシステムが乖離している」「こちらが出した要求を満たしていない」というコメントが多く、どうにも腑に落ちない。

よくよく詳細を聞いてみると、個々の画面イメージは確認したが、業務の流れに沿って確認したり、問題となりそうな箇所について膝を突き合わせて議論していないことがわかった。

この章で説明したような、業務シナリオを特定したり、確認ポイントを洗い出すことはせず、プロトタイプセッションも開催していない。やったのは「画面を見て、操作しやすそうか？」を確認しただけ。

ユーザーは、新しいシステムを使って業務を回すイメージを最後の段階まで持っていなかった。業務が全体としてどう変わるかもイメージ不足だし、自分が要求した通りの機能になっているかもチェックできていない。

受入テストの段階で炎上するわけだ。

システム構築プロジェクトでは、こういった基本的なことですら、

「依頼したのだから、やったはず」「いや、やってませんよ。依頼すらされていません」という行き違いが発生する。むしろ、こういうコミュニケーションギャップがあるからこそ、プロジェクトは炎上するのだ。

単に「画面イメージができたので、見ておいてください」ではなく、この章で説明したように、念入りに準備したプロトタイプセッションを開く必要がある。そうしないと課題を充分に発見できないからだ。そして、BPPの段階で早めに課題を発見することは、そういった手間をかけただけの見返りが充分にある。

Design・Deployment

わたし食べる人、あなた作る人、になってませんか？

開発チームの立ち上げ

この章のレッスン

- これまで進めてきたプロジェクトに、システムを作る人々が本格的に参加してくるのがこのタイミング
- 協力しあえる最高のチームを作るためには、作らせる人の姿勢が鍵となる。そのための原則を紹介する

開発チームづくりをITエンジニアに丸投げしない

怒る人もいると思うが大切なことなのでハッキリ書くと、ほとんどのITベンダーは、ユーザーなど顧客関係者を含めたプロジェクト全体には興味がない。彼らが関心があるのは、自社のチームをどう管理して、決められたプログラムをコスト内で期限までに作るか？ということだ。

だからITベンダーが参加したあとも、プロジェクト全体を率いる責任

図表T-1 ｜ プロジェクトを広く捉える

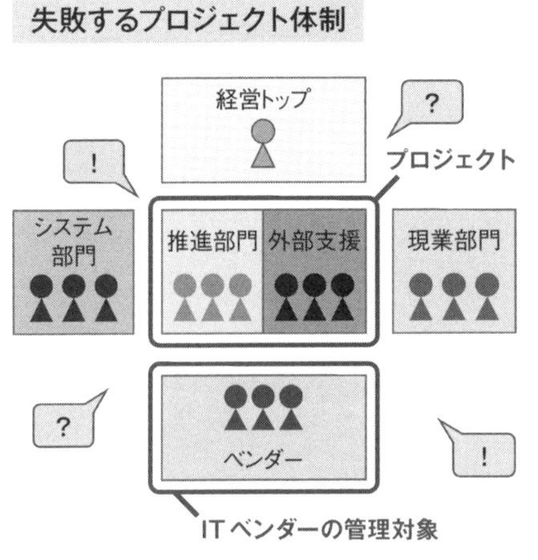

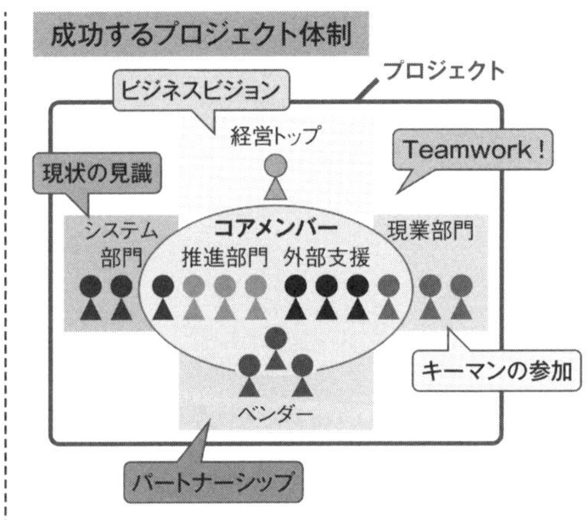

は「システムを作らせる人」に残り続ける。これまでのフェーズと何も変わらないのだ。

事例　プロジェクト全体のことなど一切考えていませんでした！

頓挫しかかっているプロジェクトを立て直す支援（火消し）を始めてすぐのことだ。ITベンダーのプロジェクトマネージャーに、これまでどんな管理をしていたのかをヒアリングした。どうやって仕事を洗い出したか？　順調に進んでいるかをどうやってチェックしたか？などを一通り聞き、私から最後に質問をした。

「これまでのお話は全て、御社の開発チームをどう健全に運営するか、という観点だったと思います。お客さん側のエンジニアやユーザーなど、プロジェクト全体の管理はどのようにしていたのですか？」

それに対する彼の答えは「いや、こちらのことでいっぱいいっぱいで、プロジェクト全体のことは一切考える余裕はなかったです。上司からの指示もなかったですし」というものだった。

このやり取りを横で聞いていた顧客の1人は、打ち合わせ後にかなり憤慨していた。「うちの会社に大規模なプロジェクトをマネジメントする能力がないことは最初からわかっていたんですよ。あのベンダーを選んだのは、ウチも含めたプロジェクト全体を面倒見てくれると提案の時に言っていたからなのに！」

ほとんどのITベンダーが、自社の開発チームの管理しか頭にないのは無理もない。自社に限ってもプロジェクト管理というのは難しい仕事だから、大規模プロジェクトともなると、よほどの凄腕プロジェクトマネージャーでもない限りはそこまで気が回らない。

そしてITベンダーは請負契約で仕事を受託することが多く、自社の開発が予定通り完成せずに顧客からペナルティを課されたり、工数をかけ過ぎれば赤字プロジェクトになってしまう。一方で顧客側の管理が多少おざなりでも「顧客が責任を果たしていなかったので、スケジュールが遅れたのです」と言えば済んでしまうことが多い。

発注者（システムを作らせる人）側の作業まで指示したり管理してくれるITベンダーは、例外的に良心的な会社、すごいプロジェクトマネージャーに当たった場合だけだと思っておこう。自分たちの仕事は自分たちで管理し、やりきるしかない。

良い開発チームを作る9原則

プロジェクト全体のマネジメントは発注者（作らせる人）が責任を持つしかない。では、実際にどんなことを気にしてチームを作ればよいのだろうか？　そこには9つの原則がある。

9原則

1．ユーザーが参加し続ける
2．保守をにらむ
3．エキスパートとのつながり
4．OneTeamにする
5．WhyやHowをきちんと伝える
6．言葉と進め方は明示的に
7．ストレートに意見を言い合う
8．プロジェクトルームはできれば1つ
9．学び合う

原則①ユーザーが参加し続ける

住宅建築の場合であれば、着工したら施主がやれることはほとんどない。大工さんにお茶を差し入れるくらいだろうか。だがシステム構築プロジェクトの場合はプロにお任せというわけにはいかず、大抵はこれまでのフェーズと同じくらいの忙しさが続く。

正確に言うと、

・100％正確に漏れなく欲しい機能を語ることができた
・パッケージやSaaS等を使わず、手作りでシステムを作ることにした（スクラッチ開発）

この2つが揃った場合だけ、ユーザーは関与しなくてよい。だが100％

正確に欲しい機能を記述するなんて絶対に不可能だ。それをやろうとすると、原理的にはプログラムを書くのとほとんど同じことをするはめになる。

そして最近は、パッケージなどのソリューションを使わないプロジェクトはほとんどない。パッケージを使った開発では、定義した要件通りにコツコツと作っていくというよりは、「FMに記載した要求」と「パッケージでできること」をすり合わせていく作業になる（本章末尾のコラム参照）。したがって、システム開発チームには業務担当者ががっちり参加していなければならない。

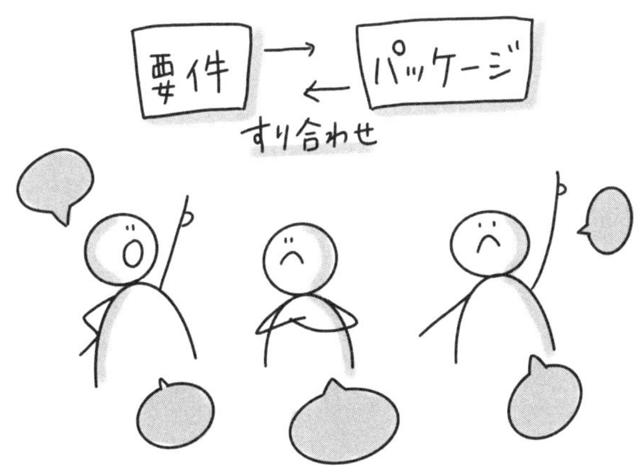

原則②保守をにらむ

システムは1回作って終わりではない。稼動後5年も10年も使い続けるためには、新しい法規制や業務改善に合わせて、ずっと改修していく必要がある。そういった仕事をシステム保守と呼ぶが、どの組織のどの担当者が保守を担うのか、開発する際には決めておく必要がある。

たいていはIT部門が担うか、システム構築を委託したITベンダーにそのまま任せることになるだろう。ITベンダーに依存しすぎないために、IT部門が自社で保守したほうが良いと私は考えているが、そのあたりはIT部門の方針次第となる。

どちらにせよあらかじめ計画して、保守を担う組織、担当者には開発チームに参加してもらう。システムが全て完成してしまってから「はい、これ完成したんで後よろしく」と保守を押し付けられて、うまく保守できる人はいないからだ。実際に自分たちでも構築に参加して検討の経緯をある程度知っておかないと、変更が必要となった時に「何を変えたら、どこに影響が及ぶか？」がわからない状態で保守するハメになる。効率が悪く、大きなリスクがある。

原則③エキスパートとのつながり

業務面であれば、その道何十年のベテラン。ITであれば、今回使うソリューションに精通したエンジニア。プロジェクトのメイン担当者がそういったエキスパートであればよいのだが、現実的にはエキスパートは希少資源なのでプロジェクトに専任できることは稀だ。

常にプロジェクトに参加できなくとも、トラブルが起きた時の相談相手や成果物をレビューする役割など、なんらかの形でエキスパートに参加してもらうようにしよう。

以前、ITベンダーから参加しているエンジニアのスキルが十分ではないことが後々判明し、社外のエキスパートとアドバイザリー契約を結ぶよう、その会社に申し入れたこともあった。そうなる前に（PEWの際に）、その会社にどんなエキスパートがいて、プロジェクトにどう関わってくれるのかを確認した方が良い。

業務のエキスパートも同様で、節目節目でアドバイスをもらえるような関係を作っておきたい。

原則④OneTeamにする

システムを発注するユーザー企業（作らせる側）と、システムを構築するITベンダー、パッケージを提供するパッケージベンダー（作る側）は、本来利害が対立しがちである。先にも説明したように、「あれ？　この機能はもともと作ることになっていたんだっけ？」という議論が始まったら、その漏れていた機能をどちらの負担で作るのか、責任を押し付け合う構図になってしまう。ユーザー企業が譲らなければITベンダーは泣きを見ることになるし、その逆もありえる。

だが、プロジェクトという1つのゴールを目指す仕事で、双方がいがみ合ったり牽制しあっていては、絶対にうまくいかない。呉越同舟の精神（少々利害が相反することは目をつぶり、プロジェクト全体を成功させる）でプロジェクトチームをまとめなければならない。そういうチームを作るために私たちがやっていることが2つある。

1）請負契約をやめ、フェーズごとの準委任契約にする

上記のような「コレも作ってくれるはずだろ」「いや、契約に含まれていない」という押し付け合いは、作るべきシステム機能が曖昧な段階で「まるっと1億円」みたいな請負契約を結ぶから発生する。フェーズをいくつかに区切った上での準委任契約の方が、「プロジェクトをともに成功させる」に向かいやすい。

2）自ら率先して「プロジェクト最適」を言い続ける

こちらはどちらかと言うと精神論なのだが、プロジェクトで議論をする時に一切「ウチの会社の都合」を持ち出さない。常に「プロジェクトにとって何が最適か」だけを基準に議論を組み立てる。そして相手にも求めていく。

これはプロジェクトメンバーとしての正論なので、だんだん「自社の都合で何かを主張する」ことがやり辛くなるし、そういう人の意見は誰も聞かなくなる。プロジェクトは人間臭い仕事なので、こういうマインドを変えるアプローチは意外と有効なのだ。

「OneTeamにする」というのは、単にチームワークを良くしましょう、という話に留まらない。誰もが自社の都合を主張して、意見がまとまらないプロジェクトと、「まずはプロジェクト最適な意思決定をしよう。自社の都合は後からついてくる」という人々が集うプロジェクト。どちらが成功に近いかは言うまでもないだろう。

原則⑤WhyやHowをきちんと伝える

プロジェクトの立ち上げ時に、Why（なぜこのプロジェクトをやるのか？）とHow（どのような業務に変えるのか？）を散々議論したかと思う。これを、後からプロジェクトに参加する社内のメンバーやITベンダーにも必ず話そう。

上から振ってきた作業をさせられるよりも、Whyを理解し、How（つまりビジョン）を自ら思い描いたほうが、人間だれしもよい仕事ができる。それはプロジェクトに最初から参加しているメンバーだけでなく、後から参加するメンバーも同じだ。実際にコツコツとシステムを作る人の大半は後から参加するのだから、これを意識することはチームの生産性に響く。

原則⑥言葉と進め方は明示的に

どのプロジェクトもゴールや状況が毎回異なる。結果として、ベストな進め方（スケジュールや手順）や役割分担も違ってくる。仕事に着手する前にこれらが曖昧だと、参加者は不安になってくるし、手戻りや重複が起きて効率が悪い。

「次はこの資料を作ります」「優先順位を決めます」といった工程表や進め方を、作業前に示す。それと同時に言葉の意味も合わせていく。Q章で説明したように、エンジニア同士でも会社が違えば「システムテスト」が意味する作業内容がかなり違ってくるためだ。

グラウンド・ルール
＊積極的に参加する
＊思ったことはすかさず言う
不安やモヤモヤを溜めない
＊年次は一切気にせず
コミュニケーションを！
＊即応答
フリーズ禁止！
＊一総合職として
会社全体のあるべき姿を考える
＊時間厳守!!
＊個人情報は取扱い注意!!
＊言葉の定義を丁寧に
＊自分の予定は予定表に入れましょう！
予定表の開示も忘れずに
＊Have Fun！

原則⑦ストレートに意見を言い合う

OneTeamを作るためにも、オープンで率直なコミュニケーションは必要だ。開発チームでの非効率さや感情的な揉めごとは、メンバー同士が違う情報をもとに議論をすることから生じる。ルーティーンワークであれば、やるべきことが決まっているし、慣れているので、それでも仕事は進んでいく。しかしプロジェクトではコミュニケーションの悪さはチームの生産性悪化に直結する。

コミュニケーションをよくするために適切に会議体を設計する必要もあるのだが、一番大事なのは、言いにくいことこそ、まっさきに話ができる関係を維持することだ。このために一番重要なのは「悪い報告をした人、リスクを指摘してくれた人を決して罰しない。むしろ褒める」というルールを徹底させることだ。

原則⑧プロジェクトルームはできれば1つ

本音で話せる関係づくりのために、「この部屋の中であれば、本音で話せる」という場所として、プロジェクトルームを作る場合が多い。ITベンダーは自社で開発することが多いが、コミュニケーションを良くするためになるべく頻繁にプロジェクトルームに足を運んでもらうようにする。

プロジェクトルームが手狭になり、1チームだけ別の階の小部屋に移動してもらった途端に「3階の人たちがまたこんなことを言いだして困る」みたいなトーンになってしまったこともある。

様々な事情で必ずしも1フロアに集合して作業できるとは限らないが、物理的に一緒にいることの重要性は知っておいてほしい。

なお、2020年以降は新型コロナの影響で1つのプロジェクトルームに集まることが難しくなった。オンライン会議を頻繁に開いたり、あえてオンライン雑談部屋を作って何気ない相談をしやすくしたり、試行錯誤中だ。

原則⑨学び合う

ここまで読んだ方は理解していただけると思うが、「お客様であるユーザーが、業者であるITベンダーをアゴでこき使う」という関係ではシステム構築はうまくいかない。ユーザーは業務のプロとして、ITベンダーはシステムのプロとして、有益な知識・知恵を持っているのだから、教え合うことでチーム全体のスキルをあげていくべきだ。

互いの領域を理解すればするほど、コミュニケーションの質やスピードが上がり、結果としてプロジェクトの質や生産性も上がる。プロジェクトの最中はスケジュールに追われて忙しいが、意図的にトレーニングの場を設ける。そういう時間をとることでモチベーションも上がるし、参加者がスキルアップすればプロジェクト解散後も会社に大きな財産が残る。

Column

スクラッチはブレイクダウン、パッケージはすり合わせ

1990年代までは「スクラッチ」と呼ばれる、全ての機能をコツコツとプログラミングしていく開発手法しかなかった。私もかつては某巨大企業の経理システムの決算ロジックを、1行1行プログラミングしていた。

1995年ごろから、ERPと呼ばれるパッケージソフトを使ってシステム開発する手法が使われ始めた。当初は経理や人事のような会社ごとの独自性が小さい領域から。いまでは営業や生産管理などの独自性が大きい領域でもスクラッチ開発は珍しくなり、得意とするITベンダーもめっきり減った。

10年ほど前、それまでスクラッチ開発しか経験がないIT部門の方と一緒にパッケージ開発の仕事をしたことがある。その際に一番苦労したのは、プロジェクトの進め方をパッケージ開発にフィットした形に変えてもらうことだった。

スクラッチ開発のプロジェクトは「ブレイクダウン」という考え方にもとづいて進む。ユーザーから提示された機能要求を、どんどん明確で詳細に記述された文書に落とし込んでいく。

図表T-2 ║ スクラッチとパッケージ

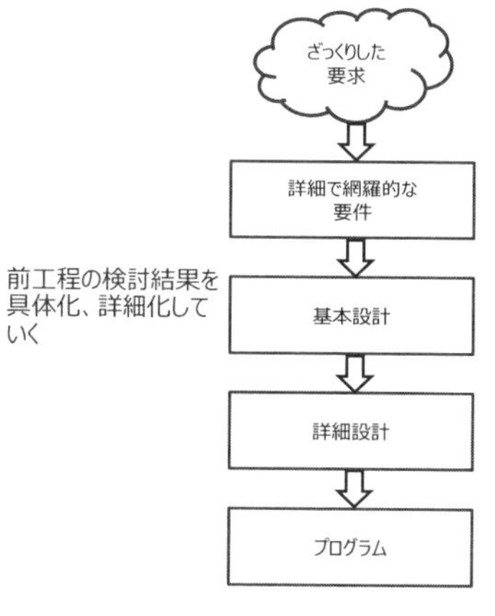

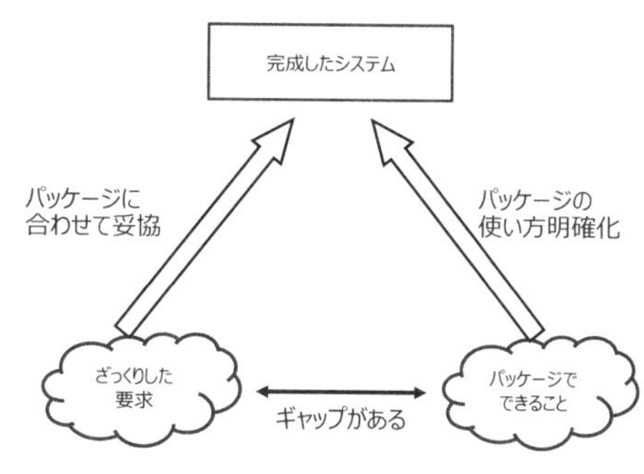

要求：受注時に、商品コードや数量、金額、納品先などを登録する
↓
基本設計：受注ボタンを押した時に必要なチェックは……

といった感じだ。スクラッチ開発では、基本的にユーザーの要望通りにシステムを作ることができる。例えば「受注金額が100万円を超えた場合は、値引き判定ロジックを走らせて……」など、作りさえすればどんな複雑なこともシステム機能として実装できる。

だから、ユーザーが欲しい機能をきちんと言葉にしてエンジニアに伝えることができれば、あとはエンジニアに作業を任せることができる。設計図さえ書けたら大工さんに任せれば住宅が完成するのと同じだ。

一方、パッケージを使った開発（ソリューション、SaaSなど呼び方は様々だが、要はスクラッチ開発ではない現代的なシステム構築）で同じことをやろうとすると、ユーザーの希望にパッケージ機能が合わない場合は、「アドオン」と呼ばれる方法で、手作り機能を追加することになる。これは開発するお金も膨大にかかるし、パッケージメーカーはアドオンした機能の製品保証をしないので、5年後、10年後にパッケージソフトをバージョンアップする際にも多くのテスト工数が必要になる。

それを防ぐには、ユーザーがやりたいこととパッケージでできることをすり合わせるしかない。通常ユーザーの側としては「100%これじゃなきゃ業務ができない」ということはないため、パッケージの事情に合わせて融通をきかせる幅はある（だから図ではこれら2つを曖昧な形で表現した）。

ユーザーはパッケージができることを理解する必要があるし、パッケージに詳しいエンジニアもユーザーの業務にまつわる事情を理解する。お互いの歩み寄りだ。そうした上で、「このままの要件だと、パッケージと合わないのですが、要件を少し変更すれば実現できます。変えても業務は回りますかね？」という折衝を続ける。

このように、パッケージを使いこなすには「業務でやりたいことと、パッケージでできることのすり合わせ」を地道に続けるしかない。これをやらないと、業務が回らない標準機能だけのシステムか、追加機能が山盛りで高くて保守しにくいシステムか、どちらかになってしまう。

これが、開発チームにユーザーがどっぷりと参加しなければならない理由だ。システム構築は、業務の将来像を設計する仕事だ。その業務に責任を持つユーザーが多くの時間を割くのは当たり前だと思いますけどね。

キーチャート

この章のレッスン

- システムを作るための要求事項のすべてをFMで表現することは現実的ではなく、いくつかの補足資料が必要となる
- この章ではそれらの資料を「キーチャート」と呼び、7つのフォーマットを紹介する

キーチャートとは何か

散々FMやFSについて語っておいてこの話を持ち出すのは気が引けるが、FMでは要求の全てを表現できない。FMはバリエーションを表現するのが苦手なのだ。そこで私たちは「キーチャート」と呼ばれる図表を書いてシステム構築に必要なバリエーションを表現し、FMを補完することにしている。まずは典型的なキーチャートを例に、少し丁寧に説明していきたい。

図表U-1 ｜ キーチャート

Seq	項目名	採用	異動	現場異動	海外赴任	昇格	出向	退職	休職
1	社員ID	○	○	○	○	○	○	○	○
2	発令年月日	○	○	○	○	○	○	○	○
3	発令区分	○	○	○	○	○	○	○	○
4	雇用種別	○	×	×	×	×	×	×	×
5	入社年月日	○	×	×	×	×	×	×	×
6	現所属会社	○	×	×	×	×	○	×	×
7	現所属組織	○	○	○	○	×	○	×	×
8	勤務地	○	○	×	○	×	○	×	×
9	管理事業所	○	○	×	○	×	○	×	×
10	勤務事業所コード	○	○	×	○	×	○	×	×
11	経費負担先部門コード	○	○	○	○	×	○	×	×
12	給与負担先部門コード	○	○	○	○	×	○	×	×
13	勤務事業所コード	○	○	×	○	×	○	×	×
14	役職	○	○	○	○	○	○	×	×
15	資格	○	×	×	×	○	×	×	×
16	組合員区分	○	○	○	○	○	○	×	×
17	FLEX区分	○	○	×	○	○	○	×	×

これは人事発令業務のパターンを整理した表である（抜粋版）。発令とは「4/1付で営業課長に任ずる」という会社からの人事指令のことだ。異動発令、出向発令、昇格発令など、所属組織や役職の変更を会社から社員に正式に申し渡す際に出される。

一方、人事システムの観点から見ると発令とは「社員の人事情報を書き換えること」に他ならない。「所属部署」という項目が、4/1を境に「経理課」から「営業課」に書き換わる。

この表は、「発令の種類ごとに、どの情報を書き換えても良いのか？」を示している。網掛けの箇所を見てほしい。「異動発令」のときは「現所属組織」を変えて良いが、「現所属会社」までは変えてはいけない。一方「出向」では「現所属会社」も変更できる。会社が変わることを出向というのだから当然だ。

だが「海外赴任発令」の時に「現所属会社」を変えて良いのかどうかは、少し悩ましい。海外現地法人への出向をどう考えるか？　を議論しなければならないからだ。だからこの表を元に、人事発令の担当者と「このセルは○か×か」について、色々な側面から検討することになる。

キーチャートとは、FMやFSで記述した要求よりももう少し緻密に、システムやその元になっている業務を整理した図表のことである。

例として挙げたキーチャートでは、

- 発令には「採用」「異動」など、全部で20種類あること（図では抜粋した8種類。縦に記載）
- 会社から社員に正式に申し渡す情報には、「社員ID」や「現所属組織」など、全部で39種類あること（図では抜粋した17種類。横に記載）
- どの発令で、どの情報を書き換え可能か（図では○×で表現）

などを記載してある。これらの情報を全てFSに書き込むことは非効率である。だからこの表で表現しているのだ。

結局キーチャートとは何か？　私は以下2つを満たす資料をキーチャートと呼んでいる。

- 業務担当者が理解できる
- 設計書やパッケージ設定に直結する（エンジニアがそのまま設計に使える）

上記の発令のキーチャートは、人事業務の担当者であれば、システムについて詳しくなくとも完全に理解できる。一方で、発令画面の制御を設計する際にそのまま使える資料でもある。キーチャートとは、業務担当者とエンジニアの間の能力ギャップを埋める資料なのだ。

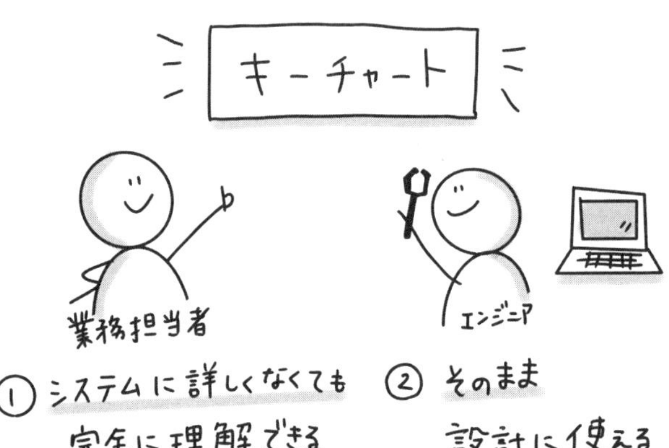

キーチャートと網羅性

業務を実際にやっている人は、「どんな業務をやっているか」について、順を追って語ることはできる。また、これまで説明してきたプロセスをたどれば、今後欲しいシステム機能を洗い出し、説明することができる。

だが、システムはそれだけでは完成しない。この表くらい網羅的かつ緻密に「業務がどうあるべきか」を整理しなければ、システムをキッチリと完成させることはできない。そして表の形で整理されたたたき台なしで、完全に網羅的なあるべき姿を語れる人はいない。

「海外赴任発令の時って会社が変わることってありますかね？」

「海外法人への出向の時は会社も変わるけど、赴任するだけなら会社は変わらないよ」などと、ピンポイントで聞かれれば答えられる。だがゼロから、網羅的には話せない。だからキーチャートが必要なのだ。

この表はゆくゆく、発令の入力画面1つ1つ（異動発令用の画面、出向発令用の画面……）を設計するときの重要なインプットとなる。「異動発令の時には現所属会社を変更できないようにしておく」という細かな機能要求を表しているからだ。

図表U-2 ‖ キーチャートの意義

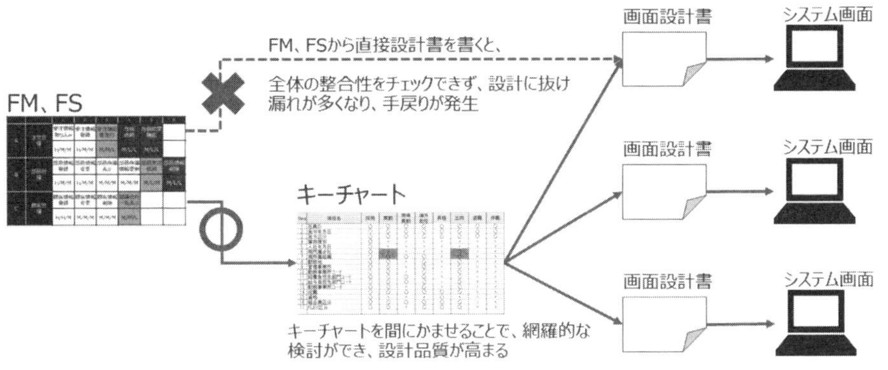
FM、FS
FM、FSから直接設計書を書くと、
全体の整合性をチェックできず、設計に抜け
漏れが多くなり、手戻りが発生
キーチャート
キーチャートを間にかませることで、網羅的な
検討ができ、設計品質が高まる
画面設計書
システム画面
画面設計書
システム画面
画面設計書
システム画面

逆に、キーチャートを作らないと何が起こるかを考えてみよう。

まず、FMに「発令登録画面」または「社員基本情報管理」という機能はリストアップされている。人事業務として、会社から社員1人1人に所属組織や役割を指示する機能は必ず必要だから。そしてFSには、

・各社員の社員基本情報を登録・修正・削除・照会する

・申請ワークフローシステムにて登録された情報が自動で登録可能とする

・登録する主な情報は、「現所属会社」「勤務地」……

などと書かれているだろう。だが、登録する情報をFSに全て書ききるのは無理があるので、例示しかできず網羅性はない。

さらに、単に画面に項目があるかどうかではなく「どの発令の時に入力可能で、どの発令の時は単に表示するだけか？」までは詳細すぎるので書かない。そこで、こういった要求は画面1つ1つを設計する時に考えていくことになる。「異動発令」の画面では……「海外赴任発令」の画面では……といった具合に。

だが、毎回個別に考えていたのでは効率が悪いし、当然ミスが増える。一番まずいのは、ミスっていることに気づきにくいことだ。結果として、忘れた頃に「異動の時に、現所属会社が変更できちゃうと困るので、直して下さい！」と言われる。

それを「要求変更、要件変更」と呼んで発注者（業務部門）が負担するケースもあるし、「設計ミスの修正」と呼んで受注者（ITベンダー）の負担で修正するケースもある。だがプロジェクトコストの増加は結局は発注者に回ってくる。

こういった設計の手戻りはエンジニアであれば誰もが経験があるが、変更に次ぐ変更を依頼されるのは、本当に嫌なものだ。手戻り作業なので効率が悪い。余計な仕事が割り込みで増えるので、スケジュールが予定どおり進まなくなる。賽の河原に石を積んでは崩されるような気がしてきて、モチベーションが根こそぎ持っていかれる。誰にとっても不幸なのだ。

事例　キーチャートを見ていてミスに気づいた

以前、私たちケンブリッジが自社の販売管理システムを作った時のこと。あるキーチャート（契約パターンを整理した一覧表）を見ていたプロジェクトメンバーが「あれ？　契約と検収って1：1の関係でいいんだっけ？」と言い出した。

お仕事をする前に、お客様と契約を交わす。そして無事仕事を終えたらお客様に検収していただく。ノーマルなビジネスでは、1契約につき検収は1回だ。

だが、まれに部分検収が行われる。例えば「契約した作業内容の一部だけ終わっていないのだが、お客様と議論の末、後回しにさせていただいた。まずは95%分を検収し、3ヶ月後に残りの5%を検収する」というケースだ。この場合は、契約データ1件につき、検収データが2件できる。

議論しているうちに「あのプロジェクトだと、契約と検収は1：nなのが普通だよ」という話まで飛び出した。それはまずい。このままだと検収をきちんとシステムで扱えなくなってしまう。まずはキーチャートを書き換えなければ。

このやり取りを横で見ていて、「なるほど、仕様変更はこうやって起きるんだよなぁ」としみじみしてしまった。もしこのメンバーが「あれ？　これでいいんだっけ？」と言い出さなかったら、「契約と検収は1：1である」という前提でシステムを作ったはずだ。だが実際には1：nの時もあるのだから、テストのときなどに問題が発覚しただろう。そうなったら、大きな仕様変更なのでコストも膨らむし、納期に間に合わないかもしれない。いまの段階で気づいて助かった。危ない危ない。

キーチャートは万能ではないが、優れたキーチャートは業務担当者も理解できるので、この例のように「あれ？　1：1じゃない時もあるよ？」と問題に気づくことができる。

だれがキーチャートを作るのか?

どんなプロジェクトでも有効な、必殺のキーチャートは存在しない。業務によって、必要な整理が変わってくる。参考までに今まで作ってきた例を挙げてみると……

・商品種別と販売期間と販売チャネルの組み合わせキーチャート
・出荷方式と売上計上の組み合わせキーチャート
・申請の承認プロセスと権限階層のキーチャート
・休暇取得パターンのキーチャート

などなど、実に様々である。

「このシステムを作るにあたって、どんな切り口でキーチャートを整理すればいいか？」は私たちプロでも毎回悩む。

例えば過去に人事システムの構築経験がある人は、先ほど説明した「発令と情報項目の関係を整理するべき」ということを、知識として知っているかもしれない。他プロジェクトで使ったExcelのフォーマットも持っているだろう。これは初めて人事システムの構築に取り組む人に比べて、大きなアドバンテージになる。

だが、初めて取り組むタイプのシステムでは、適切なキーチャートを見つけることがとても難しい。誰かがCoolな切り口を思いつかない限り、カチッとした要件定義は中々できない。この章で過去に私たちが作って役立ったキーチャートのサンプルをいくつか紹介したので、参考にしてほしい（ズバリ同じ領域のシステムを作るときはまるっと真似できるだろうし、多少違うシステムを作る際にも、ヒントにはなるだろう）。

適切なキーチャートのフォーマットを考え出すのはとても難しいので、どんな立場であれ、やれる人がやれば良い。「ちょっとこんな表を作ってみたんですが、私1人では業務知識が不足していて完成できません。一緒に埋めてください」と持ちかけるのがベストだ。

要件を表現するその他の方法

図表U-3 ｜ 販売実績のポイント化キーチャート

① 受注明細単位に、営業ポイントを自動計算する
② 受注後に、主担当が営業ポイントの配分率を設定する

受注

受注番号	主担当
001	A氏

受注明細

受注番号	明細番号	名称	受注金額	営業ポイント
001	1	製品①	¥1,500,000	① 15pt
001	2	製品②	¥500,000	① 5pt

営業ポイントは社内管理目的で使用
（顧客には非表示）

ポイント配分テーブル（仮）

受注番号	担当	割合 ②
001	A氏	50%
001	B氏	30%
001	C氏	20%

合計20ptを、A氏50%、
B氏30%、C氏20%で分配

これは、販売管理システムの一機能の要件を表現したパワーポイントの図である。

営業部門で販売実績をポイント化し、営業マンの給与に自動連動させる必要があった。こういった機能は会社ごとに差が大きく、一般的なパッケージソフトで簡単に実現できるとは限らないので、「販売実績をポイント化し、ダイレクトに給与と連動」とFSに書いただけでは、ITベンダーに要求が十分には伝わらない。そこで少し丁寧な資料を作成した。

この図を見れば、商品ごとに営業ポイントを管理する必要があることや、複数の社員が関わった案件ではポイントを按分する必要があることなどが理解できる。これを見てITエンジニアの側は「営業ポイントを製品マスタに格納して……」などと実現方法を考えるのだ。

他にも、需要予測や生産量算出の方法、欠品の連絡パターンなど、言葉で表現しきれないものは、キーチャートやFSの補足資料としてまとめる。図示することで、どんなパターンがあり、今回はどこをシステムの対象とするのかを示し、さっと中身を把握できる。

キーチャート7選

過去に私たちが作って役立ったキーチャートのサンプルをいくつか紹介しよう。考え方や項目の追加・修正などアレンジすることで、キーチャート作成のヒントにしてほしい。

キーチャート①ステータスマトリクス

【凡例】○：必ず遷移　△：遷移する場合としない場合あり

遷移後ステータス ＼ 遷移前ステータス		受入検査前	在庫	貸出	修理	除却	・・・
（初期ステータス）		○					
受入検査前			○				
在庫				○	○	○	
貸出			△		△	△	
…							

直前のステータスから、どのステータスへ遷移できるかを示す

商談や事務手続きの進捗や製造工程、修理工程など、「各案件が今どこまで進展したか？　次にどのステップに進むべきか？」をシステムで管理することは多い。大企業では複数の案件が同時並行で進むし、1つの案件を分業しながら進めるので、記憶に頼る訳にはいかないからだ。

そのようなシステムを作る際は、よく状態遷移図やステータスマトリクスと呼ばれるキーチャートを作る。この図では「受入検査の次は必ず在庫というステータスに遷移する」「在庫の次は貸出や修理など、いくつかの可能性がある」などを表現している。

普段業務をやっている方でも、この表を完成させてください、と迫られると即答できないことが多く、「このパターンはありえるんだっけ？」などと議論しながら作っていく。

そして、エンジニアが画面遷移やステータス変更のチェック機能を設計する際、このキーチャートを見れば、システムに求められる挙動を理解できる。

キーチャート②ステータス×操作可否

販売フロー	商品種別			明細ステータス	操作可否【凡例】○：可能、×不可能							次ステータス	アクター
	カタログ	オーダー	工事		見積編集	受注登録	受注変更	案件統合	帳票出力 見積書	注文書	完了証		
見積	○	○	○	見積中	○	×	×	×	×	×	×	・見積起票 ・決裁待ち	営業
見積		○	○	見積起票	○	×	×	×	×	×	×	・見積依頼	営業
見積		○	○	見積依頼	○	×	×	×	×	×	×	・受付済	営業
見積		○	○	積算中	○	×	×	×	×	×	×	・承認待ち	各商品部
見積		○	○	回答	○	×	×	×	×	×	×	・見積中 ・決裁待ち	各商品部
見積	○	○	○	決裁待ち	×	×	×	×	×	×	×	・決裁済み	営業
見積	○	○	○	決裁済み	×	○	○	○	○	○	×	・手配済み ・伝票起票	営業の上長
受注		○	○	伝票起票	×	×	×	○	○	○	×	・受注済み ・手配済み	営業
受注			○	受注承認待ち	×	×	×	×	○	×	×	・受注承認済み	営業

明細ステータスの対象を示す

各明細ステータスでどんな操作をできるか示す

次にどのステータスに移るかを示す

このステータスを誰が更新するかを示す

先程のキーチャートはステータス同士の関係を表現したものだが、こちらは商談のステータスごとに、可能な操作を示したものだ。

見積や受注など、販売業務におけるステータスを縦に並べている。それだけでもキーチャートとして価値はあるが、加えて各ステータスでできる操作や、次に何のステータスに遷移するかも記載している。かなり濃い内容が詰め込まれたキーチャートだ。

1行目を例にすると、「見積中」というステータスでは「見積編集」しかできず、「受注登録」はこの時点ではできない。「受注登録」ができるのはステータスが「決裁済み」になってからだ。「決裁済み」になると「見積書」や「発注書」も出力できるようになる。

こういった業務の流れは業務フローでも表現できるが、システムを作る際には一覧性、網羅性が大事なので、このキーチャートで別途詳細に定義した。

キーチャート③機能×利用者権限

FMは機能を一覧できるし、FSに「その機能を誰まで・どこまで利用できるのか」を記載することは可能だ。だがFSをセルごとに書いていくと、全体として整合がとれていないことに気づきにくい。

従ってFSとは別に、このような一覧をキーチャートとして作ることが多い。機能を縦軸に、利用者を横軸にして、利用可否をシンプルに○か×

利用者名称		一般（共通）			経理部（債務担当）			経理部（債権担当）			経理部（経費担当）			経理部（財務担当）			一般（共通）		
機能分類	機能名	入力	承認	照会	入力	承認	照会	入力	承認	照会	入力	承認	照会	入力	承認	照会	入力	承認	照会
一般会計	伝票入力・照会	○	×	○	×	×	×	×	×	×	×	×	×	○	×	○	×	×	×
一般会計	長期前払費用振替	○	×	○	×	×	×	×	×	×	×	×	×	×	×	×	×	×	×
経費管理	経費申請	○	×	○	×	×	×	×	×	×	×	×	×	×	×	×	○	×	○
経費管理	経理処理	×	×	×	×	×	×	×	×	×	×	○	○	×	×	×	×	×	×
経費管理	財務処理	×	×	×	×	×	×	×	×	×	×	×	×	○	○	○	×	×	×
債権債務共通		○	×	○	○	×	○	○	×	○	×	×	×	×	×	×	○※	×	○※

利用者ごとに、どの機能がどこまで使うことができるかを示す

【凡例】
○：機能の利用可能　×：機能利用不可
※取引先マスタの登録のみ可能

かで表現している。このキーチャートを作成したのは会計領域のプロジェクトで、数値の入力や閲覧に特に気を使う必要があったため、1つ1つ議論した。

キーチャート④BOMごとの管理情報

【凡例】○：登録　△：編集　▲閲覧

属性情報	設計BOM	製造BOM	調達BOM	サービスBOM
品番・品目	○	△	▲	▲
サイズ・材質	○	△	▲	▲
製品・部品コード	○	△	△	△
調達先情報	−	−	○	△
寸法、公差	△	▲	▲	▲
発注数量	−	−	○	▲
シリアルNo.	−	○	△	△
副資材	▲	○	△	▲
治具	▲	○	△	△
…				

BOM（Bill Of Materials。部品表）とは、製品の構成（どんな部品が組み合わさっているか？）を管理するためのデータのことである。近年の生産管理システムでは設計や調達など、工程ごとにBOMを管理することが多く、その使い分けが複雑化している。このキーチャートはそれぞれのBOMでどんな情報を管理しているか、そして変更できるか否か、などを一覧化している。

キーチャート⑤採算管理における集計対象

科目		集計対象		
		拠点別	担当別	案件別
売上高	製品売上高	○	○	○
	サービス売上高	○	○	○
	販売手数料	○	○	○
	値引高	○	○	○
	前契約繰延調整分	×	×	○
売上原価	製品売上原価	○	○	○
	役務売上原価	○	○	○
販管費	宣伝費	○	×	○
	販促費	○	×	○

案件別の場合、前回の赤字分を評価に加える

採算評価時の集計科目を示す

売上や費用などは経営方針を決定する重要な指標だが、目的によって、集計する単位や集計する情報（このキーチャートでは会計数値）も異なる。

最近はエンジニアではない普通のユーザーにも使いやすいデータ分析ツールがあり、こういった統計データを見るためには、外部の業者に帳票を開発してもらうのではなく、ユーザーが自分で見たい情報を編集するケースが多い。

ただいくらエンジニアに発注しないからといっても、集計方法を網羅的に整理しないと誤った統計をもとに経営方針を決めてしまう。だからツールをいじり始める前に、キーチャートで整理しておくと良い。

キーチャート⑥承認プロセスのキーチャート

日本の大企業ではどの業務でも申請の種類は多く、その段階も多い。申請の種類、提出元、承認ルートを網羅的にまとめたのが図表U-9のキーチャートだ。数字の1というのが、1回目の承認、2はその次の承認、という意味だ。シンプルだが、バリエーションがひと目で把握できる。

なお同じフォーマットで現状版も作ったが、そちらは承認の段階を表す数字として6や7がたくさんあった。かなり絞り込んだ姿がこのキーチャートになる。承認権限は会社の公式なルールなので、このキーチャート自体がかなりの議論の的になったし、役員であるプロジェクトオーナーにも許可をもらう必要があった。

申請内容		承認フロー				
		担当者	現場管理者	事務担当者	部長	本部長
製造計画	製造計画	申請	1		2	3
	主部品納入量	申請	1		2	
見積・発注	主部品発注計画	申請	1		2	
	汎用部品発注計画・単価見積表	申請	1		2	3
個別案件見積（単価見積表通りの場合）		申請	1	2		
単価変更		申請	1	2	3	

申請内容ごとに、承認段階と承認者を記載

キーチャート⑦受注チャネルのバリエーション

【受注チャネルと回答手段】

凡例 ○：デフォルト回答手段
△：オプション

受注チャネル		回答手段				
		Web	FAX	メール	EDI	XML
Web	変更有	○				
	変更無	○			○	
FAX	変更有		○	△		
	変更無		○	△	○	
EDI			○	△	○	
XML						○
個別依頼（CSV）			△	○		

インターネットが本格的に企業システムで使われるようになり、E章のペーパレスのくだりでも触れたように、Webや紙など、複数のツールを業務で使い分けるケースが増えた。このプロジェクトでは注文を受け付けたチャネルに応じて、顧客とのコミュニケーション手段を使い分けることにした。議論しているうちに受注と回答の関係がややこしくなったため、このキーチャートで要件を整理することにした。

開発中の関与

この章のレッスン

- システムをコツコツ作ってテストする段階になると、さすがに作らせる人が手を出せることは少なくなってくる
- プロジェクトが安全に進んでいることをチェックすることだけは怠らないように！

この章ではプロトタイプ以降、エンジニアが設計や開発やテストをやっている最中にユーザーがすべきことを説明していこう。大きく分類すると、以下の4つとなる。

開発中の４つの役割

役割①：監理できるプロを任命する
役割②：課題解決への参加
役割③：使う人目線でのチェック
役割④：ユーザー教育

役割①監理できるプロを任命する

住宅を作る際、現場管理とは別に「監理」という仕事があるのをご存じだろうか。設計した通りに建てられているか、工程ごとにチェックする人のことだ。大抵は設計者が引き続き担当する。

例えば、最初に基礎工事で土台を作る際に、本来建てるべき場所より1m北に建ててしまったら設計意図は台無しだし、最悪の場合は法律違反のために建て直し。そうなったら取り返しがつかないので、大工さんとは別に、設計者がチェックする必要がある。設計図に表現しきれなかったニュアンスを作りながら確認したり、細かい設計ミスを現場で修正する際も、大工さんと監理担当者が議論する。

住宅に比べて目に見えないシステムではなおさら、プロジェクト監理のプロが必要となる。一般的には、作る人とチェックする人の組み合わせは以下のパターンが多い。

a）IT部門が開発を担当し、社内の別チームが監理を担当

社外に依存せずに社内リソースでプロジェクトをやる体制。本来これが望ましい。ただし大型プロジェクトともなると、全ての人材を社内から調達できる企業は少ない。

b）ITベンダーに開発を委託し、社内のIT部門が監理を担当

大型プロジェクトでは、このパターンが一番多いだろう。IT部門はシステムのプロとして、ITベンダーの購買窓口にもなるし、仕事ぶりをチェックする監査の役割も果たす。

c）ITベンダーに開発を委託し、コンサルティング会社など別の会社が監理を担当

非常に大きなプロジェクトや、その会社で慣れていないチャレンジ（はじめてERPパッケージを活用するケースや20年ぶりの基幹システム再構築など）では、経験があるコンサルティング会社を雇い、PMO（Project Management Office）という位置づけでマネジメントを担当させる。この際、PMOの重要な役割がベンダーの仕事をチェックすることだ。

それでは、監理のプロはプロジェクトの何を見るのだろうか？

計画の妥当性

工程に抜け漏れがないか？　作業見積やスケジュールは妥当か？　品質担保の仕方は問題がないか？　など。これらは全てITエンジニアに責任がある仕事だが、プロジェクトの終盤近くになって問題が発覚しても手遅れだ。だから「システム開発のプロであるエンジニアにお任せします」と丸投げするのではなく、事前にチェックする。

品質担保の方法

一口にITエンジニアと言っても、システム品質を担保する手法や能力にはかなりの幅がある。銀行などの巨大システムを構築することに長けたベンダーだと1行1行プログラムを虱潰しにチェックし、完璧になってからユーザー部門に納品するだろうし、Webサービスを作っているようなエンジニアだと、一気に作ってからユーザーにベータ版を提供し、使いながら問題を潰していく手法を好む。

プロジェクトやユーザーの特性を鑑み、今回はどの方針で臨むのかを事前に議論しておかないと、大きなトラブルのもとになる。

進捗と予算消化

計画通り、順調にプロジェクトが進んでいるか？を適宜チェックするのも監理のプロの仕事となる。通常は進捗会議を定期的に開き、ITエンジニアからの報告を聞くことになるが、エンジニアの「順調です」という報告を鵜呑みにするのは危険だ。ずっと順調だったはずが、ある日いきなり「進捗が思わしくないので、稼動を半年延期させてほしい」「予算が超過しているので、5000万追加してほしい」などと言われることがシステム構築プロジェクトでは（残念ながら）多いからだ。

それを防ぐ方法はこの本の趣旨から外れるので詳細な解説は避けるが、「スケジュールに進捗具合を双方で確認する場（マイルストーン）を設定する」「マイルストーンでは、成果物の現物を目で見てチェックする」などが重要となる。

Column

ITベンダーは品質など気にしていない！

システム構築を発注する先であるITベンダーの人々と話をしていると、システムの品質に興味がないんだなぁとがっかりすることがある。

大手ITベンダーであれば品質保証部みたいな部門があるし、品質保証のための厳格なプロセスがあって、しっかりした仕事をするようになっている。でも、実際のところは、彼らが関心があるのは品質よりも「バグが多いか少ないか」だと思う。

定義にもよるのだが、「品質」と「精度」は別の概念である。

精度：システムが正しく動くか？

品質：システムが良いか？

「バグが多い、少ない」は品質というよりも、精度の問題だ。品質とは、正しいか正しくないかというゼロイチの世界ではなく、良いか悪いかで語るものだ。例えば、

・ソースコードが読みやすく、後年にメンテナンスしやすいか

・アーキテクチャがクールで変更に柔軟に対応できるか

・ビジネスが拡大し、処理件数が増えても簡単に規模を拡大できるか

などなど。

品質が悪いシステムの例として、消費税率を考えてみよう。

課税後の金額を計算するために「価格×1.1」などと直にプログラミングしてあるシステムは、品質が悪い。この場合、消費税率が上がった時に、全てのソースコードからこういう記述を探し出し、書き直し、テストし直さなければならない。

消費税率が10%のときには何の問題もなく動く。つまり完成した瞬間の精度は問題がない。だが後々のことを考えると、メンテナンスがしにくいシステムと言える。こんなレベルの低いエンジニアいないだろ！と思う方もいるだろう。でも以前、著名なITベンダーがこういうシステムをしれっと納品してきたんですよ……。

今まで見た一番酷いケースでは、非常に複雑な計算をするコアエンジンみたいなものが、1つのシステムに2つ実装されていた。今後変更するたびに、2倍の手間がかかり続ける。長い目で見ると数億円レ

ベルの損害である。最悪の品質だ。

少し専門的になるので他の例は挙げないでおくが、「精度は良いが品質が悪い」システムの例は、他にも無数にある。

ITベンダーの人々は品質に関心がない人が多い。逆に、精度を高めるための努力は、やり過ぎかと思うくらい、やっている。品質を高めるためと称して、様々な内部資料を作っている。もちろんそのコストもお客さんに請求するのだが。

どうして精度にばかり熱心なのだろうか？　大きな理由が3つあると思う。

1）精度は測りやすい

バグの件数は数えられる。週あたりの発生件数をグラフにすることもできる。品質が数値化できないのとは対照的だ。

2）精度は誰でも高められる

品質は、工数を突っ込めば上がるというものではない。スキルのある人が作って、スキルのある人がレビューをしなければ上がらない。そしてスキルがある人はどこの会社でも希少資源だ。

それに比べて、精度はコツコツとテストをすれば上がる。特に大手の会社ほど、エンジニアをたくさんかき集めて「誰でもできるシステム開発」を目指す。だからガチガチなルールを作って、仕事を縛る。テストの実行結果のスクリーンショットをとってエクセルに貼り付けて納品するとか。

3）請負契約と契約不適合責任

多くのITベンダーが精度向上に熱心なのは、バグが出ると無償で直す責任があるからだ。バグが判明したら、たいていは責任の所在は明確だ。作った人が悪い。正しく動かないのだから、動くようになるまではいくら工数がかかっても、ITベンダー側に直す責任がある。そんなことになったら困るので、精度にとても気を使う。

それに比べて、品質は高いか低いかがわかりにくい。システムが稼動して何年か経ってから、品質が低いことがわかるケースもある。だから多少品質に難があっても、納品してお金がもらえてしまう。だから品質に気を使わなくなる。品質なんて金にならないことに、スキルが高い人を投入するなんてもったいない！

では、システムを作らせる人はどう自衛すべきだろうか。

言うまでもないことだが、システムの品質は大事だ。本当は10年、20年と使っていくつもりで作ったシステムが、保守性が低くてすぐに使えなくなったら、経営へのインパクトは非常に大きい。そこまでいかなくても、「システムが複雑になりすぎていて、ちょっとした改修でも影響調査のために何ヶ月もかかる」という状況はよく見る。

これを防ぐための特効薬はない。品質の良し悪しが分かる人がプロジェクトに関与し、チェックするしかない。先に述べた「監理のプロ」のもう一つの重要な仕事は、品質面でのチェックだ。

ITベンダーにシステム構築を丸投げすべきではないのは、このためでもある。品質をチェックし、引き上げさせる第三者をプロジェクトに関与させた方がいい。社内のIT部門にそういうスキルがあるのが理想だが、なければ社外からプロを連れてくるしかない。

役割②課題解決への参加

要求をエンジニアに伝えた後、システムを作っている最中にもユーザーが決定すべきこと（課題）は日々発生する。例えば……

・過去のデータを調べたら、想定していなかった業務パターンがありそうだ。再整理が必要

・仕訳データの作り方について、経理部から変更要望が来た。変更しても問題ないか？

・取引先マスターのデータ項目を変更したい

みたいな課題だ。これらは放っておくとプロジェクトを停滞させる。大きなプロジェクトだとこの程度の課題は週に20や30は発生するので、溜め込まずにどんどん意思決定していく必要がある。課題解決の生産性はプロジェクトスピードに直結する。

そこで、課題解決に特化した会議体（課題解決会議）を週に1回ペースで設定する。会社を代表して意思決定できる人を「販売領域ならAさん、購買領域ならBさん」と決め、毎週集まってその場で決める。

意思決定できる人はたいてい忙しいので、毎週あらかじめ枠を押さえて

図表V-1 ｜ 課題解決会議

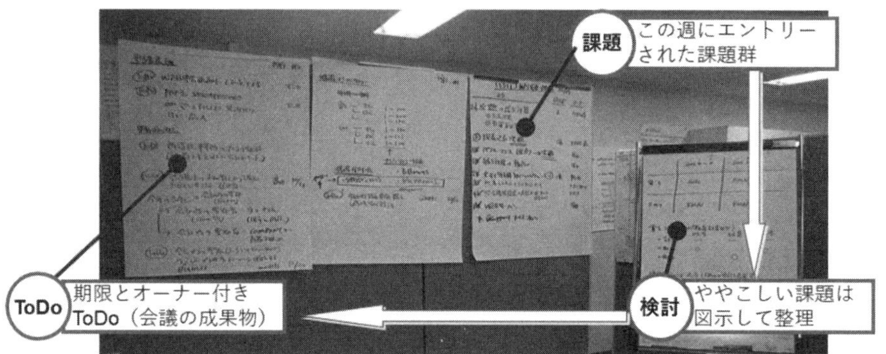

しまう。その代わり、忙しい人はダラダラ会議には付き合ってくれないので、会議の生産性は極限まで高める。1つの課題を会社として決定するのに必要な時間は5分から30分。

うまくいっていないシステム構築プロジェクトを監査すると、こうした課題解決にユーザーを巻き込むのに失敗している。ITエンジニアが忖度しすぎてユーザーから時間をもらえていないケースもあれば、ユーザーが「もう要求は伝えたでしょ。後はそっちでよろしくやってよ」と突っぱねるケースもある。

Column

課題解決とファシリテーション

私たちケンブリッジは、プロジェクトをスピードアップさせる武器として、ファシリテーションを重視している。世間にまだファシリテーションという言葉がなかった20年以上前から。

なぜなら、プロジェクトを停滞させる一番の敵は、厄介な課題、チームや部署をまたいで議論しなければ解決できないような課題だからだ。例えば「取引先マスターのデータ項目を変更したい」という例で考えてみよう。

重要なデータの持ち方を変えると、業務にもシステムにも影響が大きい。変更を希望しているのは販売業務の担当者かもしれないが、購買業務にも影響するし、移行データを作るチームや、他のシステムとのデータインターフェースを作るチームにも影響が及ぶ。担当エンジニア1人では変更してよいか判断がつかない。

でもこういう課題を1人のエンジニアが抱え込んでしまい、開発が停滞することがよく起こる。もちろん怠けている訳ではないのだが、多くの関係者を巻き込んで検討の場（課題解決会議）を招集する度胸がないのだ。

こういう場合にファシリテーションのテクニックが有効だ。

まず「課題解決会議」という場を設定すること自体が有効。そしてその場に関係者を集め、短時間で状況を整理し（大抵は図示する）、意思決定する。その上で決定事項を次のアクションまで分解して、担当者に割り振る。これらはみな、ファシリテーションの基本である。

これを1ヶ月、2ヶ月かけてやるのではなく、5分10分で高速回転させれば、解決できない課題が山積みでプロジェクトが進捗しない、という悪夢から逃れ、健全なプロジェクトにできる。

ファシリテーターはプロジェクトの誰が担ってもよいのだが、エンジニアよりは作らせる人の方が、一般的に向いているようだ。

役割③使う人目線でのチェック

役割①で書いたのは、プロ目線でのチェックの話だ。それとは別に、使う人ならではのチェックも必要になる。言葉で要求をコミュニケーションするのは難しく、どうしても行き違いは発生する。

そこでエンジニアが作ったもの（設計書、画面レイアウト、実際のプログラム）などを使う人がレビューして「そうそう、欲しかったのはこれ」なのか、「えーっと、こういうことを言ったつもりはないんですが……」なのかを確認する。

つまりBPPの観点で、今度は網羅的にチェックするイメージだ。ここでは単純な成果物レビュー以外の方法で、使う人目線でのチェックをする方法をいくつか紹介しよう。

仕様ウォークスルー

ひたすら資料を渡されてチェックしていく作業はプロのエンジニアでも

しんどいので、不慣れなユーザーには厳しいだろう。私たちケンブリッジはこういう場合、ユーザーを集めてウォークスルーと呼ばれる会議をすることが多い。例えば画面遷移を表現した巨大な表を壁に貼り出して、皆でワイワイ言いながら上から見ていく。

不思議なことに、1人でじっと資料を眺めているよりも「あれ、このタイミングで受注データ見ようとしても、無理なんじゃない？」みたいな設計の穴に気づけるものだ。

システムテストのシナリオ

システム開発の大詰めの段階で、全ての機能をつなげ、実際の業務の流れに合わせてシステムを使うシステムテスト（総合テスト）を行う。

「実際の業務で使えるの？」というテストなのだから、そのシナリオはエンジニアではなく、ユーザーが作るべきだ。エンジニアの「こんな使い方はしないはず」という思い込みがシステムの不具合のもとになることも多いからだ。

シナリオはユーザーが作るが、テストの実行自体はエンジニア側の責任になるプロジェクトが多い。

受け入れテスト

エンジニアが実行主体のシステムテストの後に、受け入れテスト（User Acceptance Test、略してUATとも呼ばれる）を行う場合もある。社外に発注したシステムの検品の意味があるので、当然ユーザーが行う。

役割④ユーザー教育

業務やシステムが新しくなるのだから、多くの社員への教育が必要になる。マニュアルを作ったり、全国の営業所で説明会を開いたり。ユーザー教育に関しては、以下2つのポイントをおさえてほしい。

説明会はユーザーに近いメンバーの口から

ユーザー教育をエンジニアに依頼するのではなく、プロジェクトの中でもユーザーに近いメンバーが担当したほうが良い。システムを作り変える際はたいてい業務も変わるからだ。システムの操作だけが書かれたマニュアルが配られても、業務全体がどう変わるのかをイメージできない。

もう1つ、業務担当者が教える役を担ったほうが良い理由がある。システム稼動前のユーザー教育では、必ず「プロジェクトの意義」「業務がどう変わるか」「システムがどう変わるか」の3点セットを伝えるからだ。

システムが変わる際は戸惑いやストレスを感じる。単に新しいシステムの操作方法を説明しても、聞く側は不満や不安を感じる。「前にあったこの機能はないのか？」「前のシステムの方が慣れていて使いやすかった……」など、ネガティブな反応ばかりだ。

だから、改めてプロジェクトのWhy（なぜ業務やシステムを変えるのか？）、How（業務全体としてどう変わるのか？）をきちんと説明する。半年前に説明済みだったとしても、毎日プロジェクトのことを考えているあなたと違って、現場の人はたいてい忘れている。Whyは何度でも繰り返し説明するべきだ。

そしてこの3点セット（Why：プロジェクトの意義、How：業務がどう変わるか、What：システムがどう変わるか）を説明する適任者は、システムを作る人ではなく、作らせた人だ。

そのために私たちが参加するプロジェクトでは、プロジェクト終盤の忙しい時期に、プロジェクトの中心メンバーが全国を巡る旅に出てしまうことが多い。おかげで他の作業はやや滞るが、システムのユーザーにWhyを語りかけることは、それくらい重要な仕事なのだ。

計画的な巻き込みは教育にまさる

そうやってしっかり説明して回るのは大切だが、実はもっと重要なことがある。稼動直前にあわててトレーニングするのではなく、プロジェクトの節目節目にユーザーを巻き込むことだ。

本書で説明している、ユーザーが参加するプロジェクト活動を今一度振り返ってみよう。

G章：機能要求の洗い出し

O章：パッケージのデモを見る

S章：プロトタイピングに参加

T章：開発中の課題解決会議に呼び出される

U章：キーチャートで詳細要件を伝える

X章：稼動前のテストや並行稼動に参加

これらのプロジェクト活動はユーザー全員に参加してもらう訳ではないが、こういった場に参加して意見を言ってきたユーザー代表は、新しい業務とシステムが徐々に具体化していく場面に立ち会っている。したがって稼動前には「このシステムは、どうしてこういう仕組みになっているのか？」といった意図も含め、かなりシステムを熟知しているはずだ。

こういった方々が、現場で新しいシステムを使いこなす際に核となる人材だ。全国に拠点があるのであれば、拠点ごとに1人ずつこういう人がいると、本当に頼りになる。これまで本書でずっと「作らせる人もシステム構築に関わること」を強調してきたのは、このためでもある。

もちろん前述のようにトレーニングをしたり、マニュアル配布も行うが、「核となるユーザーを育成できているか？」という意味で、その頃までに勝負はあらかた決まっている。

このように、「プロジェクトの進展にともなって、どんなユーザーにいつ、何を理解をしてもらうか？」もコミュニケーション計画の一部と言っても良い。他の伝達事項と一緒に、Q章で紹介したコミュニケーション計画表で管理しよう。

W章 データ移行

この章のレッスン

- 現行システムから新システムにデータを引っ越すことをデータ移行という
- データ移行のうち、エンジニアに任せられない作業は多く、かなりの作業量となる

実は「作らせる人」が主役のデータ移行

データ移行とは、現在稼動しているシステムから新システムにデータを移し、これまで通り業務ができるようにすること。いわばデータを新居に引っ越す作業だ。

企業には捨てられない大量の情報がある。顧客や社員のマスターデータ。顧客との契約条件を細かく記録したデータ。「受注したが、まだ顧客に納品していない受注明細データ」なんてものもある。しかも生命保険のように息の長いビジネスの場合は、それらのデータを数十年も保管しなければならない。だから新システムを作った際には、それらのデータの引っ越しも同時に必要となる。

データ移行の作業を図示すると、こんなイメージになる。

図表W-1 ┃ 移行の全体像

現行システム
データ抽出プログラム
データ変換プログラム
データ投入プログラム
新システム
手作業

小規模なシステムで移行するデータが少ない場合は、Excelなどを使って手作業でデータを作成したり、現行システムのデータを加工することもある（一般的に、エンジニアではなく業務担当者の仕事）。

だが大規模なシステムでは移行データが何万件にもなるので、移行のためだけに専用のプログラムを開発する。データ移行は通常1回しか行わないので、移行用プログラムも1回しか使われない。もったいない気がするが、かといって手作業で何万ものデータを作るわけにはいかない。

機能要求を文書化するなどの、これまで本書で説明してきた作業に比べて、データの引っ越しは一見システムを作る人に任せられそうな仕事だ。本書でも取り上げるかどうか、最後まで迷った。

だが実際には、業務担当者が主役にならなければうまく進まない。しかも大型プロジェクトでは、このデータ移行がうまく行かずにスケジュールが遅延したり、稼動後にトラブルが起こるケースが多い。プロジェクトの成否を分けるのだ。「データ移行の主役はシステムを作らせる人」にピンとこない人ほど、この章を熟読してほしい。

データ移行は想像よりずっと大変

図表W-2を見てほしい。意外に思うかもしれないが、システム構築プロジェクトでデータ移行は全工数の35%を占めるという調査結果だ。

「システム構築」と言われて真っ先にイメージするのは、エンジニアがプログラミングしている姿だろう。本書を読み進めてきた方は、要求定義やプロトタイピングを思い浮かべたかもしれない。だがデータ移行はそれらすべての合算と、ほぼ同程度の工数が必要となる。「システムは作るのと同じくらい、引っ越しが大変」と言われると相当違和感があると思うが、実際にそうなのだ。

それだけでなく、別のアンケート調査では「このプロジェクトでは、データ移行でトラブルが生じたか？」という質問に、8割以上のプロジェクトマネージャーがYESと回答している。（『日経SYSTEMS』調べ）

なぜデータの引っ越し作業にこんなに手間がかかるのか？　うまくいかないのか？

・現行システムで蓄積したデータが大量にあり、作業量が膨大だった

図表W-2 ┃ 基幹システム再構築のプロジェクトにかける工数の割合

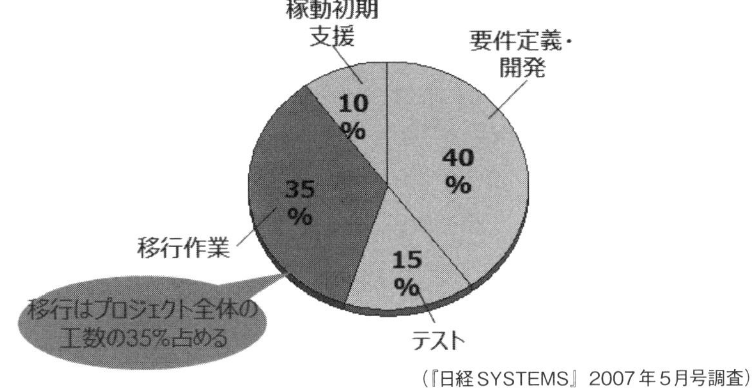

（『日経SYSTEMS』2007年5月号調査）

・コード体系（品番や社員番号などの採番方法）を新旧で変えたため、データを作りなおす必要があった
・現行システムでのデータに矛盾や欠落があり（名称欄が空白など）、調査・修正しなければ、新システムに登録できなかった
・データの修正を誤ると顧客に迷惑をかけるので、多くの関係者と検討が必要だった
・データ移行はシステムを止めて一発勝負で行うため、事前にリハーサルなど、念入りな準備を要した

など、多くの理由がある。

こうして考えていくと、まっさらな状態からシステムを構築するよりも、既存システムの統廃合や再構築の方が、データ移行の分だけ難しい。

データ移行はスーパーマンでなければできない？

データ移行は言ってしまえばデータを現行システムから新システムに引っ越すだけなのだが、難しい。それは3種類の知識を持っていないと、判断できないことが多いためだ。

現行システムの知識が必要

データは現行システムに格納されている。だから現行システムについて熟知していなければ、データを正しく取り出せない。現行システムをメンテナンスしている担当者（社外のベンダーの場合もある）には、プロジェクトに必ず参加してもらう必要がある。

新システムの知識が必要

データの引っ越し先（例えば新しいパッケージソフト）でのデータ構造を理解していないと、「どんなデータを用意し、どこに格納するか？」を議論できない。

業務知識が必要

データの引っ越しをするためには、業務担当者でなければ判断できないことがたくさんある。例えば……

a）捨てて良いデータはどれか

b）データが欠落している場合、正しい情報はなにか？

c）このデータは、新しいコード体系ではどれに該当するか？

など。機械的には決められないこと、業務の事情を知らなければ判断できないことが多い。

これら3つの知識をすべて持っている人は、どこの会社にもいない（たまに業務と現行システムの両方を熟知している凄い人はいるが、新システムで使うパッケージについては詳しくないはずだ）。でも3つの知識を知らなければ正しく判断できない。だからデータ移行は難航する。

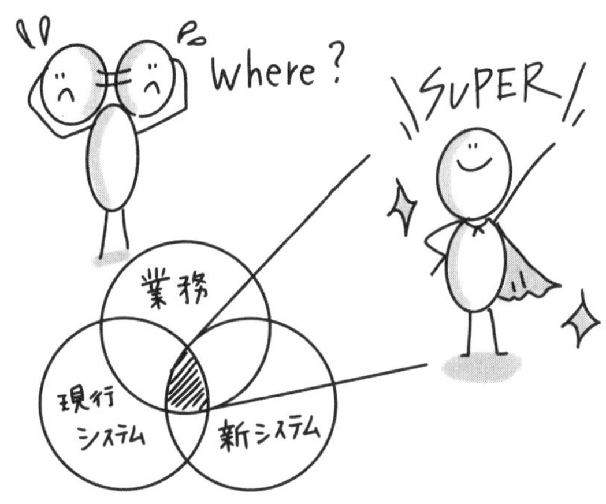

Column

データ移行で業務担当者しか判断できないこと

この「データ移行の際に、業務知識がなければ判断できない」について、顧客マスターの移行を例として、もう少し具体的に説明しよう。

現行システムの顧客マスターに3000件の顧客情報が登録されているとする。これを新システムに引っ越すのだが、今後データを活用しやすくするために、今のデータを整理することにした。

その際、業務担当者が判断を迫られるのは……

a) 10年以上取引がない顧客データを捨ててよいか?

b) 2年前に合併した会社の、合併前の顧客データを捨ててよいか?

c) 株式会社Aが2件登録されているが、1件にまとめても問題がないか?

d)「B株式会社」と「B株式会社○○支店」の顧客データがあるが、これは新設した法人コードとしては、同じコードで構わないか?

e)「顧客住所」は登録されているが「納入先住所」は空欄の場合、両者はイコールと見なしてよいか?

こんな判断を3000件分やるのは骨が折れる。だが担当者が忙しいからといって、こういった作業をエンジニアに丸投げすると、トラブルのもととなる。少なくとも、「こういうデータはこう扱う」という方針は決定しなければならない。

例えば「株式会社Aが2件登録されているが、1件にまとめても問題がないか?」は、まとめるのが当然のように見える。「そんなの、エンジニアがよしなにやっといてくれよ」と思いますよね。

だが実際には、A社からの要望で「発注した事業部が異なる場合は、2枚に分けて請求書を出す」なんて取り決めがあり、それに応えるための苦肉の策として顧客データをあえて2件登録していたりする。

こんな事情をエンジニアがわかる訳がない。新システムでこの要望をどう実現するかはともかく、勝手にデータをまとめると顧客との間でトラブルになるのは想像できる。

データ移行は機械的に判断できず、業務担当者が関わらなければならないことが理解してもらえただろうか？　そしてこの手の地道なデータ整理をサボると「A社の去年の売上はいくら？」という素朴な問いに、ボタン一つで答えられない残念なシステムができあがってしまう。踏ん張りどころだ。

データ移行でエンジニアが担当するのは一般的に、3種類（データ抽出、データ変換、データ投入）のプログラム開発と、プログラムを実行することだけだ。本章ではそれ以外の方針を決めたり、業務上の判断をする際にシステムを作らせる人が意識しておくべきポイントに絞って解説しよう。

データ移行の勘所①捨てるものを決める

冒頭で強調したように、データ移行は大変な作業だ。だからこそ、移行するデータは最小限に絞るべきだ。FMで機能の絞り込みの議論をしたのと同じように、効果が高く、難易度が低いデータのみを引っ越しの対象とするのだ。

この話を私たちがすると、業務担当者は必ず「データを捨てるなんてとんでもない！」と拒否反応を示す。もちろんビジネスを継続していく上で、顧客マスターや過去の販売履歴などはなくてはならない情報なので、気持ちはわかる。

だがデータ移行にこれだけ工数（つまりお金）がかかるとなると、「データと機能のどちらが今後のシステムにとって重要か」を立ち止まって考えてみるべきだ。少なくとも「現行システムのデータはすべて新システムに移行すべし」という方針は思考停止だろう。

FMの優先順位付けの際に「白・グレー・黒」の3つに機能を分類したのと同様に、候補となるデータを以下の4種類に分類する。

a）稼動時点で新システムへ移行

b）稼動後に期間を置いてから新システムへ移行

c）システム外で閲覧可能な状態で保管

d）捨てる

a）稼動時点で新システムへ移行

新システムの稼動日以降、すぐに必要となるデータ群で、例えば以下。

・各種マスター（商品、社員、顧客、などの基礎データ）

・受注残（稼動日前に受注して、稼動日後に出荷するべき商品のデータ）

これらのデータがないと、注文されていた商品を出荷できないなど、そもそも顧客への責任が果たせない。移行するのは当然なのだが、よくよく検討するとa）ではないのに、業務担当者がそう思いこんでいるデータは意外と多い。

b）稼動後に新システムへ移行

基本的にはa）と同様、ビジネス継続に必須のデータなのだが、「稼動日に間に合わなくてもなんとかなるデータ」である。たとえば給与計算システムにおいて、過去に社員に支払った給与額データは必須だが、稼動日（例えば4月1日）になくてもよい。最初にそのデータを使うのは年末調整なので、12月までに移行作業が終われば良い。

後から移行しても工数は減らないが、稼動日前後は作業が多くバタバタするため、稼動日までに間に合わせるものは少しでも少ないほうが良い。そのために、稼動になくても良いデータは極力先送りするのがプロジェクト全体をスムーズにすすめるコツとなる。

c）システム外でデータとして閲覧可能な状態で保管

「絶対に必要なデータです！」と業務担当者が主張するデータについてよくよく聞くと、「監査や税務調査で質問されたら、提供しなければならない」「顧客から年に数回問い合わせがある」「製品故障や交換時に、過去情報を参照するときがある」というケースも含まれる。これらは確かに捨てる訳にはいかないのだが、必要なときに参照できさえすればよい。

何度でも強調するが、「新システムで完璧に動作するように引っ越しする」は非常に大変な作業だ。それを避けて、必要なときに見られるようにしておけば良い。具体的にはデータボリュームにもよるが、Excelやデータウェアハウスなどに「とりあえず突っ込んでおく」。紙の領収書などは法律で保管義務があるので、ダンボールに入れて倉庫にしまっておく会社が多いと思うが、それと同じことを電子データでもやるのだ。

似たケースとして、きちんとしたデータとして新システムに移行するのは諦め、新システムの備考欄に文字情報として突っ込んでおき、「計算には使えないが、人が読めばわかる」という状態にしておいたこともある。これもデータ移行の手間の削減に大いに役に立った。

d) 捨てる

最後に、文字通り捨てるデータもある。現行システムを作ったときに「こんなデータを管理したら良いのでは？」と考えたものの、実際には入力が面倒くさくなって「気まぐれに入力されているデータ」「更新されておらず、信頼できないデータ」となるケースは多い。特に営業支援システムなどの「担当者Ａさんはゴルフ好き」みたいなメモは、ほとんど活用できない。

実際の引っ越しがガラクタの処分チャンスなのと同様、システムでも不要なデータを捨てる機会はデータ移行の時しかない。データの不要を明言できるのはシステムを作らせる人しかいないのだから、データ移行の作業を楽にするためにも、新システムに余計なゴミを持ち込まないためにも、勇気をもって捨てる決断をしよう。

データ移行の勘所②マッピングがキモ

マッピングとは「新システムのこのデータは、旧システムのどのデータから持ってくるか？」を1つ1つ紐付けしていく地道な作業のことである。例えるならば、「新居2階の本棚には、寝室に山積みになっていたダンボールの中の本をしまう」という新旧対応表みたいなものだ。具体的には図のようなマッピング表を作る。

図表W-3 ║ 項目マッピング

新システム			旧システム				移行方法	
表示名称	システム名称	項目説明	システム名	テーブル名	項目名	FIELD NAME	移行方法	詳細編集仕様
商品番号	GOODS_NO	商品に付与される番号（連番）	商品管理システム	商品マスタ	商品番号	SYOHIN_NO	ロジックに従い値を変換	桁数が減り、データ型も変わる
商品名	GOODS_NM	販売される商品の名称	商品管理システム	商品マスタ	品名	SYOHIN_NM	そのまま移行	
商品分類コード	GOODS_SORT_CD	商品分類を区分するコード	商品管理システム	商品マスタ	大分類区分	SYOHIN_BUNRUI_KBN	ロジックに従い値を変換	移行元は、大分類、中分類、小分類に別れているため統合
商品コード	GOODS_STK_NO	商品の在庫管理のために付与したコード					そのまま移行	
原価	GOODS_COST	商品の原価	商品管理システム	商品マスタ	単価	TANKA	そのまま移行	
販売価格	SALE_PR	商品の実際の販売価格単価	商品管理システム	商品マスタ	売単価	URITANKA	そのまま移行	
消費税区分	KIND_OF_TAX	外税・内税などの消費税の区分	フロントWebシステム	CMDTBL	UCHIZEI	-	ロジックに従い値を変換	移行元に区分はなく、数値入力のため変換

この表を作るためには、単に新旧の対応を考えるだけでなく、データの変換やクレンジング（データの引っ越しにあたって、データの欠落や誤りを修正すること）についても考慮する。

このマッピング表はデータ移行における要件定義書のようなものとなり、エンジニアはこれをもとにして移行プログラムを作る。

データ移行の勘所③移行ファシリテーターがハブになれ

少し想像するとわかるのだが、マッピング表を作るためには、先程「データ移行はスーパーマンでなければできない？」で説明したように、現行システムと新システム双方の知識に加え、業務知識も必要となる。だが、そんな人はいない。

そこで私たちは必ず「移行ファシリテーター」と呼ぶ人を任命する。移行プログラムを作ったり、新システムへのデータ流し込み作業をする人とは別で、純粋に作業をスムーズに進めることをミッションとしている。

すべてを知っている人がどうせいないのだから、知識を持っている人から情報を集めまくり、「つまり、どう移行すべきか？」のスムーズな決定を担う人を作業の真ん中に据える作戦だ。

とはいえファシリテーターとしての訓練を受けた社員も普通は社内にはいないので、やはり移行はシステム構築プロジェクトの難所になってしまう。（私たちケンブリッジはファシリテーションを武器にしているコンサルティング会社なので、新旧のシステム知識も業務知識もないがファシリ

図表W-4 ▌移行ファシリテーター

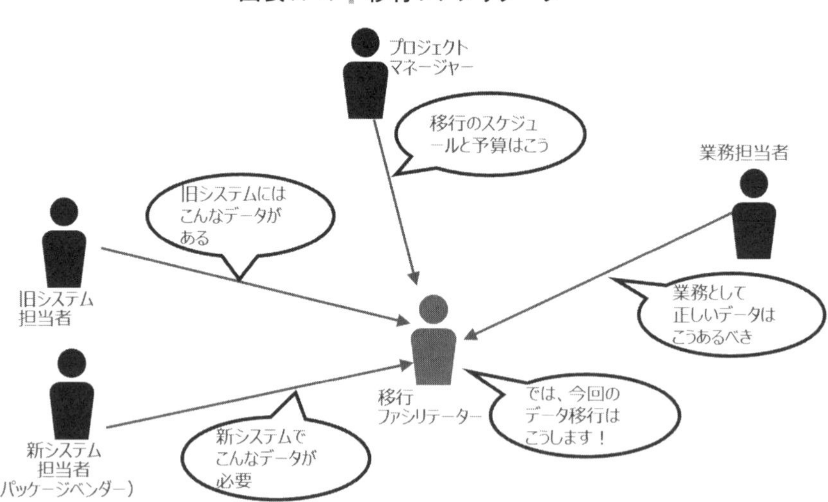

テーションは得意なコンサルタントをこのポジションに任命することが多い)

Column

なぜデータ移行の大変さがピンとこないか?

データ移行は大変なのだが、多くの人が実態よりも甘く考えてしまう。なぜそんな「認知のバグ」が起こるのか?

私の仮説は「作ることの大変さ vs 引っ越しの大変さ」の比率を考えたとき、引っ越し側がこんなに大変なことって世の中に滅多にない。だからうまく想像ができない、というものだ。

例えば、パソコンやスマホの引っ越し(新しい機種へのデータ移行)を考えてみよう。パソコンの引っ越しってめんどくさいですよね。アプリをインストールして、メールログをエクスポートして、IME辞書をエクスポートして……。ああ、誰か代わりにやって下さい。

でも、「パソコンを1から作ることの大変さ」とは比較にならない。私はチップ回路設計者でもパソコン自作派でもないから、そもそもどれだけ大変なのか、想像もつかない。

「家を引っ越すvs 家を一から建てる」の大変さ比較だって似たようなものだ。引っ越しが建築と同じくらい大変、ということはありえない。

つまり、大企業で使うオーダーメイド・システムの移行は、世の中の引っ越し的な作業のなかでも、例外的に大変なのだ。だから「工数の4割」と聞いたとき、または移行作業のきちんとした見積を見せられたとき「いくら何でもそりゃ過大見積もりでしょ」と思ってしまう。

こういう「錯覚の檻」から理性で脱出するのは極めて困難だ。いくら私たちがプロジェクトやシステムのプロの立場から理を尽くして説いても、なかなか理解してもらえない。

Rollout

Concept Framing（ゴール明確化） → Assessment（現状調査／分析） → Business Model（構想策定） → Scope（要求定義） → PEW（パートナー／製品選定） → BPP（プロト検証） → Design（設計） → Deployment（開発・テスト） → **Rollout（導入）**

ゴールは間近。でも油断大敵

いよいよ新システムの稼動

この章のレッスン

- 長かったプロジェクトもいよいよ本番稼動を迎える。だが本番稼動は最後にして最大の難所とも言える。気を引き締めて！
- 稼動後に「狙ったどおりの成果を本当にあげているか？」をチェックし、対策を

データを引っ越したら、いよいよ新システムを使い始めることになる。その瞬間を「稼動」と呼ぶ。ニュースで見聞きしたことがあると思うが、稼動日はシステムトラブルが一番多い。システム構築最後の難関なのだ。この章では「システムを作らせる人」と「作る人」が力を合わせて稼動を乗り越えるためのコツを扱う。

2つのシステムを並行稼動させる

R章で説明したように、システムの本番稼動までには段階を踏んで多くのテストを行う。その最後の仕上げとして、新システム稼動の前後に新旧2つのシステムを両方とも運用する期間を作る。これを並行稼動と呼ぶ。

並行稼動をせずに一気に新システムに切り替えた場合、万一思い通りにシステムが動作しないとビジネスは大混乱となる。並行稼動はそれを避けるための方法で、旧システムでビジネスを継続しつつも新システムを同じように動かし「どうやら新システムに切り替えても問題がなさそうだ」と見極めがついたところで、ようやく旧システムを停止させる。

かなり慎重な稼動方法だが、システムが稼動する瞬間に発生するトラブルはそれほどまでに多く、テストを事前にやってもその可能性はゼロにはならない。並行稼動をやったからこそ発見できるトラブルは、システムを操作する業務担当者が、新しい業務ルールやシステムの操作について勘違いしていたケースだ。

もちろん新業務、新システムを十分理解できるように、稼動前に教育を

してきたはずだ。だがこれまで何年もやってきたことと変わるので、格段にミスは起こりやすくなる。そしてそういったユーザーの勘違いは、エンジニア主体のテストでは発覚しにくい。

ただし新旧2つのシステムを運用するのだから、業務の手間は当然2倍必要となる。ただでさえ忙しい中、現実問題としてその時間がなく、並行稼動をせずに本番に突入するプロジェクトもある。

並行稼動をやるか？やるとしたらどういう方法か？　は、ビジネス全体に大きな影響がある意思決定なので、慎重に検討する。主に以下2点を天秤にかけることになる。

・これまでのテストに自信があるか？（並行稼動なしで本番を迎えても、トラブルになる確率が低いか？）
・現場（業務担当者）は並行稼動の負荷に耐えられるか？

2種類の並行稼動

並行稼動には大きく分けて2つのパターンがある。

図表X-1 ｜ 並行稼動

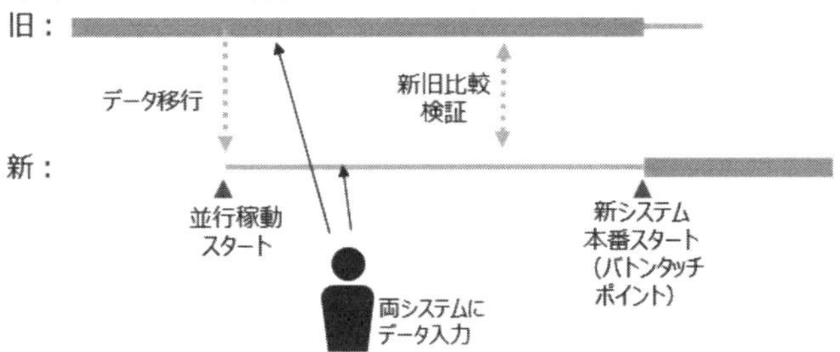

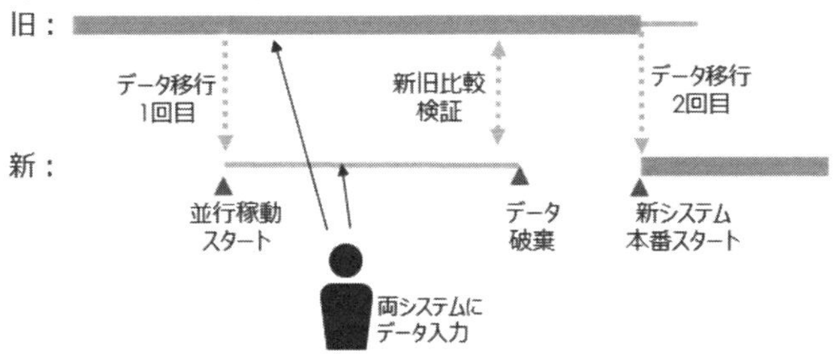

A）バトンタッチ型並行稼動

旧システムから新システムにデータを移行し、全く同じ状態にするところから並行稼動がスタート。並行稼動中は新旧の両方システムを全く同じように使う（同じデータを入力する）。

こうすると両システムからはいつでも同じ結果が出力されるはずなので、それらを見比べて「新システムが旧システムと同じように動くか？」「同じように動くために、新システムをちゃんと使えているか？」という検証を行うことができる。これを新旧比較検証（現新突合）と呼ぶ。

この方式の一番のメリットは、スケジュールが柔軟でリスクが低いことだ。新システムに慣れておらず、旧システムと同じ結果が出力されない場合は、その原因を特定して使い方の再教育が必要だ。そうして新システムや新業務に慣れるまで、何ヶ月でも並行稼動状態をキープすればよい。

デメリットは、ユーザーがものすごく大変なこと。例えば顧客からの発注を電話口で受けた場合、発注データを新旧両方に必ず登録しなければならない。2つのシステムを切り替えながら両方に入力するのは大変で時間もかかるし、頭も混乱しやすい。

もし忙しくてどちらかをおざなりにしてしまったら、新旧を比較したときに合わないので原因追求をするハメに。相当なプレッシャーになる。

B）業務テスト型並行稼動

バトンタッチ型並行稼動があまりに大変なので、新旧どちらがメインなのかをはっきりさせる方式が、業務テスト型だ。

バトンタッチ型と同様に、旧システムから新システムにデータ移行を1回行うが、この時点ではあくまで旧システムがメインのままであり、新システムは検証用にすぎない。

並行稼動中はやはり新旧両方に同じようにデータを入力するが、メインである旧システムが最優先、検証用の新システムは暇を見つけてまとめて入力するなど、少し優先度を落とした運用をする。

並行稼動が終わったら、一度新システムのデータを捨て、旧システムからその時点で最新のデータを改めて移行する。そこからは旧システムを止め、新システムがメインに切り替わる。

この方法のメリットは、旧システムさえしっかり運用しておけば、完璧な二重運用ができなくても、ビジネスへの悪影響は避けられることだ。新システム側でミスがあっても、どうせ捨ててしまうデータなので許される。

デメリットは、検証がどうしても甘くなってしまうことだ。「新旧で合わないのですが」「あ、ごめんなさい。忙しくて忘れてました」「本番になったら洒落にならないから、ちゃんとやってくださいね」という、ちょっと緩めの並行稼動になる。

業務とシステムの切替はプロジェクト最大の山場

並行稼動について少しややこしい話をしたが、稼動前後ではこのように「3/25までは旧システムを使い、3/26〜31はシステムが利用できない期間。4/1の9時からは新システムを利用する」など、新旧の切替計画を綿密にたてる必要がある。

大規模なプロジェクトだと切替には様々な制約がある。

・月末の締め処理を旧システムで実行した後でなければ、データを移行できない

・31日より前に締め処理を無理やり実行するために、締め処理に間に合わなかった伝票は新システムにこのようにして入力して……

・データ移行のこのプログラムは実行に4時間かかるので、それの完了を確認してから業務メンバーがデータをチェックする必要があり……

などといった具合だ。膨大なタスクそれぞれに依存関係があり、「この作業はこれが終わってからじゃないとできない」など、考慮すべきことだらけになる。

こういった業務面、システム面双方の事情をすべて配慮すると、切替の手順はものすごく複雑なパズルになる。写真は大規模プロジェクトの切替計画を、寄ってたかって検証している様子だ。なんとなく大変さは伝わるだろう。

しかも、計画が考慮すべき制約や順序をすべて把握している人は1人もいない。私たちが大規模プロジェクトをやるときは、移行ファシリテーターと同様に、切替ファシリテーターを専任で任命する。

そして切替ファシリテーターが中心となってプロジェクト関係者全員から制約や必要な作業を聞き出し、「切替計画書」「切替手順書」をまとめ上げる。ぶっつけ本番では必ず失敗するので、リハーサルも何回か行うし、

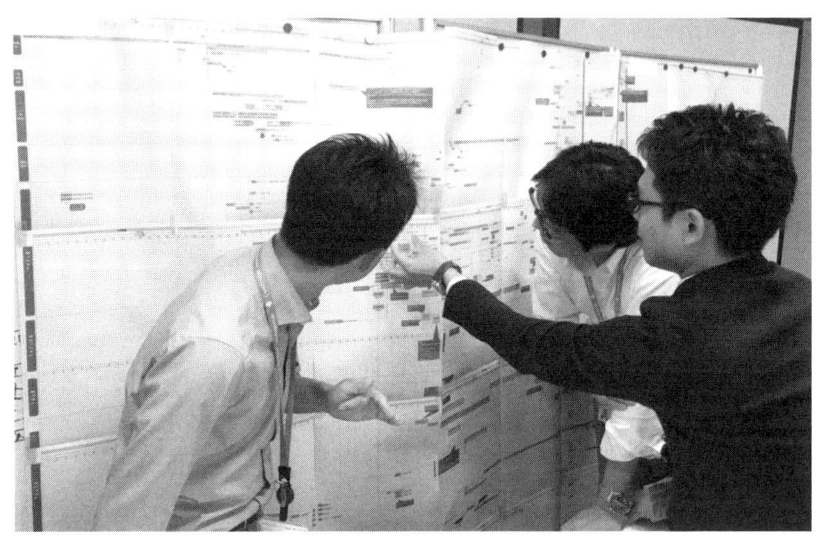

切替当日に全メンバーを陣頭指揮するのも切替ファシリテーターの仕事である。

事例　経営陣に腹をくくれと迫ったプロジェクト

とかくリスクをゼロにしたがる傾向はどこの組織にもある。不確実性の塊であるプロジェクトにおいてその方針を押し通すと、大きなコストがかかる。例えば絶対に本番で不具合が出ないように念入りにテストをやると、プロジェクト期間も伸びるし、費用は膨らむ。

もちろんそれが必要な、絶対にミスの許されないシステムもある（ミッションクリティカルと呼ばれる）。だが私たちがリードするプロジェクトでは、リスクとコストのバランスを慎重に議論した上で、多少のリスクを許容するケースもある。

あるプロジェクトでは経営上の理由から、期限通りに業務を切り替える必要があった。業務切り替えに伴いシステムも再構築したが、その構築期間は非常に短く、十分なテスト期間が確保できない。つまり「納期は絶対にずらせない上に、通常のプロジェクトよりもかなり短い」という非常に厳しい条件がプロジェクトには課せられていた。

ただし唯一の救いは、システムが社内でしか使われなかったこと。

多少の不具合があっても、社員が後からフォローできる。不具合を直すための一時的なシステム停止も許容できる。
　そうは言っても、不具合があるかもしれない状態でシステムを稼動させるにはかなりの度胸が必要になる。経営上の必要性やコストはプロジェクト外からは見えにくいのに比べ、本番稼動で不具合があると「プロジェクトの連中がやらかした」ということは社内にすぐに知れ渡る。もちろん不具合があれば業務が止まったり、リカバリーの作業を依頼したりと、同僚に迷惑が及ぶ。プロジェクトメンバーとしては、こういった事態は避けたいものだ。
　これを恐れてビジネス上の必要性以上に念入りなテストを行うプロジェクトもある。だがこの事例では「完璧なシステムを作ることよりも、経営にとっては期限を守ることの方が優先！」という正論に、正面から向き合うことにした。
　その代わり、多少の予防線を張った。経営会議で「決められたスケジュールは守れるかもしれません。ただし、このようなトラブルの可能性がありますので、腹をくくってください」と全役員に対してプロジェクトマネージャーが宣言したのだ。
　経営のために納期最優先で頑張ったのに、いざトラブルが起きた時にハシゴを外されてプロジェクトメンバーが責められてはたまったものではない。そうならないように、経営陣に「あなたたちも、この意思決定の当事者ですからね。」と念押しをしたのだ。もちろん言外に「いざとなったら守ってくださいよ」という願いを込めて。
　この時は幸い、大きなトラブルにはならなかったのだが。

本番稼動後のバタバタを乗り越える

業務とシステムが稼動日を境に切り替わると、いよいよ新システムを使っての業務がスタートする。だが稼動直後にトラブルはつきものだ。テストで見つけられなかった不具合が本番で発覚することもあるし、ユーザーが慣れていないので操作ミスもある。そこであらかじめ対策をとっておく。

ヘルプデスク

ユーザーが稼動後に困ったときに、助けを求める先を決めておく。そうしないと、適切ではない人に問い合わせが集中し、時間を無駄にしてしまう。具体的には問い合わせ専用の電話、メール、Slack等の掲示板を決め、社内に周知する（システムのトップ画面に書く場合もある）。

窓口を決めたからには当然、担当者を任命し、問い合わせの記録や問題の切り分け方法、担当者だけで解決できない場合のエスカレーション先までを決めておく。1人で窓口を対応するのは時間的にも精神的にもキツすぎるので、ローテーションを組む。

これら一連の準備は社内向けミニコールセンターを設置するようなものだ。Webシステムなど社員以外がユーザーの場合は、通常のコールセンターを増員しておく必要もあるだろう。これらの準備は必ず事前に手はずを整えておく。もちろんプロジェクトによっては、ほとんど問い合わせが来ない場合もあるが、それは喜ばしいこと。むしろ最悪の事態に備えるのが大切だ。

なおシステム稼動直後は、ヘルプデスクに寄せられた問い合わせから派生して、調査依頼やユーザー支援などの多くの作業が発生する。致命的な不具合はすぐに直さなければならない。

これらの作業は、これまでプロジェクトに関わってきたメンバーしかできない。システムが完成したからといって、主要メンバーまで解散してしまうと、稼動してから困ったことになる。プロジェクト計画を作る際には必ず、システムと業務が安定化するまで駆けずり回るプロジェクトメンバーを確保しておこう。予算を組むときにも、その人件費を計上しておくこと。

事例　大規模プロジェクトでのヘルプデスク

図表X-2は本番稼動時のヘルプデスクの位置づけを説明した際の図だ。大きなプロジェクトだったので、全てをヘルプデスクが対応しようとすると、パンクしてしまう。そこで各現場に「現場中核メンバー」を任命した。稼動のかなり前から説明会やユーザー受け入れテストなどに巻き込み、あらかじめ新業務・新システムへの理解を深めてもらった。

図表X-2 ヘルプデスク

問合せ発生（現場） 一次窓口 二次窓口

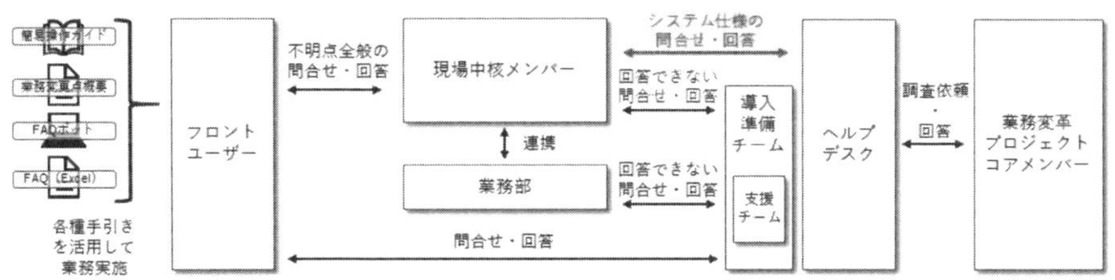

いざ本番では彼ら・彼女らが中心となって新しい業務をこなす。ユーザーからの簡単な質問にも答えてもらう。現場社員も、顔見知りの現場中核メンバーの方が相談しやすい。

そして彼らだけでは対処できないややこしい操作や、システム不具合などに限って、ヘルプデスクに上げてもらう作戦にした。

小規模な会社ではここまでの体制は必要としないが、大企業の全社プロジェクトでは、とにかく稼動前後のバタバタを凌ぐために、あらかじめ準備できることは何でもやる、という精神で臨んだほうが良い。

エスカレーションルート

大規模プロジェクトの場合は、ヘルプデスクだけで問題が解決できない場合のエスカレーションルートも複雑になる。単純なシステムの不具合なのか？業務上の判断が必要なのか？顧客に迷惑をかけているか？会社として速やかな対応が必要なのか？など、ケースによって相談すべき相手や意思決定のレベルが変わってくる。

特に大きなトラブルが予想される場合は、プロジェクトオーナーまで報告して、対応策を決定しなければならない。問題が起きてから、こういった対応策を考えるとミスが起きるので、報告・対応プロセスもあらかじめ決めておく。

コンティンジェンシープラン

当初考えていた計画がうまく行かない時の対応策をコンティンジェンシ

図表X-3 ‖ コンティンジェンシープランの例

#	想定シナリオ	対応方法	復旧後のアクション
1	会計システムのみ稼動不可 （生産システムは稼動可）	■ 財経関連業務は、旧会計システムで行う ■ 生産システムからの連携データ（債務、仕訳）は手入力する（人的リソースを投入して実施）	■ 固定資産・残高・仕訳は新会計システム復旧後、ツールで移行 ■ 債権・手形は新会計システム復旧後、手移行 ■ 債務は旧会計システムで支払決済
2	生産システムのみ稼動不可 （会計システムは稼動可）	■ 生産関連業務は、旧生産システムで行う ■ 新営業、旧生産システムからの連携（債務、仕訳）は旧会計システムに対して行う ■ 債務管理（計上、支払）は旧会計システム上で行い、発生した仕訳は全て新システムに連携する	■ 旧会計システムに連携した債務計上データは、支払決済まで旧会計システム上で実施し、発生した仕訳のみ新会計システムに連携する
3	会計、商品Aシステムともに稼動不可	■ 現行システムに切り戻して、現行どおりの業務を行う ■ 月次決算時に、科目、および原価区分を新体系のものに変換する必要がある	■ 固定資産・残高・仕訳は新システム復旧後、ツールで移行 ■ 債権・手形は新システム復旧後、手移行 ■ 債務は旧会計システムで支払決済
4	商品A-会計連携のみ不可 （連携以外の機能は利用可）	■ 財経関連業務、生産関連業務ともに新システムでの運用を行うが、連携部分のみ手入力により対応する（人的リソースを投入して実施）	■ 生産システムからの未連携データがあれば、連携を行う

ープランと呼ぶ。システム稼動においては、「新システムがバグばかりで、正常に業務を遂行できない」「アクセスが集中して、システムが止まってしまった」などの大きなトラブルが起きた時の計画がそれにあたる。

一番ひどいときには、せっかく稼動させた新システムを止め、いったん旧システムに戻す羽目になる。これもトラブルが起きてからバタバタとやり方を検討すると、トラブル中にトラブルが起き、収拾がつかないカオスになる。そういった最悪の事態を避けるために、コンティンジェンシープランとして旧システムに戻す計画を作っておく。具体的には図のような想定されるトラブルと対策を整理しておく。

こういったトラブルはシステムが原因で起きるが、ビジネス全体に影響がおよぶ。したがってITエンジニアだけではコンティンジェンシープランを立てられない。トラブルの最中も「顧客への悪影響を最小限にするためにどう対処すべきか？」などを業務担当者が次々と判断せざるを得ない。

こういう時のためにも、「システムを作らせる人」もシステムについて最低限は把握しておかなければならない。本書で説明してきたように、プロジェクトにしっかり参加してきたのであれば、新システムについて深く理解しているはずなので、それほど心配しなくても良いだろう。

Column

業務がスムーズに立ち上がるかは、これまでの通信簿

本番稼動は何回経験しても、しびれる経験だ。この章で書いてきたようなトラブルに見舞われるリスクをゼロにできないからだ。

もう一つのしびれる理由は、本番稼動後がスムーズかどうかは、これまでやってきたことの総決算だからだ。プロジェクトメンバーとしては通信簿をもらうような瞬間となる。

業務にフィットしたシステムを作れているか？

作ったシステムに致命的な不具合はないか？

業務担当者は新しい業務を理解しているか？

顧客が想定以上に押し寄せても、処理能力がパンクしないか？

ちょっとした問題に対応する、ヘルプデスクのような手段を講じているか？

新業務やシステムをよく理解し、他の社員をフォローしてくれるようなキーマンが各現場に育っているか？

多少のトラブルがあっても、プロジェクトメンバーが育っていて、あっという間に対処してくれるのか？

などなど、これまでの検討や準備が甘ければ、すべてこの瞬間にトラブルとして返ってくる。

だからこそ、全てをリハーサル通りやり遂げ、無事に動いているのを見ると、心底ホッとするとともに、ジワジワとこれまでやってきたことの手応えを感じるような、不思議な感覚を味わうことになる。

狙い通りの業務になっているか？　成果をあげているか？

こうしてようやく新システムが稼動し、プロジェクトメンバーがかけずり回らなくても業務が回るようになる。やれやれ、お疲れ様でした。

この時点でITエンジニアの仕事はなくなるが、「システムを作らせる人」には1つだけ仕事が残っている。それは当初の計画通りの業務になり、狙っていた成果をあげているかチェックすることだ。

残念なことに、多くのプロジェクトではこれを怠る。システムは稼動させるまでがあまりに大変で、なんとかトラブルなく稼動させるところまでたどり着くと、力尽きてしまうのだ。

だがシステム稼動はプロジェクトや会社にとって、あくまで手段でしかない。元々狙っていた通りの使い方をせずに、効果があがっていなければ、苦労してプロジェクトをやってきた意味はない。

稼動が安定してきた数ヶ月後に、かならずシステムを使っている現場を見て回ろう。同時に、新業務や新システムについての不満も聞いて回る。新システムへの不満を聞くのはプロジェクトメンバーとして堪えるものがある。

だがこれまできちんとプロジェクトをやってきたならば、自信を持とう。現場に不満があるとすれば、「プロジェクトでやろうとしたことの意図がうまく伝わっておらず、ちぐはぐな使い方をしている。その結果として、システムを使いにくく感じる」という現象だ。

以前あったのは、「顧客への請求金額をチェックするための帳票がなくなってしまった。だから手で計算し直している」という不満だった。だが新しいシステムでは請求金額はシステムが正しさを保証してくれるので、チェックは不要になっていた。そのことがうまく伝わっていなかったのだ(正確には、伝えたがユーザーが忘れてしまっていた)。

こういった小さなことも含め、1つ1つの課題や不満を潰していくことで、ようやく思い描いていた理想的な業務になっていく。私はこういった活動を「落ち穂拾い」と呼んでいる。せっかくのプロジェクト成果を100%刈り取るために、地味だが重要な仕事だ。

この世で最悪のシステムは、完璧に作って使われないシステム

こうして、望み通りのシステムを手に入れるための長い旅が終わった。

もちろん、プログラミングはITエンジニアの仕事だ。だが「システムを作らせる人」がそれ以外に多くを担わなければならないことに、驚いた読者が多いかと思う。1冊読み通して、うんざりした方もいるだろう。

だが本書の最初で強調したように、現在のビジネスにおいて、システム

を作ることは、ビジネスそのものをデザインすることと同義なのだ。ビジネスはシステムの上に乗って流れていく。自社のビジネスモデルはシステムが体現している。会社のこだわりも、割り切りも、顧客への思いも、価値観も、全てシステムに表れる。

だからこそビジネスを立ち上げ、変革していこうと思えば、システムに魂を込めるしかない。ITエンジニアに任せるわけにはいかない。ましてや社外のITベンダーに丸投げなんてとんでもない。自分でプログラミングできなくても、それは可能だ。システムを作らせる技術さえ身につければ。

私がまだITエンジニアだった若い頃、実感したことがある。「この世で最悪のシステムは、お金をかけてITエンジニアが完璧に作り、そして使われないシステムだ」と。あれから20年以上たったが、残念ながらいまだにそういうシステムはある（行政が何千億円もの税金をかけて作ったシステムはその典型だ）。

この本で説明してきた方法論は、何よりもそれを防ぐための仕掛けにあふれている。例えばシステム機能の優先順位付けをする基準として、なぜビジネスベネフィットと技術的容易性だけでなく、組織受入態勢を吟味するのか。それは作っても使われないシステムを防ぐためだ。要求定義が終わった後、BPPやユーザーテストなどで繰り返し繰り返しユーザーがシステムをチェックするのも、ユーザーに使ってもらえないシステムを防ぐためだ。

ここまで読んできた読者は、十分理解してくれたと思う。本書の冒頭に「ITプロジェクトが失敗し、ITを経営の武器にできないのは、ITエンジニアの責任ではない。作らせる技術がないことだ」と強調した理由を。システムを作るプロジェクトなのに、システムを作る人だけでなく、システムを作らせる人がこれほどまでにプロジェクトに参加しなければならない理由を。

本書はずいぶん長い本になってしまったので、1回読んだだけでは「システムを作らせる技術」を身につけるのは難しいかもしれない。この本が常にプロジェクトルームに置かれ、プロジェクトが進むごとに該当箇所を読み返すような、皆さんにとっての水先案内人となることを願っている。

〔補足〕ベンチャーでのシステム構築

この章のレッスン

- 既に業務・システムが動いている場合と、新規事業やベンチャーで「業務・システムを1からつくる」場合では同じ進め方ではうまくいかない
- 「業務・システムを1からつくる」場合のシステム開発のコツを実際の事例によって学ぶ

これまでの章とはすこし趣向を変えて、この章では新規事業やベンチャー企業でのシステム構築について取り上げよう。

生産管理や経理などの基幹システムを作る際は、業務やシステムの現状を分析するところからスタートする（D章参照）。だが起業や新事業の立ち上げに伴ってシステムを作る場合、「現状」はなにもない。システム構築とほぼ同時並行でビジネスモデルや業務プロセスを決めていくことになる。

したがって、不確実性が高いプロジェクトとなる。つまりシステムを作るそばから、バンバン変更を迫られる。作ってみて初めて本当に欲しかったものがわかってくることも多い。そうした状況でのシステム開発のコツについて、GROOVE X社でのプロジェクトを例に説明する。

ペットロボット「LOVOT」を飼い主に届けよ!

工場で自動車を組み立てたり、床を掃除してまわる「人の仕事の代わりをするロボット」は私たちの社会にかなり浸透しているが、ベンチャー企業GROOVE Xのターゲットは、それらとは真逆の「人の代わりに仕事はしないロボット」。

好きな人の顔を覚えているので、可愛がると、どんどんなついてくれる。家中どこまでも後をついていく。抱っこしてあげると、ほんのり温かい。もちろん個体ごとに個性があるし、2体でじゃれ合ったりもする。

ケンブリッジで飼っているあんことしらたま

ロボット本体の開発プロジェクトの真っ最中に、GROOVE Xのビジネスを支える業務とシステムを、ゼロから設計して構築する「かけはしプロジェクト」が発足した。私たちケンブリッジはプロジェクトの立ち上げから初出荷までの苦難の道のりを、GROOVE XやITベンダー各社とともにした。

今まで全くなかったコンセプトの商品なので、ビジネスモデルも売り方も、ゼロベースで走りながら考える。他社の事例も一切ない。たとえば、販売業務についても、普通の会社と同じように「ものを売るための販売管理システム」を作ればいいと思ったら大間違い。販売とは飼い主がLOVOTに出会う体験をデザインすることなので、家電量販店で「LOVOT激安！ 3割引セール！」のように売るわけにはいかない。他の電化製品は参考にならない。このプロジェクトに「かけはし」と名付けたのも、"飼い主にLOVOTを届けること"がミッションだからだ。

さらにLOVOTはお客さまの手に渡ってからも常に進化していくロボットなので、販売して終わりではない。長くかわいがってもらうためのサービス体制や、それを支える課金を検討する必要もあった。したがってプロジェクトの対象範囲は幅広く、購入のためのECサイトや全国に送り届けるための物流、故障への対応や、定期メンテナンス、顧客サポート、月額課金など、ロボット本体の開発以外のすべてが対象となる。

飼い主が亡くなったときにどんな業務が必要なのか？

かけはしプロジェクトにとって、不確実性の源泉は大きく2点あった。

一つはビジネスモデルが揺れ動くこと。例えば「1体ずつ売るのか、2体ペアで売るのか？」「個人向け以外に、介護施設などB2B販売も行うのか？」などが、社外の反応を見ながら変更される。いずれも、業務とシステムを設計するかけはしプロジェクトに大きな影響がある。

もう一つは商品であるLOVOT自体の仕様が揺れ動くこと。愛らしい外見とはうらはらに、LOVOTには障害物検知などの多様なセンサーや、行動を決めるための機械学習技術など、最新の技術が詰め込まれている。だから開発が進むごとに「できないはずのことができてしまった」「後から無理だとわかって、仕様を変えざるを得ない」ということは当然起きた。

こういったビジネスモデルや商品特性は、通常のプロジェクトでは「与件・前提」としてあらかじめ決まっているが、このプロジェクトでは同時並行。売るためのビジネスモデルを考えた結果、かけはしプロジェクトから商品開発側へ要望を伝えることもするし、逆もある。良いものを作り、多くの飼い主に届けるために双方向のコミュニケーションが重視された。この面でも「最初に要求／要件を決めてから、一気呵成に作る」というプロジェクトとは全く違っていた。

決まっていないことは、「いったん仮ぎめ」という作戦をとった。例えば「LOVOT 1体が飼い主と認識して生活をともにするのは、何人までか？」などといったことも、後々には当然具体化されたが、プロジェクト立ち上げからしばらくは決まっていなかった。だから「いったんはこういう形にしよう」と議論する。そうして走らせてから、本当に必要になったタイミングで、その時までに集まった情報をもとに最終決定する。

業務を設計する上で象徴的だったのが、「LOVOTを購入した飼い主が亡くなったら、なにが起こり、GROOVE Xとしてなにをしなければならないのか？」というテーマ。飼い主がどういうふうにLOVOTと生活していくのかをとことん突き詰めて考えていくと、こんなことも設計していかなければならない。

愛着を持ってもらうために、飼い主の行動の特徴や生活パターンを学習するロボットには、飼い主の魂のようなものが宿る。亡くなった飼い主のお子さんが「LOVOTを引き継ぎたい」と希望した時には、どうしたらそれが可能になるのか。LOVOTはIoT機器の塊なので、認証の問題を含めて相当ハードルが高い。でも飼い主の接し方や思いに深く寄り添って、想像することが求められた。

もっとも、これら全てのケースに対応しようとすると、検討すべきことが多すぎて厳しいスケジュールにはとても間に合わない。やるべきことをいったん全部洗い出し、「ビジネスとして捨てられる部分はどこか」「逆に絶対に捨ててはいけない部分はどこなのか」を、絞っていくこととなった。業務フローは、初出荷後の今でも、やりながら改善を繰り返している。

ビジネスや商品が揺れ動く中でのシステム開発

こういった先を見通しにくい状況でのシステム開発は、非常に難しい。企業の業務全体を支えるシステムは機能が複雑に組み合わさっているため、前提が崩れると一から作り直しになってしまう。ビジネスモデル自体が大きく変わるような状況でのプロジェクトは、砂の上にバベルの塔を建てるようなものだ。どんな方法でこの状況に対処したのか、ポイントを列挙していこう。

最初にFMをしっかり作る

いくら先を見通しにくいと言っても、最初に全体像を描くことは必要だ。後から変更が入るのが避けられなかったとしても、全体像を書かないと機能同士の連携を検討できない。

そのため、このプロジェクトでもFMを書いた。ただし通常と違って白いセルしかないFMになった。今は存在しない業務を支えるシステムを作るので、イレギュラー対応に必要な機能などを想像できず、最初から必要最小限の機能しかリストアップできなかったためだ。

ステージは小さく区切る（スプリント）

不確実性が高く、作ってみて初めてわかることも多いので、ステージは小さく区切り、1つ1つを「スプリント」と呼んでいた。通常の大型プロジェクトでは第1ステージにまとめて開発するセルは200個ほどにもなるが、このプロジェクトではセル10個ほどを1回のスプリントで開発することにした。

一般的に「1回のスプリントは2週間で開発できる規模が良い」と言われている。領域にもよるが、FMのグループ（セル5～10個程度）だと、ちょうどそのくらいの規模となる。この規模だと、「そもそも作れなかった」「作ってみた結果、価値がないとわかった」という結果になってスプリント1回分が無駄になっても、痛みを我慢できる。

こうして小分けにした機能を各開発チームに割り当て、同時並行で2週間ごとにどんどん機能を作り、業務担当者がそれを見てフィードバックして……というサイクルを何度も回す。

短期間で小さな開発を繰り返すこの開発手法は、一般的に「アジャイル開発」と呼ばれている（厳密にはアジャイルのなかでも複数の流派があり、小さな開発もスプリント以外に「イテレーション」「チャンク」など様々な呼び方があるが、本書の趣旨とは外れるので詳細は割愛する）。

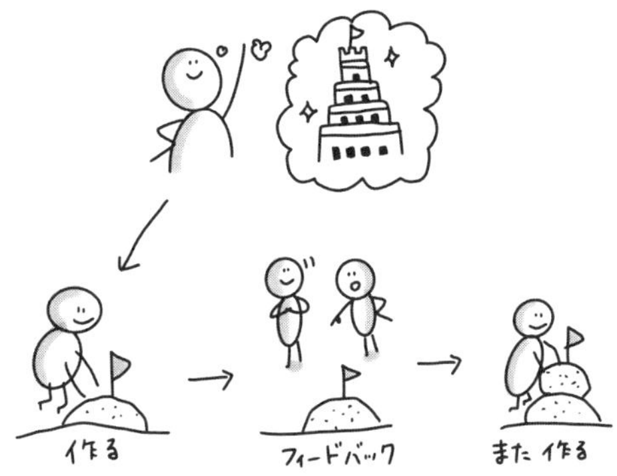

スプリントの切り分け方が重要

FMを小規模に分割して、短期間で開発していく際、着手順がキモとなる。意図的に着手順を決めないと、「なんとなく作りやすいところから」となってしまう。最後に一番難しく、全体への影響が一番大きな領域が残されてしまったら最悪だ。

かけはしプロジェクトでは、スプリントで扱う領域ごとの優先順位を以下のような考え方に沿って決めた。

①全体への影響が大きく、真っ先に検証すべき機能から作る。例えば「とにかく売れないと話にならない」の精神から、販売Webのフロント機能を優先的にスプリントの対象とした。裏側の機能は、なくても最悪手作業でカバーできるからだ。その中でもITベンダーが提案する業務フローで問題ないかを、真っ先に検証した。

②2週間程度で開発が終わる大きさにする（理由は前述の通り）。

③とはいえ、業務目線で価値を検証できる最低限の大きさは維持する。MVP（Minimum Viable Product）と呼ばれる考え方。これより小さい単位でスプリントをやっても、出来上がったものの良し悪しを「システムを作らせる人」の目線で議論できない。その意味でも、FMの1グループを1回のスプリントにするのが合理的。

同時並行でスプリントをするための工夫

スプリントを繰り返す開発手法は、1つのチームがすべて開発する方法が一番スムーズに進む。スプリントを何度も繰り返すということは、前回のスプリントまでに作った機能に、今回のスプリントで作った機能を継ぎ足していくことになる。それをスムーズにこなすためには、両方の機能を知っている人が一番うまく作れる。逆に複数のチームがあると、別チームが作った機能にうまく継ぎ足せず、開発が頓挫してしまう。

だが、かけはしプロジェクトは幅広い機能を短期間で構築する必要があったために、複数のITベンダーからなる複数のチームが同時並行でスプリントを走らせる必要があった。

このため、まずは最初にスプリントを切り分ける際、スプリント間の連携が複雑にならない切り分け方にかなり気を使った。切り分け方の検討には、こういったことを判断できるITベンダーの設計者の方々にも参加してもらった。

また、スプリントで作る機能間のI/F（インターフェース）機能を重視した。具体的には各チームのエンジニアが集まってI/Fを議論する場を設定した。こういったチーム間のファシリテーションがプロジェクトのキモとなるのは、アジャイル的な開発であっても同じだ。

プロトタイプは大事だが、闇雲に作っても無駄

かけはしプロジェクトでは、プロトタイピングも多用した。ECサイトやコンタクトセンターの仕組みについて、パッケージソフトの標準画面を見ながら、検討していく手法だ（プロトタイプセッションについてはS章を参照）。

これらは「まだない業務に思いを馳せる」という意味で非常に有効だった。だが一度、プロトタイピングをストップせざるを得ない状況にも陥った。システムの前提となる業務ルールで未定のことがあまりに多く、プロトタイプ以前だと判断したからだ。

この時は一旦作業を中断し、検討すべき課題の全体像を示すマップを作り、領域ごとに致命的な未決事項を特定していった。それらをどんな順番で議論すべきかを決め、毎日、1つ1つ課題をつぶしていった。これらを経て、ようやくきちんとプロトタイピングを再開できた。

このあたりも、まだないビジネスを作る難しさだ。方法論について深く理解した上で、「今回のプロジェクトではどう方法論をアレンジすべきか？」を常に考え、軌道修正していかなければならない。

期限や品質を守るためのマネジメントはいつもと同じく大切

かけはしプロジェクトのような、期限が決まった大規模なシステムをアジャイル的に開発することは、一般的に非常に難易度が高いと言われている。

アジャイルには「意欲に満ちた優秀なエンジニアを集めたら、自主性に任せたほうがうまくいく」という思想的背景がある。顔の見える小規模チームでこの理想通りにいけば生産性はとても高いが、大規模プロジェクトでこのやり方を目指すとチーム任せになりすぎて品質が低かったり、スケジュールがグダグダになりやすい。

一方でかけはしプロジェクトでは、ベンチャーといえども納期や品質には強くこだわった。投資家に約束した出荷スケジュールは死守する必要が

あるし、ベンチャーだからといってお客様との決済金額が間違っていたら、会社として信用を失うからだ。

そこで、品質や進捗についてはプロジェクト管理チームがきちんと管理をした。このあたりは通常のプロジェクトとなにも変わらない。

優秀なITベンダーに火を付ける大切さ

先にも少し触れたように、アジャイル開発の前提は「優秀なエンジニアがものづくりをすること」。だからITベンダーの選定にはかなり苦労した。結果として、従来型のシステムインテグレーター1社にまるっとお任せするのではなく、SaaSを使いこなす複数のITベンダーに分業してもらうことになった。

SaaSベンダーの方がアジャイル的なプロジェクトに慣れていることもあるし、SaaSはGROOVE Xが成長してナンボ、というビジネスモデルなので、「ともにビジネスを作っていく同志」という関係を作りやすかったからだ。

最初にGROOVE XやLOVOTのコンセプトを伝え、「将来に向けて、こんなすてきなことを考えているから、大変だろうけど、一緒に夢を見てほしい」と、こちらの思いを伝えるプレゼンも、彼らのハートに火を付けるためには欠かせない要素だった。結果として単なる契約関係を超えたプロジェクトチームを作ることができた。

どんなに工夫しても、ツライものはツライ

以上、本書でこれまで説明してきたFMを中心とした方法論に、アジャ

イルの要素を組み合わせたやり方の利点を説明してきた。しかしベンチャーに特有な、不確実性の大きさがある以上、どんなに工夫しても大変なことには変わりなかった。

例えば、スプリントで小さな機能を作って、業務目線で検討をすると、たしかに課題は早めに洗い出せる。後で致命的な欠陥が見つかるよりはずっとマシなのだが、それらを修正するための時間を確保するのには苦労した。次の2週間には別のスプリントが待ち構えているのだから。

でもそれらを放置して、ビジネスが死んでしまうよりはずっとマシだ。最後は根性も必要だったし、業務とシステムを最後に磨くために確保してあった期間は、ビジネスモデルの大きな変更に対応するために食いつぶしてしまった。おかげで全体スケジュールの見直しを何度も行うはめになった。

すべてがきれいに進んだわけではないが、想定通りの予算と納期でプロジェクトを完了させ、無事にLOVOTを飼い主のもとに送り届けることができたのは、プロジェクトに参加したすべてのメンバーの情熱と、適切な方法論が噛み合って達成できた、大きな成果だった。

Column

ウォーターフォール、アジャイル、その中間

ウォーターフォールやアジャイルなど、システム構築には様々な流儀がある。本書で説明している方法論（Cambridge RAD）もその一つだ。

これらの位置づけを整理しておこう。少し専門的でITエンジニア向けの内容なので、生粋の「作らせる人」は読み飛ばしていただいても構わない。

ウォーターフォール

要求定義書⇒要件定義書⇒基本設計書⇒詳細設計書⇒プログラム⇒単体テスト⇒結合テスト……。といった具合に、1工程ずつ成果物を作っていく、伝統的なシステム開発方法。

「前工程の成果物を、次の工程ではより具体的かつ詳細にしていく」を繰り返していく、非常に着実な手法と言える。ただし、前工程の成果物が完璧なことを前提としているので、前工程にミス（抜け漏れや誤った記述）があると「手戻り」といって、以降の工程は全部やり直しとなる。

もちろん人間は完璧ではなく、ミスや手戻りは多かれ少なかれ必ず起こる。いかに工程ごとのミスを少なくできるかが勝負。最大の弱点はビジネス環境の変化などで、最初の工程で決めたことが変化してしまうこと。

アジャイル

かけはしプロジェクトの事例で詳しく説明したように、機能を小さく区切り、その機能ごとに、設計⇒開発⇒テスト⇒ユーザーレビュー（スプリント）を高速で繰り返す手法。最低限使える機能がちょっとずつ組み上がっていく。（なおアジャイルにも「スクラム」「リーン」「XP」など、多くの流派があり、思想や実践手法に違いがあるが、本書の趣旨から外れるので、その区別は扱わない）

住宅建築に例えると、ウォーターフォールの場合は完成引き渡しまでは住めない。アジャイルで作ると「今日台所ができたから、早速料理して使い勝手を確認した。コンロを増やしてもらうことにした」

「とりあえず寝室ができたから泊まれる。トイレはまだできてないから公園に行く」みたいな感じだろうか。

作り手からすると、ウォーターフォールで大きなシステムの部品だけを作るのに比べ、小さいとはいえひとまとまりの機能を作る喜びがあるし、ユーザーと使い勝手を議論しながら作れるのでモチベーションが上がる。

弱点は、全体コントロールが難しいことだ。全体像を描いて緻密に見積もりをして……というウォーターフォールと違って、部分部分を作っていくので、「トータルでいくらかかるのか？」「いつ完成するのか？」が読みにくく、後々まで明言しにくい。

また、全体が密接に結びついているシステム（例えば給与計算とか保険料金計算のような、複雑なロジックの塊）は2週間で収まるようなスプリント単位に区切りにくく、あまりアジャイル向きではない。

Cambridge RAD

本書で説明しているCambridge RADは、元々は1990年頃にMITの教授が考案したプロジェクト方法論が源流であり、アジャイルとは別に発展してきた。結果的に、ウォーターフォールとアジャイルの中間のような特徴を持っている。いいとこ取りとも言える。

全体の流れは「要求定義⇒要件定義⇒設計⇒開発⇒テスト」と、ウォーターフォールと同じようなフェーズ分けをするのだが、各工程にアジャイルと共通する精神がちりばめられている。例えば……

・すべてを一度に作るのではなく、ステージを分け、一番価値がある機能から段階的に稼動させていく
・詳細設計に先立ってプロトタイピング（BPP）を行い、課題を先出しする（ウォーターフォールのように、業務に合わないことが完成後にわかったのでは盛大に手戻りしてしまうので）
・「作る人」と「作らせる人」が分断されておらず、共同作業
・プロジェクトを通じてメンバーが成長することを重視

パッケージ開発における課題解決のやり方が一番典型的だろう。パッケージソフトを仮組みして、業務に合わせてプロトタイプセッションを行う。合わないところを課題とみなし、業務を変えたり要件を変

えてベストな解決策を模索していく。「業務担当者が言ったとおりに作れ」というウォーターフォールに比べて、相当柔軟に、共同でプロジェクトは進む。

ウォーターフォールでは「要件のとおりに作ること」が自己目的化しがちだが、Cambridge RADでは業務の最適化がゴールであり、システム構築は手段にすぎない。この辺の共同作業の思想もアジャイルに近い。

かけはしプロジェクトの事例で説明したように、私たちケンブリッジもプロジェクトごとにこの数直線上のどこに位置するべきかを判断して、プロジェクトの進め方を最適化する。決して「Cambridge RADはこうあるべき」と原理主義的な発想はしない。

この本の読者は、まずは中小規模のプロジェクトで、この本に書いた基本を忠実にやってみてほしいが、慣れてきたら「今回はアジャイル寄りにしようか」「いや、むしろウォーターフォール的にかっちりやったほうが合うのでは？」と考えながら、最適な方法を考えていってほしい。

図表Y-1 ウォーターフォール、アジャイル、その中間

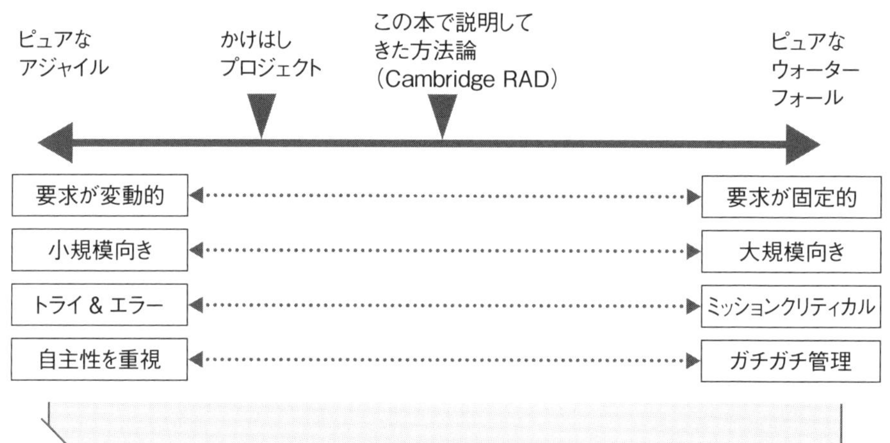

〔補足〕FMをシステム構築以外に応用する

この章のレッスン

- FMのフォーマットや考え方をシステムの要求定義以外に活かすことができる
- 活用場面の例を5つ紹介する。読者の皆さんも様々な場面で使ってみてほしい

FMはシステム機能以外でも効果を発揮する

この本で詳しく説明した、FMの作成プロセスやFMそのものがプロジェクトにもたらす効果は、システム機能以外を検討するときにもそのまま応用できる。特に、

・やりたいこと、作りたいことがたくさんある

・予算や期間の制約があり、それらを絞り込む必要がある

・多くの人々の利害が絡み合い、組織としての意思決定が難しい

こんな状況がうってつけだ。

この章では5つの例を紹介するので、皆さんが応用する際の参考にしてほしい。

FMを応用した5つの検討例

①組織機能の実現範囲を決める

②商品開発や研究テーマの優先度を決める

③Webサイトに掲載するコンテンツを決める

④データ・ウェアハウスに収集するデータを決める

⑤データの移行範囲を決める

①組織機能の実現範囲を決める

組織変革・組織設計をする際に、必要な組織機能や役割をFM風に表現することがある。

「今は手薄だが、将来的には企画や啓蒙面に力を入れたい」といった、今後強化すべき組織機能（組織が果たすべきミッション）を、FMと同様のプロセスで検討する。下図はIT部門で検討したときの組織FMだ。

FMと同様のプロセスなので優先順位を決めた理由が明確になる。全体像が示せるので、将来どこに向かうのか、何に価値を置いているのか、組織のメンバーと認識をあわせられる。

また、同じ表を使ってアウトソースすべき領域の検討も行うこともある。自社で行う価値が低く、外に出すことに抵抗がない領域に色を塗ることで、今後アウトソースする業務を明確にできる。

図表Z-1 ｜ 組織機能ファンクショナリティマトリクス

	機能グループ	1	2	3	4	5	6	7	8	9	10
A	戦略	IT戦略策定	インフラ戦略策定	予算計画	ITガバナンス	IT運営評価	プロジェクトポートフォリオ管理	ソーシング管理	オフショア戦略		
		●	●	●	●	●	●	●	●		
		△	△	○	△	○	△	△	△		
B		IT投資管理	個別案件管理	IT資産管理	コスト配賦						
		●	●	○	●						
		△	△	●	–						
C	組織	組織役割定義	人的資源管理								
		●	●								
		△	–								
D	リスク管理	コンプライアンス	IT全般統制	ITリスク管理	BCP／DR						
		●	●	●	●						
		△	△	○	△						
E	アーキテクチャ	技術設計	EA BA定義	EA DA・AA・TA定義	技術標準	技術調査					
		●	●	●	●	●					
		○	△	△	△	○					

【役割の凡例】
●：主体として業務を実施する
○：実施する業務内容が存在する
△：情報提供やアドバイス

上段：本社機能
下段：グループ会社機能

■：強化対象機能

②商品開発や研究テーマの優先度を決める

新商品開発においてもシステム開発と同様に、盛り込みたい機能が膨らみがちだ。その結果、コストは上がり、発売時期を延期することになってしまう。そこで「これがないと商品にならない（サービスとしてリリースできない）機能」と「後からでもいい機能」をFMと同じ考え方で整理できる。

エジソンの頃と違い、新商品開発といってもチームで仕事をすることが多い。この際、FMで商品の全体像を見える化しておくと、自分が担当している領域が周辺とどういう関係になっているのかを想像しやすい。「この資産や知見は、隣の領域でも有効なのでは？」といった具合に、チーム間の協力もスムーズになる。

また、直近のプロダクト開発だけでなく、将来に向けた中期的研究テーマをFMで表現した例もある。直近の開発プロジェクトとは異なり、会社単位で取り組むべき、期限が決まっていない研究テーマが対象だ。

例えば、深層学習（AIの1技術）をつかった研究テーマを複数洗い出し、効果・価値や投資金額などで優先順位を決めていった。通常、研究者の采配によって優先度が決まるが、全社として評価基準を明らかにして優先順位を決めたため、全社的なバックアップを得ることができた。研究部門としても「なぜそれを優先的に研究しているのか」を説明できるようになった。

また、FMで研究テーマが見える化されたことで、開発関係者と研究結果の活用や優先度の変更を定期的に議論するようにもなった。

③Webサイトに掲載するコンテンツを決める

Webサイトに掲載したいコンテンツは多いが、すべては盛り込めない。従って優先順位を付けてコンテンツを絞り込む。その際、サイトとして一貫性がないと本来訴求したいメッセージが伝わらないし、価値のないサイトになってしまう。

そういった意味でも実現範囲の全体像が一覧できるFMのフォーマットはうってつけだ。コンテンツの一覧なので、FMではなくCM（コンテンツマトリクス）と呼んでいる。

まず掲載するコンテンツの候補を洗い出し、FMのプロセスに沿って優先順位を付ける。その後、全体としてちぐはぐなことになっていないかをチェックする（例えばキャンペーン情報が掲載されているのに商品の詳細情報が載っていないなど）。

評価基準はシステム機能の場合と同様、ビジネスベネフィット、組織受入態勢、技術容易性を使えば良い。あるプロジェクトでの組織受入態勢はユーザー目線を重視して「ユーザーにとってのわかりやすさ」を基準にして、「High：新たな知識を全く必要としない、Low：理解しにくく、問い合わせも増える」とした。

技術的容易性はコンテンツの場合は制作の工数の観点から、「High：情報の収集が容易、Low：ゼロベースで情報収集し、随時更新が必要」という基準で評価した。もちろんコンテンツの加工や掲載に向けての組織間調整の工数を評価する場合もある。

企業がWebサイトで情報発信をし始めて間もない2000年ごろ、混沌と

図表Z-2 ｜ コンテンツマトリクスの例

グループ	コンテンツ	コンテンツ構成要素	静的／動的	レーティング
検索	商品検索	タグ、全文	静的	H/M/M
検索	商品検索結果一覧	検索結果	動的	H/H/M
検索	カテゴリ別一覧	カテゴリ毎結果	動的	M/H/M
検索	おすすめ商品一覧	おすすめ商品検索結果	動的	M/H/M
検索	新着商品一覧	新着商品検索結果	動的	M/H/M
検索	売れ筋ランキング	月ごとの売上げランキング	動的	L/H/M
サービス	注文履歴	過去の注文履歴詳細	動的	H/H/M
サービス	配送状況確認	注文に対する配送状況	動的	H/H/M
サービス	ポイントサービス	ポイント確認、利用方法	動的	H/H/L
サービス	お気に入り（いつもの）	商品登録	動的	H/M/M
サービス	お気に入り（マイセット）	商品セット登録	動的	H/M/M
サービス	見積書作成	商品の見積もり書	動的	H/M/M
サービス	請求明細表示	注文の請求明細	動的	H/M/M
サービス	問い合わせ	各種問い合わせ	動的	H/H/M
サービス	アンケート	テストマーケティング、リサーチ代行	静的	H/M/M
情報提供	サイトマップ	サイト構造	静的	H/H/H

していたある大企業のWebサイトを整理し、将来方針を作るプロジェクトを私たちケンブリッジが支援した。その際にも議論の結果をここで紹介したCMにまとめた。

驚いたのは、プロジェクトが終わってから10年ほど後にお会いした時、「あのときのコンテンツマトリクスを更新しながらまだ使っていますよ」と言ってくれたことだ。インターネットはドッグイヤーなどと呼ばれ、その10年の間、すごい勢いで進歩した。もちろん使う技術や表現方法は当時から大きく変化しているが、「消費者に示したいコンテンツを、事業部などの自社の都合ではなく、消費者目線で整理する。それをCMにまとめ、関係者全員で合意する」という基本は時代が変われども揺るがない、ということだろう。

④データ・ウェアハウスに収集するデータを決める

Webサイトのコンテンツとほとんど同じ考え方で、データ・ウェアハウスでどんな情報を見られるようにするかを決めることもある。

図表Z-3 ┃ データマトリクス

①何の情報を	②誰に	③何の目的で	④どこで	⑤どのような単位で	⑥いつ	⑦次のアクション	ビジネスベネフィット（効果／業務必須度）	組織受入態勢（現場浸透のしやすさ）	技術的容易性（情報収集／開発のしやすさ）
What	Who	Why	Where	How	When	Action			
■製品別、顧客別、費目別レポート 指定した月の製品別、顧客別、費目別の売上、支払を営業所単位で状況を見えるようにする。	経営層、所長、等の管理者	収支状況の進捗把握	本社／営業所	本社、エリア、店所	随時、または決算時	①営業所状況の定量的把握 ②会議資料への連動	High	Middle	Middle
■顧客別の経常利益レポート 会計システムから連携し、顧客ごとに按分することで表示できるようにする。	経営層、所長、等の管理者	収支状況の進捗把握	事務所	顧客ごと	随時、または決算時	顧客毎の収支管理が精緻化できるため、顧客毎に必要な対応も具体化かつ詳細にできる	High	Middle	Middle
■顧客別、製品別の月別売上集計レポート 月別の顧客別製品別の売上の集計表。（予算対比）	営業所営業担当	収支状況の進捗把握	本社／営業所	本社/営業所	月次	営業強化	High	Middle	Middle
■月別、自社都合失注数レポート 月別で、注文を受けたが自社都合でキャンセルとなった件数を分析する。	経営層、所長、等の管理者	営業所の実態把握、収支改善	本社／営業所	本社/営業所	月次	①失注金額の予算化 ②担当者への教育 ③顧客への信頼回復	High	Middle	Low

この図は経営情報の見える化としてデータ・ウェアハウスを構築した際の一覧だ。この企業では、営業や経営判断のもととなる情報が各営業所ごとにバラバラで、各営業所に情報抽出を依頼し、さらに本社側で集計が必要な状況だった。これらを一本化すべく、データ・ウェアハウスを構築することとした。

5W1H1Aでどんな情報を、何の目的で、どんなアクションに用いるのかを記入していく。その上で、「そのデータを各システムから集めてくるのは大変か？　≒技術的容易性」や「そのデータを参照した上で、有効なアクションを打てるのか？　≒ビジネスベネフィット」などの優先順位基準で取捨選択した。

⑤データの移行範囲を決める

現行システムからの新システムへ引っ越すデータの範囲について決める際にも、FMと同じ考え方で検討する。W章で詳しく説明したのでここでは繰り返さないが、「データの重要性（ビジネスベネフィット）」「データを引っ越すのが簡単か？（技術的容易性）」「データをすんなり準備できるか？（組織受入態勢）」などで引っ越すデータに優先順位をつける考え方が、FMと全く同じことに気づいた読者もいただろう。

おわりに

個人的な執筆動機

ケンブリッジへの入社以前に参加したある大企業でのプロジェクトが、本書執筆のきっかけだった。

私は途中から参画したのだが、間接部門を効率化した上で、より付加価値の高い業務へのシフトを目指すプロジェクトだった。当時は政府が「日本の生産性向上」を重要施策として掲げ、それに伴い各社でITシステム・ツールの活用が取り上げられており、その時流に乗っていた。経営陣からの期待も大きく、中期経営計画の一端を担うプロジェクトだった。

私自身も、大々的に発表されて社外からも注目を集めるプロジェクトへの参加に期待を膨らませていた。私が参加した時点で、技術部門の設計や開発、人事部門の定型業務を効率化するためのシステムをすでに構築済みだった。利用を開始して、具体的な効果が上がり始める時期である。

だが参加してすぐに見えてきたのは、華々しい発表とはかけ離れたプロジェクトの現実だった。特に問題だと思ったのは、(本書で説明した)組織受入態勢をないがしろにして、システムで効率化する対象業務を選定していたこと。それなのに導入のフォローを全然していなかったことだ。

開発したシステムは実際には、「技術担当者がこのツールを利用して進める案件と、手作業が残る案件を判別する必要がある」「ツールを利用する案件の中でも、ツールだけで完結する部分と、手作業で補う部分の把握が必要」など、活用にかなりの注意が必要だった(組織受入態勢が低い機能)。

だがユーザーに使ってもらうための説明が不十分だったので、現場の方は「使う機会になかなか恵まれなくてねー」「利用する担当者がこういったツールに慣れていなくてねー」といろいろ理由をつけて、利用を避けていた。

途中からの参加とはいえ、私もこの状況をなんとか改善しようと「こういう案件なら活用できるでしょ」「1つでいいから使ってみて。ほら効果あったでしょ」と、普及活動を行っていった。だがなかなか現場の熱は高まらない。そもそもこのシステムは彼らが望んで作ったわけではないのだから、当然かもしれない。

こうして当初発表していたほどはツール導入による改善効果は上がりそうになかったが、「○○時間の業務効率化！」と発表してしまった以上は引き下がれない。「経営目標必達！」を理由に、導入効果の上積みに奔走することになった。

つまり「ムダをなくして業務を良くする」という観点でなく、「なんでもいいからこのツールを適用できる箇所を探す」というプロジェクトになってしまったのだ。例えば、開発が大変な割に効果が低いのはわかっているので見送っていた領域も「適用できるのだから、この際作るしかない」と開発を進めることになった。

ツールが適用できる部分をもう一度探すためのヒアリング会も全国で行った。本当は「ムダ業務をなくす」という観点だと、伝書鳩みたいなコミュニケーションをなくすとか、設計変更のやり方を標準化するなど、もっと効果的な方法もあった。だがあくまでツール導入が目的になってしまっていたので、それらに着手することはなかった。

効率化は二の次という、そうした姿勢は現場の方々も感じていて、説明会や開発にもだんだん協力的でなくなった。もちろんプロジェクトメンバーも冷ややかな目で見られるようになっていった。経営陣肝いりのプロジェクトなのに……。

こういう経験があるので、この本で当たり前のこととされている方法論が、どれだけプロジェクト、ひいてはその会社全体に有効かを認識できた。Whyから考える重要性、システム機能の優先順位付け、現場の巻き込みなどはすべて、こういう事態を防ぐためにあるのだ……と身に沁みてわかった。

そして、私があの経験から得たもう一つの教訓は「プロジェクトの基本を無視してシステムを作ってしまうと、完成後にいくら現場に懇願しても無力だ」である。

カネと労力を使っても、使われないシステム、使えないシステムは最悪だ。誰も幸せにならない。システムは企業活動をより良くし、よりよい会社をつくるためにあるはずだ。

ケンブリッジに入社してからもこの経験が自分の中にくすぶっており、ケンブリッジでこれまで学んだこと、やってきたことをまとめたいと思った。私が経験したような悲しいプロジェクトを1つでも減らすために。この本に記載したことを読者が実践することで、少しでも幸せになるプロジェクトが増えるよう心から祈っている。

2021年6月　濵本 佳史

「作らせる人」「作る人」の断絶と、 One Team

「システムを作らせる技術」というこの本には、矛盾した主張を込めている。

まずタイトルと冒頭で「システムを作る技術」とは別に「システムを作らせる技術」があることを示した。もちろんその前提として「システムを作る人」とは別に「システムを作らせる人」がいるし、多分あなたはそちら側だし、この本はそちら向けの本である、と。

ところが読み進めていくと「作らせる人であっても、丸投げできない」「作ってくれる人をリスペクトすべき」「作る人と作ってもらう人がOne Teamでプロジェクトにあたらないと、良いシステムは絶対にできないよ」というメッセージばかりが書いてある。

正確に言うと、そんなメッセージではなくもっと具体的な方法論をこれでもかと書いたのだが、その全てが上記のようなスタンスを前提にしている。元々One Teamでなければ実行できない方法論だし、方法論を愚直にやっていると自然にOne Teamになるような方法論でもある。

つまりタイトルと冒頭では「作らせる人」「作る人」と、あたかも分断するようなことを書いているのに、本の中身はほぼ真逆。

なぜこんなややこしいことになっているかというと、世の中には「オレが欲しいシステムをアイツらに作らせればいいんだ」と思っている人々が厳然として存在しているからです。皮肉なことにそういう人々がいくらカネを払っても、「システムを作らせる」という態度のままでは、システムをうまく作ってもらえない（これはシステム構築プロジェクトに潜む最大のパラドクスかもしれない）。

だが、そういう人に「One Teamでやらなくちゃダメでしょ」と説教しても伝わらない。「作らせる方法を教えますよ」でなければ届かない。だから作らせる方法を学んでいくと、自然に「ともに作る」というスタンスが身につくような本を書いたわけです。我ながらめんどくさいことをやっている。

書き終えて一つ懸念が残っている。タイトルや冒頭で書いたことは読者に伝わりやすい。一方で「本全体を通じたメッセージ」は伝わりにくい。読者の読解力にかかっている。こんな分厚い本であればなおさらだ。だが内田樹は「書き手にとって最も大事なことは、読み手の読解力へのリスペクトだ」と書いている。私もそう思う。通して読んでいただければ、きっと伝わる。

本当は「作らせる人」も、「作る人」もいない。いるのは「プロジェクトを成功させ、会社を良くしたい」ともがく人々だけだ。

このことが皆さんには伝わったでしょうか？

2021年6月　白川 克

学びを深めるために

本書は「システムを作ってもらうノウハウを学ぶためには、これ1冊で充分！」という本になっている自負があるが、なにぶん分厚く、1回読んだだけで習得するのは難しいかと思う。プロジェクトの現場で活かせる骨太の実力まで高めるために、以下をおすすめしたい。

すでにある身近なシステムでFMを書いてみる

実際に手を動かして資料を作ってみると、はじめて難しさを実感したり、本書で「コツ」として書いてあることの理解が深まる。そのためには、なにも次にシステム構築プロジェクトに参加するまで待たなくても良い。まずはユーザーとして触れているシステム（例えば自分の会社の勤怠システムや電車の経路案内アプリなど）のFMを書くところから始めてはいかがだろう。

得た知識、知見を共有し、議論する

「これからプロジェクトを始める仲間と、白川さんの本の輪読会をやっています。本を読みながら"では今回のプロジェクトではどうしたい？"と議論するのがいいんですよ」という話を何度か聞いたことがある。著者冥利に尽きる。

黙々と一人で読むよりも、理解したことを発表しあったり、過去の経験を披露し、議論した方が、ずっと理解は深まる。大学の文系学部で行われているゼミと同じ形式だ。もちろん私たちの会社でも輪読会をしている。章ごとに事例を調べてくる担当者を決めるので、少し準備が大変そうだが、もっとカジュアルにやっても良い。

なにより、一緒にプロジェクトをやる仲間が共通言語を持ち、プロジェクトについての考え方がおおよそ揃っていると、非常にスムーズに進められる。本書を使った輪読会、勉強会をぜひ開いてほしい。

姉妹本の併読

本書は「システムを作ってもらう」に絞った本である（それでもこんなに厚くなってしまった）。そのため、業務改革や全社IT戦略やプロジェクトメンバーの育成など、プロジェクト成功に必要な多くのことは割愛せざるを得なかった。これまでわたしが書いた本のうち、以下は本書との関わりが強いので、併せてお読みいただくことで、より理解が深まるはずだ。

業務改革の教科書（白川克/榊巻亮著、日本経済新聞出版）

『業務改革の教科書』はプロジェクトの立ち上げ方の本だ。業務を分析し、改革施策を練り上げ、プロジェクト計画にまとめ上げるノウハウを記した。

実際の業務改革プロジェクトではプロジェクト計画を立てた後、それを現実のものとするためにシステム構築をしなければならない。その部分について書いたのが、8年後の続編である本書だ。（そのため、本書のタイトルを「○○の教科書」という感じにして『業務改革の教科書』と揃えるか、最後まで迷った）

本書の前半（C～E章）で書いた業務の将来像を描く部分、およびR章の費用対効果分析については『業務改革の教科書』の方が詳しい。実際にプロジェクトを立ち上げる場合は『業務改革の教科書』も併せて読んで欲

しい。

会社のITはエンジニアに任せるな!（白川克著、ダイヤモンド社刊）

本書は徹底して実務家目線の本だが、『会社のITはエンジニアに任せるな！』はITオンチの経営者に向けて、ITを経営の武器にする考え方を説いた本である。本書であまり触れられなかった、ITプロジェクトに経営者を巻き込む方法や、IT投資の正当性を経営者に説明する方法については、こちらの本を参考にしてほしい。

リーダーが育つ 変革プロジェクトの教科書（白川克著、日経BP刊）

システムを構築するには本書の方法論を愚直にすすめるしかない。だが本書で学んでいただいたように、すべての工程で「関係者の巻き込みと合意」が鍵となる。

だが残念なことに日本企業では、こういった「変革プロジェクトの随所で関係者をリードできる人々」が圧倒的に不足している。だがリーダーシップは社外から買ってきにくいし、リーダー不足を嘆いていても、会社はなにも変わらない。

そこで『リーダーが育つ 変革プロジェクトの教科書』では、プロジェクトをやりながらリーダーを育てる方法をみっちりと説明した。

謝辞

アメリカ伝来のこの方法論を日本のプロジェクトの現場で20年以上にわたりブラッシュアップできたのは、私たちの顧客企業の皆さんのご協力のおかげです。プロジェクトをともにしていただけたことはもちろん、方法論への素朴な疑問を口にしてくださったり、一緒に新しいやり方にチャレンジしてくださったことなど、全てがこの本の血肉になりました。

またこれまでの本と同様、プロジェクトでのエピソード、成果物、写真の掲載を許可いただいたことにも深く感謝します。おかげで生々しく、これからプロジェクトを歩む方を導くような本にすることができました。

ケンブリッジの同僚にも感謝します。皆さんのプロジェクトでの奮闘を今回も1冊の本にまとめることができました。イラストを書いてくれた今村友加里さんもありがとう。「ちょっと抽象的な話になってしまったパートをイラストでフォローして」という無茶振りに応えてくれました。

最後に、執筆を支えてくれた白川、濵本両著者の家族にも感謝したい。ありがとう。

【執筆者紹介】

白川克（しらかわ・まさる）
ケンブリッジ・テクノロジー・パートナーズ バイス・プレジデント
プログラマーとしてキャリアをスタート。ケンブリッジに転職後、業務改革、システム構築、ビジョン策定などのプロジェクトを数多く経験。ファシリテーションを武器に、コンセプト立案やチームビルディング、人材育成を得意とする。
現在は3つの仕事（お客様とのプロジェクト、執筆や方法論構築、COOとして自社の経営）を担当。
主な著書に『業務改革の教科書』（共著、日本経済新聞出版）、『リーダーが育つ 変革プロジェクトの教科書』（日経BP）。

濵本佳史（はまもと・よしふみ）
ケンブリッジ・テクノロジー・パートナーズ社員
大学卒業後、ソフトウェア会社を経て、ケンブリッジに入社。その後、某総合系コンサルファームを経て、再度ケンブリッジに。戦略策定や事業企画、組織変革、BPR、システム構築など、EndToEndでプロジェクトに参画。関西オフィスに所属し、関西企業の成長と変革を支援。

システムを作らせる技術

2021年7月21日　1版1刷
2024年8月5日　　13刷

著　者　白川克　濱本佳史

発行者　中川ヒロミ

発　行　株式会社日経BP
日本経済新聞出版

発　売　株式会社日経BPマーケティング
〒105 - 8308
東京都港区虎ノ門4-3-12

装　丁　竹内雄二
本文イラスト　今村友加里
本文DTP　朝日メディアインターナショナル
印刷・製本　三松堂

ISBN 978-4-532-32399-8　Printed in Japan